▲ 1999写《树与林同在》时

▲ 刘心武和其《树与林同在》等著作的法译者戴鹤白在

▶ 自画像（水

我爱玫瑰绿叶
作CO No.5

▲ 《树与林同在》法译本封面

# 刘心武文存5

## [1958—2010]

长篇小说 第五卷

## 树与林同在

刘心武◎著

江苏人民出版社

**图书在版编目(CIP)数据**

树与林同在／刘心武著．— 南京：江苏人民出版
社，2012.11
（刘心武文存：5.长篇小说.第5卷）
ISBN 978-7-214-08163-6

Ⅰ.①树 … Ⅱ.①刘 … Ⅲ.①长篇小说-中国-当代
Ⅳ.①I247.5

中国版本图书馆CIP数据核字（2012）第088299号

| | | |
|---|---|---|
| 书　　　名 | 树与林同在 | |
| 著　　　者 | 刘心武 | |
| 责 任 编 辑 | 刘　焱 | |
| 统 筹 编 辑 | 李　丹 | |
| 特 约 编 辑 | 朱　鸿 | |
| 文 字 校 对 | 陈晓丹　郭慧红 | |
| 装 帧 设 计 | 门乃婷工作室 | |
| 出 版 发 行 | 凤凰出版传媒股份有限公司 | |
| | 江苏人民出版社 | |
| 出版社地址 | 南京湖南路1号A楼　邮编：210009 | |
| 出版社网址 | http://www.book-wind.com | |
| 经　　　销 | 凤凰出版传媒股份有限公司 | |
| 印　　　刷 | 三河市金元印装有限公司 | |
| 开　　　本 | 700毫米×1000毫米　1/16 | |
| 印　　　张 | 24 | |
| 字　　　数 | 353千字 | |
| 彩　　　插 | 4 | |
| 版　　　次 | 2012年11月第1版　2012年11月第1次印刷 | |
| 标 准 书 号 | ISBN 978-7-214-08163-6 | |
| 定　　　价 | 50.00元 | |

（江苏人民出版社图书凡印装错误可向本社调换）

# 《刘心武文存》出版说明

　　《刘心武文存》收录刘心武自 1958 年 16 岁至 2010 年 68 岁公开发表的文字约 900 万字。《文存》共 40 卷，按文章门类收录，计有长篇小说 5 卷、中篇小说 4 卷、短篇小说 5 卷、小小说 1 卷、儿童文学 1 卷、建筑评论 2 卷、《红楼梦》研究 4 卷、散文随笔 11 卷、杂文 1 卷、海外游记 1 卷、多品种（图文交融文本、报告文学、诗歌、剧本、足球评论、译述）1 卷、创作谈 1 卷、理论批评 1 卷、早期（1958 年至 1976 年）作品 1 卷、自述 1 卷。因跨越时间达半个世纪以上，收录定有遗漏，但其此期间的主要作品，相信均已收入。

　　《刘心武文存》各卷均附有《刘心武文学活动大事记》及《刘心武著作书目》，可备检索。

　　编辑出版《刘心武文存》的目的，意在供各方面人士阅读欣赏、分析研究、批评批判、收藏保存。

刘心武文存

05

# 目录

刘心武文存
05

# 树与林同在

## "这叫做，我爱你有多深！"

又到星期四了。每周的这一天，总会有一群高龄男女，汇聚到北海公园北岸的五龙亭，度过一段欢乐时光。

北京的北海公园，即使是从未到过北京的人，也多半会有些从照片、影视中获得的感性印象。花木繁盛的白塔山，叫琼岛，顶部有一座差不多跟山一样高的尼泊尔式佛塔；琼岛被称为北海的湖面环绕着，岛北的湖面相当宽阔，湖的西北岸边，有五座琉璃瓦顶的亭子，它们错落有致地建在水中，以桥堤与岸相通，并互相勾连。这五座水亭便是五龙亭。本世纪30年代，亭中曾是达官贵人宴饮的地方，在张恨水的小说《春明外史》里，对那一空间中的钩心斗角、男痴女怨，有很生动的描绘；50年代末，杨沫发表了她著名的小说《青春之歌》，后来由崔嵬执导，谢芳主演，拍成了风靡一时的影片，其中有好几场戏，如女主角林道静与她的女伴携手谈心，背景就用了五龙亭；影响最大的，应属50年代初拍成的一部儿童影片《祖国的花朵》，我这一代人，以及我以下的几代人，都难忘影片中那首由乔羽作词、刘炽谱曲，抒情性很强的歌：

让我们荡起双桨，

小船儿推开波浪，

▶北京北海公园。琼岛上的尼泊尔式白塔览尽人世沧桑却始终默默无语。倘若有一天它开口讲话……

> 水面倒映着美丽的白塔，
> 四周环绕着绿树红墙，
> 小船儿轻轻，
> 漂荡在水中，
> 迎面吹来了凉爽的风……

　　近年来中央电视台电影频道中，多次放送过这部黑白影片。影片的故事现在看来不仅幼稚，而且让孩子们通过开会来解决问题，也有点可笑，然而，像我这一代人，所看的已不是故事，所听的也不是插曲，面对着那些晃动的画面，头脑里不免漾动出涟漪般的联想，比如，影片里饰演志愿军叔叔的那位演员，曾在《智取华山》中担纲一号英雄的，叫郭允泰，他在1957年的"反右"斗争中，被打成了"右派"，从此销声匿迹二十多年；而影片中扮演先进儿童的柳青，她的母亲梅娘，也在"反右"中遭难，二十多年后，母亲得到平反，长大成人

刘 心 武 文 存 5

的柳青却远走他乡，某杂志曾刊出她在加拿大家中的照片，那居室的装潢布置，她的一身穿着打扮，特别是她斜倚在沙发上的肢体语言，以及眉宇中所逗漏出的情愫，曾使得著名的报告文学作家胡平不胜感慨，这胡平比我小，但也曾是那部《祖国的花朵》电影的虔诚观众，是那首《让我们荡起双桨》插曲的永不厌烦的听者，还记得歌中这样唱道：

> 做完了一天的功课，
> 我们要尽情欢乐，
> 亲爱的朋友请你告诉我，
> 谁为我们安排了幸福生活？
> ……

胡平在发感慨的文章里，把柳青和另一位演员弄混了（这并不影响他感慨的指向与力度），在《祖国的花朵》这部影片里，给人留下印象最深的，是由张筠英饰演的落后儿童，这个落后女孩，还有另一位落后男孩，都是在柳青饰演的先进儿童以及老师的帮助下，才终于"改邪归正"的；那先进儿童不仅脖颈上系着红领巾，而且臂袖上还别着两条红杠标志（这说明她是"少先队"中队长），那一形象曾使整整一代甚至几代有"落后思想"的儿童和青年望而生惭，可是，现在偏偏是扮演她的人（并不是扮演落后儿童的张筠英——她现仍活跃在国内的艺术界），却已移民加拿大，并且通过杂志上的彩色照片，使我们感受到她终于过上了幸福生活……胡平的文章绝没有臧否柳青选择自己居住空间的意思，他只是由此感觉到了时代的沧桑、人生的无常，以及对命运的敬畏与无奈……

时代·岁月·人，也许，生活就是如此，命运就是如此，个体生命无从选择他或她所处的时代，群体生存也很难说就能在岁月中永保一个既定的方针，唯一不变，或至少很少，也很难变化的，是人性。

上面我们提到了张恨水，杨沫，崔嵬，谢芳，乔羽，刘炽，郭允泰，梅娘，柳青，胡平，张筠英……他们都是名人，或至少是其才能一度闪出过覆盖面很大的光，在社会上获得了一定的符号价值的人物；然而，生活在我们这个星球上，特别是生活在我们国家这块巨大的陆地上的人们，其最大多数的，是普通的，没能出名的人，也就是人们常说的：芸芸众生。

时光流逝到了 20 世纪 90 年代。90 年代社会生活一个最突出的特点，就是在不知不觉中，展拓出了一个越来越开阔的民间空间，在这个空间里，涌现出了越来越各具特色的民间族群，而构成这些民间族群的成员，基本上都是芸芸众生。

20 世纪 20 年代末到 30 年代末的中国，是民间空间最广阔最丰富，也最杂驳最混乱的时期，也就是说，在社会上，除了政治空间，形形色色的非政治空间，相当多，呈乱花迷眼之势，当然，若干民间空间，是与政治空间相重叠、相依赖、相纠缠、相渗透的，如某些宗族行帮、宗教道门、青楼舞场、"黑社会"等等，但毕竟还不能说就等于政治空间，它们毕竟有若干确实是非政治的形态与内涵，我们稍微注意一下，就会发现，不仅港、台的影视作品对表现那一历史时期的故事热情恒在，时下大陆许多影视作品，也特别乐于从那个历史时期取材，道理很简单，有那么丰富的民间空间当背景，出场人物可以形形色色，展现的场面可以千变万化，光是布景与服装也够观众眼花缭乱的了，再嵌入悲欢离合、生死歌哭的曲折情节，映放的商业性效果一般都不会太差。

1949 年以后，民间空间得到清理，若干举措，像取缔妓院烟馆，消灭山野流匪与城市"黑社会"，禁绝纳妾与包养情人，关闭某些迷信场所等等，都是大得人心的，但是，从 50 年代中期以后，政治空间逐步膨胀到充塞于整个社会的地步，"文革"初期，某些群众组织的出现，可能略带有一点民间空间色彩，但很快也就便被整体控制，到"文革"后期，所有的民间空间可以说被铲灭尽净，那时候一个人如果说想在官方指定的政治空间（那也基本上就是生活的全部）以外，自己找些同乡或同学，组织个同乡会或同学会，那他一定会被认为是胆大妄为，甚至于有可能被指斥为"搞反革命串连"而遭到无情打击。

可是，现在到了 90 年代。我们这本书一开头就说到，在北京北海公园，在五龙亭那里，已经好几年了，每逢星期四，便有一群人，最多时达到四五十个，最少时也总在二十个以上，他们来自不同的行业，不同的居住地，各自有着不尽相同的家族背景与人生历程，只因为有着共同的爱好，聚到一起联欢，其最核心的娱乐方式是唱歌，所以称歌友合唱团。这种"跨地区、跨行业、跨系统"，特别是脱离政治领导，在"文革"后期尤为大忌的民间组合，现在岂止是歌友合唱团，有的搞起同窗联谊会，不仅联络大学的、中学的同学，甚至于在暌隔几十年后，忽然寻找起小学的同窗来，白发聚首，虽说是"呼旧半为鬼，惊呼热中肠"，却觉得心灵上获得了莫可名状的慰藉；同乡之间的联谊更是理直气壮，活动频仍；也不都是老龄人串联，中年一代，同赴过北大荒或内蒙或云南的"生产建设兵团"的，同到过延安地区或长白山下插过队的，也就是被称为"知青"的那几茬人，他们有的也大发怀旧之情，为满足这种感情的宣泄，北京在90年代出现了一批直接提供他们活动的餐饮场所，如"黄土地"、"黑土地"、"向阳屯"、"老插餐厅"等等；复员退伍军人则有"老兵餐馆"；当然为数更多的民间社群恐怕还是"人以趣分"的种种爱好者，如集邮迷，集火花迷，集二三十年代旧香烟广告与旧月份牌迷，养鸟遛鸟迷，淘澄古玩迷，猫迷狗迷，金鱼迷热带鱼迷，乌龟迷蜗牛迷，垂钓迷，武术迷，气功迷，爬山迷，足球迷篮球迷，京剧迷评剧迷，琴迷笛迷，古典音乐迷，摇滚乐迷，流行曲迷，芭蕾舞迷，交谊舞迷，大秧歌迷……除了称"迷"还有称"友"的，如音响发烧友，唱片光盘友，书友刊友，牌友泳友，车友驾友，电脑网友……数不胜数，甚至千奇百怪，例如我就遇上过"一小撮"热衷于"饭蝈蝈"的人，他们经常聚在一起，观摩在自制温箱的土中"饭"（即让其交配、产卵并孵化）蝈蝈的成果，并交流心得；更令人感慨万端的是，当年被视为最神圣的领域，最政治化也最不容民间化，尤其不能商品化的某些事物，竟也终究还是走出了政治，彻底地民间化，公开投入市场经济的怀抱了，最突出的例子便是"毛家菜馆"的开张，据报载，开张那天，毛的女儿李讷及夫君，毛晚年的秘书张玉凤，还有"文革"中红极一时，与迟群齐名的那位"小谢"即谢静宜——她"文革"后似乎很霉了一阵——都欣然到场，这一别开生面的场景，是否标志着中国社会民间空间不仅有所恢复，而且展拓到了一种新的格局？

还是回到星期四，北海公园五龙亭从东往西数第二座叫滋香亭的亭子里面，歌友合唱团的男男女女们，陆续到场了。大约是上午九点多，到场的或坐在亭

栏上闲聊观景，或在亭中随意走动逗趣，他们有的自带了玻璃瓶加玻璃丝防烫
套的茶具，里头沏好了茶；有的买了矿泉水；小口地喝着；九点半左右，拉手风
琴的，负责指挥的两位，会招呼大家，于是歌友们便自动聚到亭子中央，也不
排成严格的队形，大体上是男士们一边，女士们另一边，其间也并无间隔，开
始了演唱；往往是，先唱起一首50年代便悬在他们心弦上的苏联或东欧的歌曲，
倒也不一定是《三套马车》《莫斯科郊外的晚上》那种尽人皆熟的老歌，很可
能是以诙谐的声调，并不齐整地唱出：

> 妈妈她到林里去了，
> 我在家里闷得发慌，
> 墙上镜子请你下来仔细照照我的模样，
> 让我来把我的房门轻轻关上……
> 看我长得多么漂亮，
> 谁能说我不漂亮啊？
> 妈妈给我做了一身多合身的绣花衣裳，
> 妈妈有了我这女儿多么欢畅！
> ……

这歌声会引得过路的游人们格外关注他们，特别是那些男歌手居然也摇
头摆脑地唱出"女郎自述"，令人发噱。一些跟他们年龄不相上下的国内游客，
会有一种似熟悉又陌生的"乡音"感，丝丝缕缕地旋出心头，啊，50年代初，
那时候，从东欧到中国到朝鲜到越南，一个红色阵营横跨欧亚，那理想的花朵，
真是硕大而芳菲啊！是的，有些人想起来了，连同个人那时的某些隐秘的，朦
胧的，甜蜜的，后来却被击得粉碎，派生出无限酸辛的情绪……想起来了，这
是一首罗马尼亚民歌《照镜子》，于是，很可能，听歌者驻足，想再多从这意
外的邂逅中，捕捉些能令自己意乱神迷的享受……

可是，歌友合唱团很可能又唱起了一首曲调相当优美的"文革"歌曲：

▶歌友队的男士们合唱时自有一种雄风豪情。他们头上富有中国古典文化传统特色的长廊彩绘，同他们正引吭高歌的苏联旧曲，恰好说明了他们的文化滋养源出何处。这一代的歌声风采逐渐远去，一代人有一代人的歌，信然！

······你是天上的太阳，我们是群星，

紧紧地围绕在你的身旁······

······你的光辉，像春天的雨露，

我们在你的哺育下，茁壮成长······

······亲手点燃的文化大革命的烈火——

那歌声是诚挚的，和声效果极佳，谁说"文革"中只有吵架式的《文化大革命就是好》那样的歌？当时确实有某些富有艺术才能的谱曲者，谱出了悦耳的音符······当然，这歌声令某些旁听者吃惊，困惑，甚而失望；然而，接下去他们听到的是一句被改动的歌词：

让我们大家遭了殃！

演唱者们的表情竟很难看出戏谑的成分，他们为什么不按原来的歌词"把我们百炼成钢"唱？有旁听者走过去询问过，其中一位歌友从容地回答说："这歌曲调很美，我们当年常唱，人总不能忘记过去唱过的歌，是吧？……最后一句，没办法，'文革'被宣布为浩劫了不是？我们再那么唱就犯错误了不是？"

被这样演唱的歌曲不多，绝大多数是认认真真地努力传达出原词原曲的内涵韵味，例如：

> 人们说你就要离开故乡，
>
> 为什么离开得这样匆忙？
>
> 想一想红河谷你的故乡，
>
> 还有那热爱你的姑娘……

这样的吟唱，使某些外国游客尤感兴趣。他们会站在河岸上，用望远镜头给歌友合唱团拍照。这首流传久远的加拿大民歌，在 30 年代，一度被改用来歌颂西班牙内战时共和军的英勇捐躯者，歌友们有时会唱那个版本：

> 西班牙有个山谷叫亚拉玛，
>
> 多少同志在怀念着它，
>
> 多少同志倒在这山下，
>
> 亚拉玛开遍了鲜花……

往往是，几首歌唱过去，会有歌友不愿马上再唱了，他，或她，会问："咦，任众怎么还不来？"

任众住得远，他退休后在昌平一个村子里置了一个小院，从那里到北海，要倒好多次公共汽车。但他总是在歌友们等待他的心情不至于变化为怨怼时飘然而至。

任众来了！这是一个呈现出三十岁的活泼、四十岁的洒脱、五十岁的体魄，实际却已年过花甲的男子。他以矫健的步伐一阵风似的跃入了五龙亭，敏捷地转动着身体，微笑着跟歌友们打招呼。歌友们大多数都是离退休的干部职工，行政级别高的,有前局长;专业职称高的,有数学教授;社会地位中不溜的居多,中小学教师、中级工程师、中级医生、会计师、科员,等等;也有社会地位比较低下的,如退休工人、售票员、售货员;近来又增加了几个款爷,他们把自己经营的饭馆、商店转租给了别人,每月坐收几万元的纯利,闲得发闷,遂也开着私家车,穿着名牌服装,来投入这合唱自娱的民间社群;任众和所有的歌友都逐一地打招呼,但他每次总是格外热情地跟老傅,还有他的老伴握手,老傅是个退休工人,他老伴因为二十多年前受到过强刺激,背总是躬着,两只眼总是蓄着吃惊的神色,嘴巴也总不能完全闭合,这两口子至今还总穿些的确良的衣服,的确良是六七十年代风靡过的纯化纤面料,虽然挺刮,却不吸湿,透气性差,现在早已被视为落后的东西;老傅两口子经济上的明显窘迫,歌友们倒都从未对之流露过鄙夷,但是老傅的老伴,耳垂上总吊着粗大的廉价耳坠,两边手腕上总套着好多个仿玉的塑料镯子,脖子上总挂着做工粗糙的骨制项链,这就引逗得某些歌友忍不住跟老傅说些个打趣的话;任众不仅从未打趣过老傅,还总是透过许多细小的地方,对老傅两口子体现出平等尊重与温馨关照,所以老傅也是歌友中每次最盼任众早些到来的一个,他曾说过:"任众不来,我觉着跟缺了好多人似的!"

任众的大受欢迎,其中一个原因是他会唱的歌多,往往是,他带头唱一首歌,开始只有一两个人能跟着哼,他边念词,边表情丰富地教唱,接着就有更多的人能唱了;这大都是些这个社群青年时代没唱过也听过的歌,在合唱中大家暂忘如今各方面的不同,仿佛汇聚到了某种共享的精神容器中,甚至于连老傅两口子,也忘情地把他们的声音融进去,虽然他们总不免有些走调……

任众这天又带领大家重温了一首老得掉牙,却令人心生无限联想的歌:

蓝色头巾在原野上发亮,
有双明媚的眼睛闪光,
在那广阔的绿色的地里,
有位姑娘在纵情歌唱……

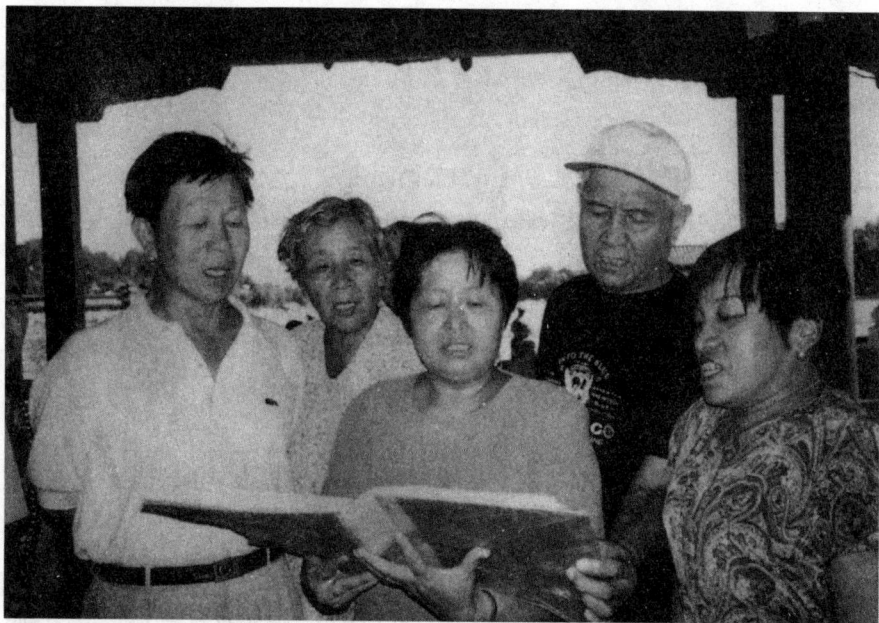

▶ 歌友们在滋香亭中认真地演练新歌。从这张照片中可以看出，不同性别、不同年龄、不同的身体状况和不同的气质，当然还有也许是差异很大的人生经历，都不妨碍他们在一首新歌中同获心灵的慰藉。

　　这首歌叫《相逢在匈牙利》，却是一首保加利亚歌曲。时代·歌曲·人，从五龙亭的这些歌声中，我们听到的不仅是怀旧之情，更有人性深处的某些既无奈又固执的呻吟诉求。

　　唱着唱着唱累了，歌友们散开，不是消极地休息，而是积极地调剂情绪。有时就拉节目，在笑声与起哄声中，任众是被拉得最多的一个，他总是从不推辞，让他"来一个"，他便来一个，他的口琴吹得极好，从衣兜里抽出口琴，往嘴边一放，立刻，或《红翼鸟》，或《杜鹃圆舞曲》，活泼流畅的旋律立刻在亭中绕梁不止；有时候，他还表演诗朗诵，他的表情恰到好处——既鲜明又有所克制，他的声音抑扬得体——既动情又音正韵圆：

　　　　……

　　　　　啊，我的爱奴，
　　　　　如果爱我再替我采点珊瑚。

青年怀着窘迫的烦乱跳入大海，

去寻觅珊瑚或者死亡。


大海里卷起了圆圆的泡沫，

波涛汹涌而上又汹涌而落。


波涛再度涌来，

但没有把亲爱的人儿带上岸边……


　　不管听的人知道或不知道这是俄罗斯古典诗人莱蒙托夫的《短歌》，在湖水漾围的五龙亭里，他们一时都不禁怦然心动。

　　任众还常常用自备的傻瓜机给歌友们照相，除了大合影、小合影，还经常给单个人拍照。提前退休的歌友小冯只有五十来岁，因为是残疾人——一只胳臂萎缩，再炎热的夏日也总穿着长袖衣服——从来都回避拍照，任众也从不拉他拍照，但任众多次在大家联欢时偷拍小冯，最后从十多张照片里选出了一张小冯欢笑的全身侧影，洗印出来送到小冯眼前，小冯接过一看大吃一惊，原来自己从某种角度看去，相貌风度竟和那些歌星影星几无差别啊！从此小冯把那张相搁在钱夹子里，自己展玩之余，还经常拿给别人看："猜一猜，这是谁？"任众不仅给小冯无偿地拍照，每次他拍完一卷胶片，总是在回家的路上就拿去冲洗扩印，下个星期四来参加活动时，逐一发放给大家，对于每月只有六百元退休金的他来说，这是一笔不小的花费，但他从中得到乐趣，歌友们更心欢意畅。

　　中午，歌友们纷纷拿出自己带来的食物，有的是面包香肠，有的是包子春卷，有的是烙饼窝头，有的是煮老玉米烤白薯……佐餐的零碎更多：咸菜、泡菜、咸鸭蛋、豆制品、蜜枣、花生……还有水果、巧克力、口香糖，等等。款爷们有时拉几个人到公园外吃馆子，绝大多数是凑在一起，交换品尝；任众呢，他因为家远，单身过日子，所以歌友们不让他带东西，请他吃"百家饭"，往往是，这个把什么东西塞到他手里，那个把什么东西喂到他嘴中，却还有另外几个在大声招呼他，让他尝什么品什么……每次回到家中，任众都会在整理随身的背包时，发现歌友们悄悄搁到那里面的一些食品，巧克力派呀，富士红苹果呀，半打口香糖呀……这些东西所表达的当然已不是"给你吃"的简单含义，而显现着明白无误的爱怜、爱护、爱慕，乃至于爱情。

歌友合唱团阴盛阳衰。男女比例大约是一比二点几。任众逐渐感觉到，在女士们对他的普遍好感中，有几位，似乎已经超越了一般的情感范畴，比如活动结束，执意要送他一程，虽说他确实住得最远，可是男由女送，特别是护送像他这样的一位强壮男子，那情形总有点古怪蹊跷；他说别送，我还要去商场买点东西，送他的女士便说我陪你去，他说别陪了，女士说我也恰好想买点东西；

▶唱完歌，跳跳舞。远去的是忧愁，涌聚心头的是快乐。还犹豫什么，你也来吧！

▶"这叫做，我爱你有多深！"
从这张富于谐谑性的照片中，我们可以感受到：中国大陆 90 年代的民间空间已经展拓到了多么开阔的程度——不仅自由交往的外在形态已花团锦簇，交往中心灵的松弛度也已渐趋童真。

一起到了商场，女士到头来并没买什么，可是抢着替他付款；出了商场，还一直陪着他坐公共汽车、转车，一直送到开往昌平的长途汽车站，还恋恋不舍。后来，因为大家烂熟了，有的女士对他的情感表达，进一步明朗起来。甚至于不怕当众表态。比如，下午唱到一半，又休息一阵，有歌友带来了录音机，放送交谊舞曲，一对对的舞伴随着乐曲旋转起来，任众是最抢手的舞伴，女士们得跟他预约，甚至于强行占有，才轮得到搭肩握手一舞；他舞步灵活，浑身快乐，快时如风，慢时如云，令同舞的女士如梦如幻，如醉如痴，有一回，他和某女士共舞中，随着乐曲旋律的一个大舒缓，那女士一手搂住他的腰，一手如翅伸张，斜欹着身子，摆出一个夸张的姿势，大声笑说："这叫做，我爱你有多深！"在那瞬间里，任众从该女士的眼中看出，那绝不仅是句玩笑。

时代毕竟不同了。民间空间的展拓使个体生命的生存方式多姿多彩，也使个体生命的欲望释放有了更多的渠道与缝隙。任众主动邀请过歌友们到他昌平的农家小院欢聚，在那以后，便有三三两两的歌友主动来造访，开头还都是电话预约好的，后来就有直接闯来的不速之客，并且，单个的女士跑来看望他的情形，渐次增多，有的直截了当地跟他说："真没办法，我睁眼、闭眼都是你，怎么着也挥不走你的音容笑貌，真想天天都跟你在一起……"任众就微笑着跟她聊天，带她在小院里欣赏石榴树上那半是花半是果的石榴，又让她帮着喂爱

▶伴奏者任务艰巨。因为任众演唱的是一首很难用西洋键盘乐器配合的中国古曲《满江红》："……仰天长啸，壮怀激烈；三十功名尘与土，八千里路云和月；莫等闲，白了少年头，空悲切！"许许多多任众这一代人的脊背上，其实都无形地刺着和岳飞脊背上一样的字，却偏偏生发了和岳飞类似的悲剧……该是彻底打破这一"宿命"的时候了！

犬毛毛和欢欢……女士终于忍不住扑到他身上，把手探到他结实的胸膛上，一边抚摩一边迷乱地靠在他身上说："让我留下吧留下吧……"任众没留下她，没跟她上床，也没责备她，而是坦率地跟她说："感谢你这么爱我，可是，我真是没办法达到你这样的程度，我不能勉强自己，对不对？……"后来，他把她送走，在长途汽车站挥手告别时，那位有夫之妇奔腾的情感总算渐次退潮，而心里头，对任众不仅有爱，也有了敬。

五龙亭歌友合唱团这类的俗世存在，任众这种个体生命的活跃，对于许多被赋予了符号价值的社会团体与名流来说，要么熟视无睹，要么不在视野。一些自身也属于芸芸众生范畴的普通人，他们对比如说作家协会那样的存在充满好奇，对名流明星的行踪轶闻热衷追寻。其实，关于歌友队这种民间族群的故事，关于任众这种尘世汉子的传奇，也许恰恰更值得大家发掘体味。

有一回，一位歌友通过几层社会关系，七穿八达，有志竟成，终于请来了一位算得是名流的主儿，莅临五龙亭中，来跟众歌友指点一番。这位名人倒真没端架子，耐心听他们唱了几首歌，认认真真地给他们校正了一些发声与处理

▶ 歌友们在任众燕丹小院中。歌友队最响亮的不是歌声而是笑声。

▶ 笔者（右）和任众在交谈。
在连人际关系也市场化的滚滚红尘中，寻找一处非市场的空间，安排一段非交易的时间，打叠出一腔非算计的心思，个体生命与个体生命怡然相对，娓娓话平生，真是越来越不容易了。我们现在都已无法、也不必彻底置身于市场之外，但我们一定要保留一些超市场的人际关系，一片不受市场侵扰的心灵园地。

上的不当之处，也还能有问必答，待了大约 40 多分钟，末后很说了些鼓励的话，连连道歉说还有个电视上的评奖活动必得赶去，便在几位歌友陪同下匆匆走人了。不知怎么搞的，这位名人的到来，并没使歌友们在这一天里更加兴奋，相反地，这一天结束得比往次还早了半个钟头。这一天是那位教授歌友与任众一起步出了北海后门，说是教授，其实他临退休时职称还只是副教授罢了，人们称他教授，就像人们总是称副部长为部长、副经理为经理一样。这位数学教授在大学时是高材生，在导师指导下研究数论，所从事的课题类似"哥德巴赫猜想"，很高级，也很有希望突破，但是他毕业时正赶上"大跃进"，搞纯理论的数学研究被认为是脱离实际的资产阶级方向，导师在"拔白旗"的声浪中遭到批判，他被分配到一所县级中学教初中代数，虽然十多年前他被调到师范学院任教，却再圆不了数论研究的旧梦。数学教授满心里涌动着这样的思绪：自己没成为陈景润、杨乐那样的科学界名流，绝不是自己才能不足，只是没有机遇罢了！可是，他没跟任众说自己，只是絮絮地说及那天来五龙亭的名人，拿那人跟任众对比："他既没你有灵气，更没你有幽默感……真不知道，他怎么倒成了一界的名人！……"说到最后，拍着任众的肩膀意味深长地感叹道："任众，帝王将相，宁有种乎？"

听了这话，任众心里也五味瓶俱碎。

## 名流明星，宁有种乎？

如今传媒的广告中，常出现"成功人士"一词。何谓"成功人士"？有的电视广告，伴着甜美的交响乐旋律，映出西洋宫殿式建筑，开来一辆最新型的加长卡迪拉克豪华轿车，从上面下来一男一女，男士的西服革履且不去形容，那女士晚礼服的曳地长裙，质地华贵，色泽雅丽，闪动虹彩，俨然仙裳，他们携手登上玉阶，步入宫殿，镜头跟进，忽然推成特写，侍者递上托盘，盘中一串珍珠，还有大朵百合，衬出一瓶陈酿美酒，女士伸出纤手，轻捏斟好的酒杯，这时她腕上镶满钻石的金表，熠熠闪光，构成一派星斑银晕……而"成功人士，尽情拥有"之类的广告词，便及时迸出……广告造梦，极尽夸张，虽知虚妄，反复灌输，也真搞得不少俗众心神恍惚：何时自己也能成一名"成功人士"，圆个美梦呢？

成功之心，俗众皆有，只是标准不同罢了。其实把话说破，所谓成功，其标志无非是一名二利，这里把不良之名和不义之利排除不算，因为绝大多数俗众，还是想一靠本事，二靠机会，在社会规范，也就是现在人们常说的"游戏规则"里头，去谋取名利的。不同的人，对名这"熊掌"与利这"鱼"，热衷的侧重点不尽相同，有的更欲得到"鱼"，有的更欲得到"熊掌"，二者皆看重，所谓"名利熏心"者，也很不少，不过，真能"熊掌"和"鱼"都得餍足的，

▶1990 年的任众。一表人才么？但谁识此才？谁爱此才？谁用此才？谁信此才？……尘世中无数的有才之士，都期待着机遇，翘盼着能被识、爱、用、信……

到头来为数不多。

要承认，中外古今，确有淡泊名利，甚至视名利为粪土者，即使是通过个人奋斗，为社会所肯定的名利，他们也排拒。那该算作圣人吧，我们这本书，不敢污他们的眼，当然他们也不屑一看。这本书是献给尘世俗众中，那些有才能，肯奋斗，却未能使其才能获得充分施展发挥，黯然铩羽，默默生存的人士的。当然，非圣人的成功人士或准成功人士如肯翻翻这本书，或许也能从中获得一些可资参考的东西。

生于 1934 年的任众，从青年时期起，就渴望成功，他属于那种把名看得比利要重，而且必要时宁愿舍利得名的那一类人。他的想出名，当然是想得一善名，也就是要通过自己诚实持久的奋斗，向他人、群体、社会，充分地展示出自己的才能，做出有益的奉献，从而获得一个并非虚妄的符号价值。

个体生命要想在群体，乃至整个社会上获得出人头地的符号价值，一是你本身得有较优良的潜质和坚韧不拔的奋斗精神，二是你得抓住机遇。但在任众所生活的时空中，事情还不那么简单，因为家里穷，他直到 16 岁，才上了中学，19 岁初中毕业，以他优良的成绩，升入高中不成问题，可是他不想让家里再负担他的生活，于是他选择了只需一年培训的公安学校，1954 年，他从公安学校毕业，分配到市局五处下属的某厂计划统计股，当了一个统计员。那座工厂实际上是一个监狱里的劳改场所，任众所接触的基本上是些犯人。他所在的那个计划统计股，除了股长和他，另外九个搞计划统计的，都是犯人中罪行较轻或表现较好的知识分子。这样的工作岗位和工作环境虽然令他感到不快与苦闷，但20岁的他，却坚信"天生我材必有用"，他自认有文艺才能，能诗能文，能歌能舞，口琴沾到他的唇舌能鸣唪出万种风情，即使一支秃笔，到了他手中也能转瞬涂出一幅图画，虽然一看就知道他尚未受过正规训练，但线条色块中蕴涵的情趣格调，却显示出一般人不具备的潜质。他搜集了一摞监狱印刷厂裁下废弃的纸边，在边沿上打上孔，用细绳系牢，制成了一个专写诗歌的本册，命名为《心情集》，在里面随手写下了许多长诗短句，模仿他所倾心的普希金、海涅和泰戈尔。那时他展示自己才能的野心有限，只盼能有机会调离这个古怪的工作岗位，去从事跟文艺有关的工作。

文艺工作！那时任众的同龄人，向往进入这一领域的还真不少。比如现在赫赫有名的王蒙，解放前，14岁就加入了共产党，解放后在共青团中被委以重任，明摆着有一条成为政治家的道路好走，而且他身上也未必没有某些从政治上发展的潜质，如组织力、凝聚力、原则性、灵活性等等，可是，他本人更向往的却是从文学方面展示自己的才能，奉献于社会。可是，谁想得到，固然政治家之路是诡谲莫测的，但文艺家的路，在那时的中国大陆，可谓已险象环生，先是有对电影《武训传》的严厉批判，继之是对俞平伯《红楼梦研究》的批判，这两次大批判都已动用了《人民日报》发社论的方式，霹雳暴雨，劈头盖脸；任众当时还在北京十三中上学，虽闻雷听雨，却茫然无解。1954年夏天他当上公安干部时，批判胡风的事态正急速升级，很快发展到不仅被定性为反革命集团，而且以此类推，在全国开展了轰轰烈烈的肃清反革命的政治运动。但20岁的他依然懵懵懂懂。那时报上发表了关于"胡风反革命集团"的几批材料，主要是从私人通信里摘出来的一些字句乃至词组，冠以了极其严厉而且尖锐的宣判性按语；报刊上除了大块的批判文章，也连篇累牍地选登一些各行各业革命群众的声讨；当时不少诗人写诗，杂文家写杂文，漫画家画漫画，作曲家谱曲……以文艺形式来参与对"胡风反革命集团"的斗争；也有不少文艺爱好者，觉得这也是一个展示自己文艺才能的机会，于是也给报刊投声讨诗和漫画，有的被选中刊登了出来。这样一些为政治运动，而且被历史证明是错误的政治运动服务的，直露浅薄的玩意儿，也能算作文艺作品吗？创作这样的东西，并希图发表出来，以展示自己某方面的才能，也能算是一种对机遇的珍惜吗？时过境迁后，对问题作出明快的回答是容易的，但当事人心情却是沉重的。

在如火如荼地批判"胡风反革命集团"的运动中，任众也画了一幅漫画，投寄给《人民日报》。那时许多当时就有名、现在更有名的漫画家，都发表了批判胡风及其所株连到的"反革命"的漫画，其构思方式，多半是从那三批"材料"中摘出一句半句，加以图解，其中胡风及"胡风分子"，不是丑化为跳梁无赖，便是丑化为狼鼠蛇蝎，任众亦步亦趋，画了一幅胡风不自量力，要用一根棍子把地球撬翻的漫画，投去不久，编辑部给退了回来，但附有编辑的手书回信，说画得不错，只是报纸篇幅有限，安排不了，敬请原谅云云。当时任众颇受鼓舞。现在回想此事，倘若编辑部竟不吝有限的篇幅，将它刊登了出来，又会怎么样呢？难道就以此为契机，走上当一个漫画家的道路？在这条路上，又会陆续画出些什么样的玩意儿？

转眼到了 1955 年，由揪出"胡风反革命集团"滚动为全国性的肃清反革命的政治运动，愈演愈烈。任众万万没有想到，自己这样一个不仅与胡风了无关系，甚至于还画过批判胡风的漫画的小青年，却忽然也被"挖"了出来，成为了本系统内的"胡风分子"！命运真是给了任众一个绝妙的讽刺！

任众喜爱艺术。他喜欢把自己的日常生活，从细节上艺术化。比如，他自制"美术信封"，办法也很简单，就是用印刷厂裁下废弃的纸边，糊成信封，再用一小块蜡纸，以钢针刻出一个猫头鹰立在树枝上的图案，然后再用一块浸了红油墨的棉花，在每个信封的左下角同一位置，蒙上蜡纸，涂擦那块棉花，使其都印上一个统一的猫头鹰装饰。既然制成了可爱的信封，就要频繁使用。他给公安学校的同窗们写信。绝大多数信里实在没什么稀奇的话，无非是我很好呀你怎么样呀，回想在校时某件事真难忘呀，今后多联系呀什么的，可是他的签名方式很别致，不仅有任众两个字的草书，还有一串阿拉伯数字：

▶1955 年"肃反运动"中，因在私人信件末尾使用苏联歌曲《朋友》首句的简谱作为幽默代码，任众被追究打击。1997 年，任众在京郊蟒山的长廊中，指挥歌友队的伙伴们纵声高唱这首歌曲："我亲爱的手风琴你轻轻地唱，让我们来回忆少年的时光；春天驾着鹤群的翅膀，飞到遥远的地方，过去的事情就让它过去，我们并不惋惜……"

6716432176。这是他的得意之笔。有时还在数字后加括弧，里头写着：猜出来了吗？

而他的被打成"胡风分子"，触因就是他爱写信，以及信封上的图案和信纸上的签名。那时候搞政治运动的方式基本上都是大轰大嗡，公安局系统掀起的大揭发大检举更是来势汹汹。既然胡风他们是以私人通信定的罪，那么，喜欢在私人间通信的人如任众者，当然首先被圈在了被怀疑的名单内，他自制信封本来心安理得，不曾避人，现在有人检举：任众使用的信封上画着猫头鹰，猫头鹰俗称夜猫子，是喜欢黑夜惧怕阳光的，请问什么人才会有这样的阴暗心理呢？于是让他交代，为什么自比猫头鹰？都给什么人写过信？任众说并没把自己或者别的什么人比成猫头鹰，选择猫头鹰作装饰图案，实在只不过是觉得有趣罢了；至于都给谁写过信，他一一开列出了名单。单位派人外调，查到了每一位接信人那里，凡还存有来信的都交了出来，这就引出了更大的怀疑，不，毋庸怀疑,那信尾的一串阿拉伯数字肯定是反革命特务进行联络的密码,现在你任众需要做的事就是老实交代那密码的具体含义,坦白从宽,抗拒从严,顽抗到底,死路一条!

任众面对质问,毫不慌张,他马上哼出了那一串阿拉伯数字所代表的乐句:

$$\underline{6\,7}\,\underline{1\,6}\ \ 4\ \ \ 3\ |\ 2\ \ \underline{1\,\cdot\,7}\ \ \ 6\ -\ |$$
我亲 爱的 手风琴 你轻 轻地唱

这是苏联歌曲《朋友》里起首的乐句。在公安学校时,任众常唱这首歌。他认为接到他信的同窗里,不可能连一位猜出这串数字含义的人都没有。但严酷的政治运动能碾碎所有的友谊。何况被调查到的同窗绝大多数也还谈不到与任众有多么深的友谊,就是心底深处藏了点友谊的人,一见外调者那先入为主的阵仗,谁还敢在政治运动的浪潮里说两句会被认为是立场错误的话呢? 事情的悲剧在于,不仅没有人站出来为他解释,反而有人为了急于跟他划清界限以免遭到牵连,写下了对他起致命作用的"检举材料":"任众是北京十三中学生,平时表现流里流气,吊儿郎当,是天主教徒,可能是圣母军分子。"关键是最后一句。"圣母军"当时整个儿被定成了反革命组织。"可能"在政治运动的狂潮中,是等同于"肯定"的。这个检举,又勾连出对任众更细密的内查外调。一位被调查者,因为自己已被定罪,加上提审人员的严厉追逼,乱咬起来,说是确有一个由公安学校毕业生组成的"反革命小组",而组长便是任众。任众既是这样一个罪该万死的组长,那就进一步来搜查他的私人信件与私人日记,当然,那里头的文字问题很多,例如,在任众给一位同窗的信里,以及他的日记里,都有这一类的话语:我同情弱者,哀悯不幸;我愿世人平等,愿以毕生精力,把地球上的凸起坑洼削光填平! 这样的文字,本来已属"思想不健康"(缺乏阶级观点,是资产阶级人道主义的"破烂货"),理应遭到批判,但如果没有"反革命小组"的问题,也只是批判思想罢了,现在既然是个"反革命小组"的组长,那问题的性质就升了级:这些文字一定是"黑话","弱者"一定是指已被赶到台湾的国民党反动派,"不幸"一定是指潜藏大陆而已被挖出的反革命分子,"削光凸起"是妄图推翻无产阶级专政,"填平坑洼"是鼓吹国民党反动派反攻大陆;而且,任众的"反革命"身份是"双料"的——"圣母军"是一种披着宗教外衣在社会上活动的身份,另一种身份则是更隐蔽的,以秘密方式同上下级联络的国民党特务,这简直再用不着以其他证据来证实了,剩下的事情就是必须发动群众,以轮番的斗争来敦促任众认罪伏罪、彻底交代!

那是 1955 年的夏天,在仓库改成的大宿舍里,两边都是支着蚊帐的木板床,多次召集了对任众"打态度"的群众批斗会。任众被勒令站在过道当中,与会者则分坐在不同的床前,他们在主持者号召下,基本上只是在不断地呵斥,任众试图辩护,总是刚说了头几句便被几声"抗拒从严"的口号截断。后来他便只好沉默。但沉默又被认为是更严重的抗拒。终于,一位积极分子"忍无可忍",他冲上去撕扯任众所穿的汗背心,大声嚷着:"你这个反革命! 你不配穿这个背心!"原来,那汗背心上印着"公安局五处"字样。任众主动脱下了那背心,光着膀子继续挨斗……

那是一种"斗争文化"。可以在任何地方实施人斗人的计划。宿舍本是最不应引人斗争的纯生活场所,但早在延安的"抢救运动"里,宿舍窑洞里便演出过大量的斗争活剧,斗争中动手打人的事已然并不稀奇。在邵燕祥记述他"反右"中遭遇灭顶之灾的《沉船》一书中,他不经意地点出,一次关键的批判会是在广播电台的乒乓球室里举行的,笔者曾在阅读过程中打电话问他,为什么不在会议室里举行? 他说那时的政治运动光是会议室已然完全不够了,所以任何空间都会被用来开展人斗人的活动。凡现在 40 岁以上的人,在记忆里都会储藏着许许多多的人斗人的场面,而且那些场面是无所不在的:车间、田头、教室、操场、办公室、实验室、音乐厅、练功房、电影院、托儿所……一直深入到个人家庭:厨房里饭桌前乃至于卧床边……

这种"斗争文化"在因揪出"胡风反革命集团"而急速开展起来的"干净、彻底、全部地肃清一切反革命分子"的运动中,掀起了一轮新的高潮。早在此前的"三反运动"(反贪污,反浪费,反官僚主义)中,把被怀疑为有问题的人(称"老虎",主要指贪污犯)圈禁起来,限制人身自由,不许回家,已成各单位通例,到"肃反"时这种办法进一步得到大普及、大推广,笔者在 1955 年时 13 岁,正在北京二十一中上初中，记得就经常在放学后，由同学拉着到学校大门对面，进入一个小门的别院中，扒在一间屋子的玻璃窗上去看"老虎"，记得曾看到平时温文尔雅的花白头发的美术老师，焦眉愁眼地坐在那屋里发愣，不胜惊诧。后来这位老师被宣布解脱，依然来教我们美术。

任众在群众性批斗会上被剥掉汗背心，实在还只是"斗争文化"的初级阶段，到"文革"中，这种"斗争文化"发展到不仅不准被宣布为敌人的人穿带有革命符码的衣衫，例如撕掉军服上的领章帽徽，更进一步以极端污辱性的符码强加给被批斗者，宣布被批斗者是"不齿于人类的狗屎堆"、"牛鬼蛇神"，而关押他们的地方，也就不会有我在二十一中时所看到的关"老虎"的屋子那么雅洁，往往是最脏最差的场所，被称为"牛棚"；拉出去批斗时，也不是仅仅像任众在1955年夏天那样光个膀子，而是"进化"到了要挂黑牌子（上面写着名字，打着大红叉），戴高帽子，或者被剃"阴阳头"，斗争时会用各种手段折磨被斗争者，如两边以两个有力气的人给被批斗者"坐喷气式"，呈现出一种人世间本不该有的残暴而丑恶的景象。

笔者在狂暴的"文革"初期是一个20多岁的中学教师，微若芥豆，胆小怕事，个体生命既然被陷在了那样的时空中，只好随波逐流，苟存生命，并且努力地去理解不可理解的"无产阶级专政下继续革命"的"道理"，心中哪敢对伟大领袖亲自发动亲自领导的"伟大运动"生疑抵制，但是，没有办法，唉唉，真是没有办法，在批斗会上，你怎么用语言揭发批判那被批斗者，我都能拼命顺着去想，啊，他反动，他有罪……可是，只要你一对他（或她）"武斗"，侮辱他（或她）的人格，我的心便立刻乱了，虽然不能不跟着喊打倒的口号，可是心里头总涌出难以压下去的同情怜悯……甚至于替那义愤填膺的革命者着想：你现在所置身的世界，因你们自己搞出的这些花样而丑陋啊；希特勒手下的党卫军杀犹太人，起码还是秘密地把他们送进毒气室，甚至于还放送着优美的古典交响乐，自己"眼不见（那挣扎的景象）为净"，更绝不让自己的妻室儿女和德国"良民"们"有目共睹"，"文革"的革命者如果是为了自己生活在一个美丽的世界上，那为什么要先制造出如此恐怖丑恶的场景来呢？为什么不仅自己对之甘之如饴，还要让自己的妻室儿女亲戚朋友乃至于"广大革命群众"都来

▶著名电影演员李仁堂站在他自己的书法
作品前。他曾在根据笔者小说《如意》
改编拍摄的同名影片中扮演石大爷。他
的成名作是反映农村阶级斗争和路线斗
争的《青松岭》，后又在轰动一时的影片
《创业》中扮演重要角色。他的表演才华
是公认的，但六十年代末至八十年代初
调整频仍的政治路线与文艺方针，使他
若干作品或中途搁浅，或不具备久远恒
定的审美价值。个体生命才能的充分施
展，需要稳定良好的社会文化环境。

以此为人生享受呢？人啊，人，在人性深处，藏着些什么凶恶残暴、肆虐嗜血
的东西？为什么在这个时空里竟被这样地调动？……"文革"结束甫久，1980 年，
笔者便在中篇小说《如意》里，借主人公——一位在"文革"中既未挨斗也未
斗人的老校工之口，说出了这样的话："……跟你说实在话吧，就算那人是坏人，
你这么一弄，我的心也软了，我还是可怜那让人不当人待的人。你们常说阶级
斗争，阶级斗争是人跟人斗，不是人跟狗斗，是不？那就该有个分寸，不要弄
得这么不像人样儿……"

笔者不想重复自己，但更不想改弦易辙。《如意》痛切于"弄得不像人样
儿"的世道，呼唤以人性的良善战胜人性的暴虐，笔者从那个出发点艰苦跋涉
近二十年，现在要以这本书，进一步探究人性，不仅要坚持"无论在什么情况
下，每个人都应当被当做人来对待"的理念，而且要进一步探讨，为什么，红
尘中埋没了那么多的有才能的人，即使有的人他那才能没能得到充分施展，更

▶ 著名影视明星朱琳和笔者私人助手鄂力在一起。笔者心目中印象更深的表演艺术家则是北京人民艺术剧院的那位现在年过七旬的朱琳。一代人有一代人的星光,星同名而光有别也。

未能获得广泛的社会性符码价值,但当他站在我们面前时,我们是否仍能意识到,他与那些名流明星一样,具有一份生而为人的尊严?

生命是尊贵的。人是所有生命中最尊贵的。一个正常的人首先要懂得珍爱自己。当任众被押上大卡车,由两个指定的革命积极分子紧紧夹牢,站在卡车驾驶室紧后头,面向大街,驶往市局的大型斗争会时,当时 21 岁的他,虽然感到迷茫,却全然没有否定自己,他不仅坚信自己无罪,也坚信这一切都会过去,自己的才能还是会得到施展,从事文艺创作的向往还是有可能成为活生生的现实……他微昂着头,任风吹拂着不因灾难而蓬乱的厚发,体现出高度的自尊与自爱……

因揪出"胡风反革命集团"而开展的"肃反"运动轰轰烈烈,但那时的"斗争文化"毕竟还不是一味地如火如荼,任众被限制人身自由八个月以后,在1956 年夏天,给予了解脱。当时的公安部长罗瑞卿,他执行打击"胡风集团"的命令十分坚决,但经过反复调查,虽然"胡风集团"的"骨干"之一绿原被一封私人信件的只言片语，判定为了"中美特种技术合作所"的特务，但调查结果明白无误地显示：绿原根本就没到那机构去过；对此，罗瑞卿也就没有坚持把绿原按特务处理。依此类推，后来对卷进"胡风集团"的种种案子进行了一些甄别，层层甄别，也便甄别到了任众这里，由一个召见他时不住伸出手指头，到凉鞋里抠擦脚趾缝的上级办案人员，很潦草地向他宣布，他不算反革命，只是有错误思想与错误言论。对比于十年后的"文革"，这样的"斗争文化"未免就太"温良恭俭让"了。十年后的"文革"，罗瑞卿成为"彭、罗、陆、杨"四大首批揪出的"黑帮"之一，他跳楼自杀未遂，腿摔断了，"红卫兵"便用大箩筐把他抬到能容十万人的北京工人体育场，与另三位"黑帮"一起野蛮批斗，那的的确确是绝不对他施"仁政"，"打翻在地，再踏上一万只脚"，成为地地道道的"狗屎堆"。胡风当时羁押在狱，或许一时不知，任众当时是个壮工，虽沦落于最底层，却耳闻目睹了种种类似的人间畸像，心中难免感慨万端。此是后话。

春风又绿北海岸。1957 年春天，从农村劳动锻炼回到城里的任众，到他童年时代便熟悉得如同老朋友的北海公园，在琼岛山的僻静处，坐在山石上，沐着柔和的湖风，嗅着隐约的花香，一会儿翻开他自制的写生本，画起了画儿；一会儿取出带来的诗集，小声朗诵着诗歌；一会儿托腮默想，仿佛自己已然走上了银幕，正扮演着一个历尽苦难，却依然挺身而出，为弱小者打抱不平的勇士……

他不仅依然想施展自己的才能，而且，还抱有非常充沛的希望：以"调干"名义报考北京电影学院，毕业后当一个受观众喜爱的电影演员！

由于童年和少年时代家庭贫困，青年时代所分配到的工作十分特殊，而且宿舍附近也无电影院，工资也低，没有充裕的娱乐费用，再加上"肃反"时失去自由八个月，任众到那时所看过的电影并不多。在看过的影片中，他最喜欢的是苏联拍摄的《奥赛罗》，并且最心仪饰演奥赛罗的那位演员邦达尔丘克。这部根据莎士比亚名著改编拍摄的影片里，奥赛罗的一些台词他过耳不忘，甚至到了今天仍能马上声情并茂地背诵下来。他后来更特意找来朱生豪翻译的原著，把奥赛罗的这些话抄在札记本上：

全國高等學校1957年統一招生

## 准 考 証

考　區：北京

報名号
（試坊座号）：32161

姓　名：任众

（加試科目　　　）

### 考 試 时 间 表

| 日期 | 7月15日 星期一 | | 7月16日 星期二 | | 7月17日 星期三 | | 7月18日 星期四 |
|---|---|---|---|---|---|---|---|
| | 時間 | 科目 | 時間 | 科目 | 時間 | 科目 | |
| 上午 | 7:30 ─ 7:50 | 向考生宣佈考試須知 | 7:30 ─ 9:30 | 物理 | 7:30 ─ 9:30 | 数学 | 建築、體育、音樂圖画（包括素描）、專業的有關加試科目的考試 |
| | 8:00 ─ 9:40 | 本國語文（甲） | 10:00 ─ 11:40 | 歷史 | 10:00 ─ 11:40 | 達尔文主義基礎 外国語 | |
| | 10:10 ─ 11:10 | 本國語文（乙） | | | | | |
| 下午 | 3:00 ─ 4:40 | 化学 地理 | 3:00 ─ 4:40 | 政治常識 | | | |

▶ 许多人都珍藏着类似的证件。它们对他人来说也许微不足道甚至毫无意义，但对持用过这些证件的个体生命本身而言，它们是人生旅程的履痕，并且很可能还蕴藏着若干心灵的秘密……

## 京 演 准 考 証

报名号 1426　　姓名 任众

性别 男　年龄 22　报考 演员　　系

报到地点 北京新街口外大街 北京电影学院

报到日期 1957年7月1日至7月2日

北京电影学院 1957年5月24日填发

树 与 林 同 在

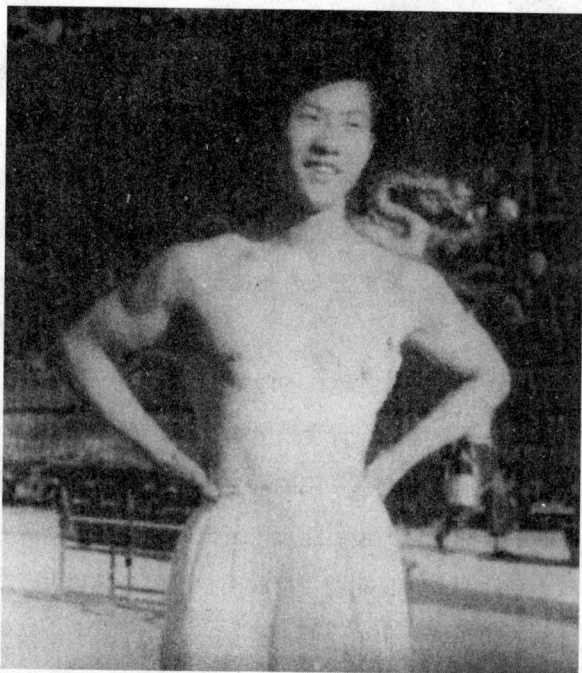

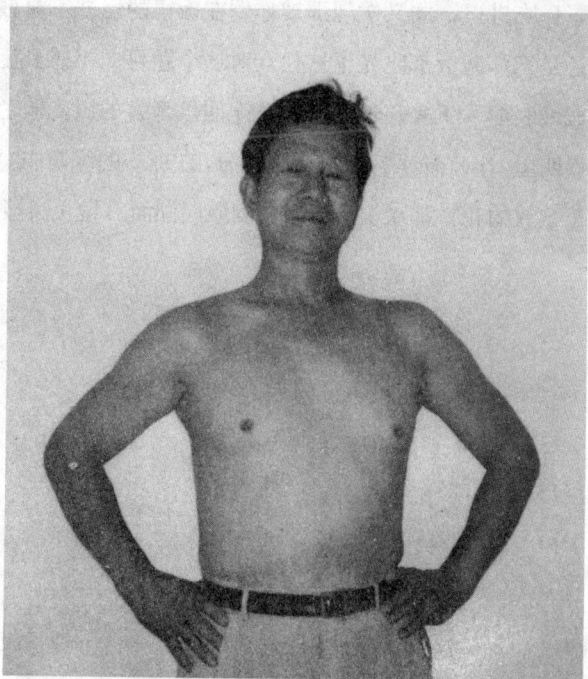

▶ 从灵与肉两方面精心雕塑自己，
自我欣赏，并使自己在别人眼中
具有审美价值，是任众从步入青
春期以来始终不懈的追求。1953
年19岁的"任大块儿"和1998
年64岁的任众在这一页上不期
而遇，体现出一种生命不息、自
强不已的奔放激情。

　　……我说起最可怕的灾祸，海上陆上惊人的奇遇，间不容发的脱险，在傲慢的敌人手中被俘为奴，和遇赎脱身的经过，以及旅途中的种种见闻……苔丝特梦娜对于这种故事，总是出神倾听……当我讲到我在少年时代所遭逢的不幸的打击的时候，她往往忍不住掉下泪来……她发誓说，那是非常奇异而悲惨的；她希望她没有听到这段故事，可是又希望上天为她造下这样一个男子……

　　任众为什么非抄这样的段落？讲到后面，我们会更加明白。

　　北海是美丽的。青春是美丽的。对艺术创作的向往是美丽的。

　　那一年报考电影学院的考生逾两千，冲着表演专业而去的近千人，但很快便刷下去好几百，最后能进入复试的只是几十个人。任众记得考他朗诵、形体和小品的主考官是胡朋，那时候她年纪未必很大，却已经以饰演革命老太婆而著名。胡朋给他出的小品题目是：你游行回来，又渴又饿，但是找不到水，只有一碗米饭，也没有菜；你吃那饭以前，找来一瓶酱油，往饭上倒，呀，倒多了！吃进口，才又发现那被你倒在饭里的，并不是酱油而是醋……可是你最后还是把那碗饭都吃光了！任众对这个题目并不感到困难，略想了想，便一气呵成地表演了下来。他没去观察胡朋等考官的眼光脸色，自信地离开了考场。电影明星，宁有种乎？任众又到北海，在琼岛的绿荫中，吹起了他心爱的口琴。《含苞欲放的花》那欢快活泼的曲调飘向湖面，融入漾漾绿波之中。

## 走出贝勒府

　　近年来经常有陌生人想方设法与我取得联系，希望我能听听他或她的倾诉，或向我提供他们历年来的私人日记，有的甚至于已经写成了厚厚一摞文稿，拿来供我无偿使用，目的都是一个——"您写写我吧！"他们都并不是已然功成名就的人五人六，都是些最平凡的，甚至于可以说是底层的人士；他们希望我写，当然并不是为他们个人树碑立传，而是觉得自己的那份人生经历，其中的酸甜苦辣，实在值得通过文学的形式，与更多的人沟通，以慰藉自己，和与自己有类似人生感受的他人，那伤痕累累的心灵。

　　我感谢所有这些希望我利用他们的生命体验，来进行文学创作的人士。他们对我的信任与期盼，使我感受到尘世的温暖，同时也使我意识到，在越来越趋于多元化的文学发展势头中，我所站位的这"直面俗世"的一元，仍有相当的生命力。

　　但是，到头来，我只能选取极少数的个案，来作为自己关注社会发展、扫描命运轨迹、探究人性底蕴的窗口。我在一个偶然的机会中结识了任众，他那出自内心的倾诉热情，与我一贯所坚持的"我爱每一片绿叶"的信念，达到了难得的契合；并且，他和我曾在同一个小空间里，度过了一生中难忘的岁月，而且，在那一空间中出现过的某些人物，也能引出我们不同角度的回忆与联想，

034

刘 心 武 文 存 5

这就更促成我下决心用他的经历为贯穿线，来写这样一本书。

我们生命历程中相同的那个小小的"共享空间"，是北京十三中。

北京十三中深藏在北京西城区一处僻静的小街里。那条街最早叫李广桥斜街。李广是明朝的一位权倾一时的大太监。一定是他的府第曾在这个地方，否则不会这样命名。那地方离现在仍然湖波荡漾的什刹海非常近，往昔，什刹海后海有一脉活水，构成蜿蜒小河，流经这个地方，据记载，两岸柳树成荫，河上小桥卧波，所以有"李广桥"之称，附近还有"三座桥"等地名，此河大概最后注入什刹海前海，可惜在 50 年代已干涸填平，徒存一个有"桥"字的地名。到了清朝，李广桥附近，先后出现了几座贵族府第，其中一所现仍大体完好，即恭王府，据"红学"家周汝昌先生考证，此地在康熙朝曾是太子府，后太子被废，康熙薨后，从未被封过太子的雍正即位，他残酷地打击了废太子及其他兄弟，此府从此转换了几轮主人，直到咸丰的兄弟封为恭王，其归属才相对稳定了下来；这个府第中有"天香庭院"，至今犹存；又有构造特殊的"九十九间楼"，是一座极长的两层罩楼，楼后便是如今对外开放的恭王府花园；周先生考证出，雍、乾时期，曹雪芹可能出入过康熙废太子的府弟，其所撰《红楼梦》一书中所描绘的大观园，即以其为蓝本。现在我们到恭王府花园游览，确实会在很多处所联想起大观园来，大观园中有河有湖，河上有沁芳闸，湖中有滴翠亭，其蓝本现在都可一一指认。清朝倾覆后，恭王的后人坐吃山空，终于渐次卖出了此府的地盘，其中绝大部分为德国人所购，后来德国人创建了辅仁大学，又在 1929 年开办了辅仁附中，其中辅仁中学男生部，是购买了恭王府西边，李广桥西街的一所贝勒府，来充当校舍的。贝勒是王爷的后代，递减等次享有的贵族称谓。虽说是减了等次，那府第的气派依然不小。正门前有一对硕大的石雕狮子，进去后三重大院，高阶巨厦，古槐浓荫；正房西边则是无数回环联锁的小院；再西边有很大的花园。改为中学以后，将花园夷平改为了操场，但其他部分一直到 60 年代初基本上变化不大。1950 年，辅仁大学及附属中学都收归国有，辅大被改造为北京师范大学，附中男生部则被改为市立十三中。现在，十三中所在的那条街易名为柳荫街，这名字很优美，也有考古的依据。

说起辅仁大学，有些人会迅即举出一串与此校有关的名人，最常举出的是

▶北京十三中的前身是辅仁附中。其校园在清代曾是贵族邸宅，最后一茬的拥有者是涛贝勒（笔者曾看到另一种资料，写作叒贝勒，想来是满语的音译，故"涛"、"叒"相通）。现在十三中校门外墙上嵌有市政府核定其为市级文物保护单位的标识。现在这个校门并非当年贝勒府的正门，故不显气派。校园中的东半部现仍有当年贝勒府的风采。从这座"贝勒府"里，走出了不少得以施展的人才和不少未得施展以至遭到埋没、摧残的人才。

王光美，据说她曾是辅大的"校花"，当时学的是高能物理，但她没有去走一条出国留洋—洋博士—洋教授—著名洋籍华裔人士，如此这般的人生道路，而是作出了另一种人生选择，后来她的遭遇我们都很清楚，到笔者写此书时她也还健在，不知她回顾辅仁时期的往事时，会作何感想，而她的前后同窗们，想到她所经历的那些惊心动魄的人世沧桑时，又会有着怎样的心情？人，人生，让我们怎样咏叹你才好啊！

　　辅仁中学也很出了些名人。例如现已过世的著名文艺评论家冯牧。我在1977年11月于《人民文学》杂志上发表短篇小说《班主任》以后，引发了一个后来被称为"伤痕文学"的浪潮，有些人对之忧心忡忡、痛心疾首，认为是背离了应当坚持的，为革命"歌德"的正路，走上了一条可怕的"缺德"之路，当时一批从"四人帮"专政下解放出来的文学界前辈，站出来为"伤痕文学"辩护，冯牧是最有力的一位，从那以后，好几年里，我跟他保持着相当密切的

▶1989 年，北京十三中六十周年校庆活动中，同窗相聚。右为任众、左为赵大同，当年班上齐名的两个"大块儿"。

联系，他并且还为《刘心武短篇小说集》写序，那是 1980 年，现在有谁会对一位青年作家出一本以其姓名嵌入书名的集子大惊小怪呢？现连 20 多岁的作家也可以这样出书，30 多岁的作家那是要出文集的了，在书架上一摆好大一排，每本上面都印着著者的头像，这有什么稀奇？可是，1980 年就有人跑到冯牧家里责问他："你怎么能给刘心武这本书写序？！"按那抗议者的思维逻辑，以著者名字命名小说集，是一种规格待遇，一般只有那作家成了权威，或者竟是死掉了，才可如此，刘心武"才"38 岁，刚刚出道，怎么可以这样"乱来"？这种"规矩"你冯牧本是最懂得的，现在怎么会丧失"原则"，支持"邪门外道"？

现在我随手记下这件事情，是为了使年轻一代知道，我们这个社会曾有过怎样的"文化秩序"，是的，回想起来，在60年代，《青春之歌》，还有其他几部几乎被视为"革命教科书"的长篇小说，虽然一再印行、推荐，可是，因为其作者毕竟还没熬到郭沫若、巴金那样的资格，因此，书上是绝不能印他们的照片的，使得许多心仪他们的读者，虽熟读其书而始终不得一窥其人的"庐山真面目"。

冯牧在1980年时是坚决支持我的。他把为我的小说集所写的序刊登在了由他和孔罗荪联合主编的《文艺报》上。但当我在1982年发表了短篇小说《黑墙》后，他便对我失望了，也是由他，特意在《文艺报》上刊发了一位批评家的文章，严厉地批评我走歪了创作的路子。他的失望和那批评家的批评都自有他们的道理，我以为无论如何他们对我还是充满善意的。也就在这个时候，有人跟我打趣说："三爷跟你可是校友啊！"他所指的，便是冯牧在30年代曾在辅仁中学就读，那时他是富裕之家书香门第的冯家三少爷，后来他毅然投奔了延安，走

▶ 又是北海公园。任众身后依稀可见北岸的五龙亭。"……水面倒映着美丽的白塔，四周环绕着绿树红墙……亲爱的伙伴请你告诉我，谁为我们安排了幸福生活？……"要挺起胸膛回答，是我们自己，是亿万普通人愿望的合力，经由特定的形式，终于自己为自己安排下了这通向幸福生活的航道！生活未必如歌，在驶向幸福的航道上，我们还必须付出血与汗的代价！

上了一条革命的道路。针对打趣，我便故意郑重地声明："是啊，我们是前后师生啊！"冯牧对我这"前后师生"一说并不在意，虽然他未必觉得这有多么幽默。那是事实——我只在由辅仁中学改成的十三中当过教师，而我并没有在那里当过学生。

十三中属于北京西城区的重点中学，有不少干部子弟曾在那里就读，如邓小平的儿子邓朴方、粟裕的儿子粟寒生等。当然，更多的就读者是一般的市民子弟。历届学生中，有潜在才能的不少，其中有的，后来也得以施展其才，乃至大展其才，进入名流明星的行列。

本书的主旨之一，是探讨怎样尊重人，尊重人的潜质，尊重并开发人潜在的才能；并且要探究，为什么有的人的潜质得以获得发挥，功成名就；为什么有的人中途铩羽，功亏一篑；为什么有的人被埋没，瘗志以终。这是一个艰难的问题，因为，情况是相当复杂的，因素是方方面的，并且，我们越往深幽细

▶ 花枝胡同家门口。任众与母亲和一对侄儿。熟悉《红楼梦》的读者，对"花枝胡同"会生出些什么意象呢？这张照片是令他们索然失望，还是反倒浮想联翩？

微处探究，便越会感觉到，在种种可理喻的缘由之外，尚有若干往往是难以理喻的神秘因子，是啊，人·生存·命运，如果冥冥中真的没有某种超越人类的支配力量，有些诡奇之事，该怎么才能解释清楚？

任众因为童年经历坎坷，辍学、失学几年，因此1950年到十三中上初中时，已然16岁，比同班绝大多数学伴要大三岁之多。他记得，那时每当课间休息，他和一些同学便会往另一院子里跑，那是比他们高一年级的某班教室所在，那班的一些同学，会在课间休息时，发动一个"滑稽音乐会"，只见一位高个子、长方脸、厚嘴唇的同学煞有介事地甩臂指挥，其余参与者或吹笛，或吹口琴，或拉胡琴，或竟敲簸箕、摇铅笔盒、拍巴掌，细听那旋律节奏，居然或《步步高》，或《金蛇狂舞》……奏罢，不仅同班同学鼓掌叫好，任众等跑来围观的外班同学们也哄然喊妙。

那位指挥"滑稽音乐会"的师兄，便是一位有音乐天赋的人才。据说，初中毕业后，他去投考中央音乐学院附中高中部，考官们问他：你能演奏什么乐器？他拿出一个包袱，打开包袱皮，拿出了一样乐器，当时在场的人全笑了——那是一张大正琴！

大正琴这种乐器似乎已经绝迹。50年代初，一度颇为流行。它的琴体很简陋，用铁皮之类的材料构成，长长短短的琴弦绷在一些立柱上，柱顶是个小圆盘，圆盘上写着简谱所规定的音符，使用时只要按谱照小圆盘上的指示拨弄琴弦，便能很便捷地奏出相应的旋律。它实际上是一种儿童玩具，成年人当然也可用来解闷，当时的民工们，胡同杂院里的市民们，多有下班后拨弄一阵子大正琴的。大正琴实际上是发音大为不正，我小时候在家里就听大人说过，玩大正琴的今后都学不成音乐，因为会把耳朵"听坏"，从此再不能把握住钢琴敲出的准确音阶；这样的乐器，怎么可以大摇大摆地拿进音乐学院来？

在人们的哄然嘲笑中，考生虽然脸庞涨得通红，却并没有沮丧地低下头去，他竟双眼炯炯，正视着考官们。主考官犹豫了一下，便蔼然地说："你既然带来了这个，那就随便演奏一个曲子给我们听吧！"考生稍微平了平气，从容不迫地弹奏起来，据说几分钟以后，考场上竟变得鸦雀无声，人家简直都听呆了！这个少年竟能用如此简陋的东西，奏出如此复杂而悦耳的音乐！

主考官听完，走过去拍着他的肩膀说："孩子，你有音乐天赋！可是你必须学会钢琴！我们等着你再来，那时候我们听你弹奏钢琴！"

这个热爱音乐的少年家里没条件置备钢琴。他继续在十三中读高中。高中已经不设音乐课了，但初中教他的音乐老师为他启蒙，教他弹钢琴，并且给了他一把音乐教室的钥匙，准许他课余自由进入那里，苦练钢琴。

这些事都被当年的任众看在眼中。他注意到，这位师兄（其实年龄比他还略小）常常怀抱着用包袱皮裹着的一厚摞乐谱，在下午课后进入音乐教室，忘情地练习钢琴，叮咚琴音，恍若天籁，直到夕阳西下，晚霞把操场边的大桑树染成金色，静校铃响起，那从心头流向指尖，指头亲吻琴键的操练，还要悠然响动一时……

几年以后，十三中这位苦练钢琴的学生如愿以偿，考上了中央音乐学院作曲系；又隔了很多年，当任众在电影院看电影时，在银幕上看到了他的名字——他成为一个经常为电影配曲的著名音乐家。1982 年，北京电影制片厂把我的小说《如意》搬上银幕，有一天导演黄健中和制片主任跑来，拉我去这位作曲家家里，说是听听他为这部影片所谱出的旋律，我们围在钢琴边，作曲家弹出了充满悲怆的命运感叹的曲调，当时我眼睛一下子模糊了：这正是我所期待的那种音韵啊！

同作曲家聊起来，才知道他曾是十三中的学生。而直到跟任众认识并广泛交谈，我才了解到这位现在相当著名的作曲家——施万春，他少年时代努力奋斗的一些吉光片羽。

施万春的奋斗历程中肯定也会有阴霾雷雨，有忧伤郁闷，有人际恩怨，有失落遗憾，但相对而言，他是幸运的，他从小热爱音乐，天遂人愿，有志者事竟成，他多年来以作曲体现他的生存意义，并且为人所知，获得了社会符码价值。他的事例，说明即使有过那么多的政治运动，包括严酷摧残文化的"文革"，个体生命的自强不息，以及具体生存环境下的良性因素，包括某些可穿越性的社会缝隙，其综合效应，还是可以促成人才的显现与发挥的。

另一个例子是成方圆。她大约是尼克松访华以后，70 年代初才进入十三中，那时学校的教学秩序稍得恢复，而且，学校组织了"毛泽东思想宣传队"，不仅

▶ 著名歌唱家成方圆（左）与笔者私人助手鄂力。成方圆曾是十三中学生。我们祝福像她一样及时抓住机遇，一展才华的人士。我们更关注尘世中未能遭逢机遇，或与机遇擦肩而过，或在机遇中虽经拼搏却仍未能充分施展才能的那些个体生命。

用录音带伴奏，排演了全本芭蕾舞剧《红色娘子军》——当然，只能是尽量翘起脚尖，"芭蕾"不过是"点到为止"罢了——大受师生欢迎；还排演了一些吹拉弹唱的节目，专供当时来校参观的外宾欣赏，据说那时成方圆拉一手好二胡，她能把一些革命内容的曲调，拉得流畅花哨，活泼动听，令人啧啧称奇。后来，"四人帮"被粉碎，"文革"中被"四人帮"粉碎掉的东方歌舞团"破镜重圆"，因"反江青"而打成"现行反革命"的王昆又成为了该团的"现行领导"，她不但迅速带领该团恢复了一批原有的保留节目，还积极发现新人，鼓励新创作、新尝试，成方圆去投考，被她慧眼相中；成方圆提出带一把吉他琴上台，边弹边唱，以亲切自然的演出方式取悦观众，有人质疑，有人反对，王昆支持，说无妨一试，谁知这一试便一炮打响，成方圆从此成为著名歌星；在80年代初，那时一度暴红的歌星，有的已黯然过气，被人遗忘，而成方圆作为一颗"星"，一直光度不减，甚至于还时烁强光，如1997年年底与夫君王刚连袂演出音乐剧《音乐之声》，堪称一时之盛。

1978年，是中国大陆社会发展的一个大坎儿。从那一年以后，中国大陆开始进入改革开放时期，改革开放的路径并非一条直线，更非一路平坦，其间的曲折颠簸，阴晴风雨，我们既一路同行，都有铭心刻骨的感受；但无论如何，我们要承认这个明摆着的事实：改革开放以后，比改革开放以前，为个体生命的生存发展，特别是为人才的开掘、显现、发挥、闪光，提供了越来越良好的人文环境，成方圆以下的几辈人，真是赶上了好时候。记得1986年的"五一"节，我与成方圆同去慰问北京公交系统的职工，那活动是中华全国青年联合会组织的，她的出现自然大得欢迎，我呢，只不过是因为头年发表过一篇《公共汽车咏叹调》，算是为公共汽车的司售人员们道出了一番甘苦，所以也得到礼遇；记得她非常随和地给职工们唱了好几首歌，赢得了热烈的掌声；慰问活动结束后，我俩一起闲聊，她对我说："刘老师，其实把通俗歌曲唱好非常容易——你只要找准感觉就行了！"找准感觉！我不禁浮想联翩，我像她那么大时，连《莫斯科郊外的晚上》那样的歌都被宣布为了"靡靡之音"，那时候可哪儿去找感觉，哪敢去找自己的感觉？面对着坦然找准自己所欲所喜感觉的成方圆，我既艳羡，又欣慰。

当然，说到人才，我们不能都以施万春、成方圆所达到的境界为标准。而且，个体生命聪明才智的施展，有时虽然具备了主观上的努力与客观上的机遇和运气，也并没有遭受打击与摧残，却也还不能熠熠闪光。60年代初，十三中有个学生在报考电影学院表演专业的过程中"过五关、斩六将"，"力挫群雄"，颖脱而出，终被录取，一时传为美谈，人们都等待着与他在银幕上相会；他在电影学院努力学习，以优良的成绩毕业，毕业后分配到北京电影制片厂演员剧团；可是，一年过去，两年过去，人们望穿秋水，就是不能在银幕上发现他的踪影，不要说在影片中演主角没他的份，就连演员表上能打出名字的配角也轮不到他，至多跑跑龙套，一闪即逝；直到改革开放以后，电影生产大繁荣，连根本没受过专业训练的男男女女们都能跑到银幕上撒欢儿，他却还是被冷落一旁。这究竟是怎么回事儿？1974年，北京电影制片厂恢复出片，其中一项任务是重拍《南征北战》，为此布下弥天大网，在全国范围内遴选演员，北京十三中"毛泽东思想宣传队"的一名女生，在《红色娘子军》中跳"女一号"吴清华的，竟被选中，又在校园中引出轰动，半年以后，人们在上映的影片中果然看到了她的身影，据说拍摄时她戏份不算太少，那角色还有个名字叫"二缦"，但到出片时，有关她的戏几乎都被剪掉，演员表中也绝无她的名字，她只是一个大龙套罢了；虽然如此，她毕竟进入了电演圈；就在那前后，北影还拍摄着另一部影片《南海长城》，此片的演员也是在全国范围内遴选的，其中一位女演员从四川召来，原是打扬琴的，名叫刘晓庆；该片由于种种原因，拍拍停停，停停拍拍，直到1976年粉碎了"四人帮"，也没拍竣，并且因为它本是江青亲自抓的"样板片"，剧组也就随之解散；不过几年，河东河西，个体生命怎拗得过时局转换？十三中那位女生，与刘晓庆，还有别的一些曾"借调"到北影的人，遂"八仙过海"，各施其能，结果呢，刘晓庆很快又出演了《婚礼》《瞧这一家子》《小花》等影片，绝处逢生，几年后迅即成为大红大紫的影星；而十三中的那位女生，却怎么也"杀"不出来了，就此销声匿迹，现在估计早已为人妻母，虽说是作一份平凡的工作，在社会的深处过一种恬淡的生活，也许比当名星更具普适的人生价值，但每当微风徐来，小雨敲窗，那十三中的前女生，回想起在北影拍片的种种情景，宁不喟叹伤感？难道人生中的得失浮沉，到头来只能用"命运"二字含混解释？

中学是很微小的社会细胞。流动量大，而且转换频仍的是学生；相对稳定，甚至于终老其中的，是教师。我是1961年秋天，从北京师范专科学校毕业后，分配到十三中当语文教师的。我那一届毕业生，绝大多数分到郊区中学任教，有的甚至于分到很远的地方，例如密云水库北边的山乡中学，从城里去那里，当天只能乘长途汽车抵达密云县城，要住一夜小店，第二天再坐长途汽车到水库北边，再在某镇上歇一夜，第三天搭拖拉机，下来还要翻一座山，才到达工作地，那真比乘火车去广州还费时间。我能分配在城里，而且是十三中这样的重点中学，真是很幸运的事。后来知道，我之所以能分到十三中，是因为当时该校语文教研组一位女教师怀孕待产，学校人手不够，紧急问教育局要人，教育局再从师专毕业生中一直留着没分的"机动名额"里，挑出我来，分到十三中。那一年我才19岁，跟当时十三中高三的学生一边大（这是因为我五岁上小学的缘故）；我接过了那位休产假的女教师的课，教初二，也只比所教的学生们大五岁。我直到1976年才从十三中调到北京人民出版社（现北京出版社）当编辑。我的十五年青春期，都是在十三中度过的。我后来之所以能写出《班主任》《我爱每一片绿叶》《如意》《钟鼓楼》等作品，端赖我有那十五年的生活积累。为此，我是否应当感谢那位女教师在1961年所分娩的那个宁馨儿？他现在该有37岁了！一个生命的诞生，会决定另一个生命十五年的空间归属，这是否又是"命运"可畏之一例？

　　一进师专，校方就强调要巩固专业思想；到了十三中，党团组织也是一再教育我这样的新教师要安心当一辈子人民教师，"像蜡烛一样，甘心燃烧自己，照亮别人。"这样的人生价值观直到今天也具有很充足的合理性。确实，不能认为唯有出人头地，在整个社会上获得了响亮耀眼的符号价值，才算是实现了

▶文化名人吴祖光先生（左）与萧乾先生。他们除了印刷出来的那些等身之作外，其波澜起伏的人生经历与特立独行的性格则构成了另一种具有魅力的传世之作。

▶ 艺术家新凤霞在"文革"中遭受迫害身体致残，不得不中断了已臻成熟的评剧舞台表演。但她以惊人的毅力从事文学创作，结出了累累硕果，并精于绘画。她那些由夫君吴祖光题款的画幅，放射出冲决艰难困苦、扶良扬善的人性光辉。

个体生命的生存意义。社会，人类，也不可能使很多的个体生命成为知名人物。绝大多个体生命会在平凡的境域中度过一生。虽然相对平凡的职业里也会有个别人成为模范，甚至于经过官方或传媒的宣揄，也进入名流明星行列，但那几率非常之低。因此，当我们讨论人才问题时，不能一味地以名流明星为施展才能的例证。实际上，一个人只要能在他工作、生活的小空间里，得以发挥其聪明才智，既为社会作出了贡献，也与群体、他人有大体和谐的关系，自己也从中获得快乐，那么，他那个体生命的存在价值，也便可以说得到实现了！

十三中是个小小的树林儿，但这林子里的树，过目不忘的实在多多。我和任众长谈，回忆中不胜感慨。这里所说的树，主要是指教师们。这些教师始终未能获得施万春、成方圆那样的社会性符号价值，但是，他们的生命尊严，他们的才学品格，他们的人生价值，或有所实现，或竟饱经阻折，种种悲喜正闹的人生戏剧，被我们分别目睹感受，我们都意识到，在我们自身的悲欢离合以外，实在有着更多的人间滋味，值得为之咏叹歆歔。

任众在十三中时，虽然所有功课都不错，但他最喜欢的，还是体、音、美三科，因之他对当年这三科的老师，印象最深。

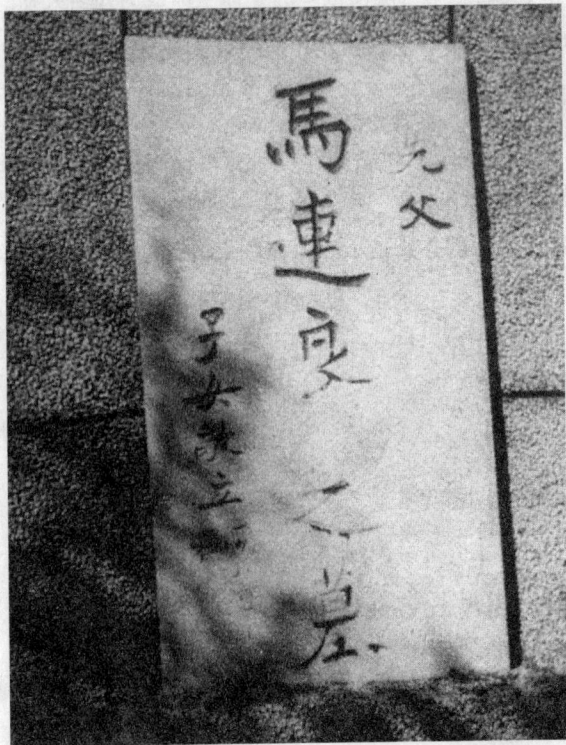

▶名流名流，名随时流。一代京剧名伶马连良，在"文化大革命"中惨遭迫害而死。"文革"结束后又十二年，子女才将他的骨灰迁葬于他生前自购的墓地，起坟勒石以示永久的怀念。墓址在北京海淀区万花山，周围杂树丛生，无正式路径可通。附近还有规模颇大的梅兰芳墓。据说此山原来无名，梅氏购下墓址后取名畹华山（梅兰芳字畹华），后讹变为万花山。个体生命即使生前如星灿烂，逝后亦可能寂寞于山野，思之怆然！

任众在十三中时外号"任大块儿"。我1950年冬随父母从四川来到北京，转到北京的学校上学，乍听到同学们说某某"大块儿"，不懂，以为是指脸庞大，后来才明白，北京人把男性发达的胸大肌叫做"大块儿"，又由此作为强壮男子的代号。任众小时当过童工，身子骨经过捶打锤炼，到十三中时身体已发育成熟，加上热爱体育，自觉"练块儿"，十三中操场上的体育器械很快满足不了他的需求，便经常约上几个同好，到北海体育场里去锻炼，那时他的胸大肌已然鼓胀如铁，臂上的肱二头肌、肱三头肌、三角肌见棱见角，挥舞间如有铜鼠在钢链上滑动，而且因为经常在吊环上练"十字悬垂"，阔背肌也很发达，把胳臂朝后一甩，能发出脆亮的响声，双手一叉腰，收腹挺胸，好一副"三角块儿"！这样的"大块儿"上初中体育课，当然视为"儿戏"，那时学生在单杠上做引体向上，六个及格，十个满分，轮到任众，他一口气做了十个还意犹

▶1950年。辅仁大学附属中学男生部技巧队的健儿们。
站在技巧队队首的是文中的晁老师。
那是共和国历史中最令过来人忆念的时期，技巧表演的编排也许还不够精妙，难度也许更远不够惊心动魄，但那造型中体现着勃勃生机和无限期盼。照片陈旧了，青春的豪情却依然鲜活。

未尽，到了二十个还停不下来，教体育的晁老师便轻拍他的屁股："行啦行啦，任众你给我下来下来！"任众至今学起晁老师的山东口音来，还惟妙惟肖——他学任何人说话总是一步到位，令人发噱，难怪他后来有信心去考电影学院——晁老师虽然在体育课上烦他，在课下却把他视为爱徒，因为那时晁老师组织了一个技巧队，任众是其中的骨干，不仅经常在十三中的庆典活动中表演叠罗汉等节目，令师生们百看不厌，而且还经常应邀到外单位表演，口碑极佳。据任众形容，50年代初的晁老师约30多岁，体态修长健美，长相有点类似混血儿，倘不是改不了一口山东腔，到话剧舞台上演个罗密欧倒挺合适。晁老师毕业于体专，科班出身，示范起体操技巧灵活优雅，并且能反坐在车座上，双手后伸扶着车把，倒骑自行车，居然行走自如！晁老师那时是体育组教研组组长，英姿焕发，谈笑风生。在十三中这个小树林里，他该算是棵挺拔的秀木了吧？

可是，我1961年到十三中任教时，所见的同一位晁老师，那时就算是五十岁了吧，其相貌风度已令人有迟暮之感，而且，说话行事谨小慎微，早已不是教研组长，更不复存在什么他所领导的技巧队，仿佛一棵皮皱叶卷的病树；关心我政治上进步的党员教师告诉我，要跟已划为"右派分子"、控制使用的教师划清界限，并应时刻注意他们的"动向"，他所开列的"另册"名单中，便有这位晁老师。好在隔行如隔山，我教语文他教体育，两不相干，我也就没怎么注意他。"文革"风暴骤起，晁老师属于最安分的一类人，夹起尾巴往不引人注意处躲，但到头来还是避免不了冲击，记得当时一位自命为"坚定的革命造反派"的青年教师，动员包括我在内的一些人，把晁老师揪出来批斗，那主要的罪行，竟是"倒骑自行车"！我至今还记得那位仁兄慷慨激昂的动员词："大家想想！解放前他就在东单体育场倒骑自行车！那时候什么阶级的什么人才那么张狂？！……"我本以为晁老师的罪名应该是"老右派"，可是，揪斗他的罪名却被派定了为"倒骑自行车的老流氓"！……后来的情形我不复记得，只听说大约是粉碎"四人帮"没多久，晁老师便溘然而逝了。不知道他临终弥留时，可曾为年轻时倒骑自行车而悔恨？或者，他竟是为此而依然感到快乐与自豪？

任众还记得当时教他们音乐的老师"雷萝卜头"，当然，给老师取绰号是

不对的，何况这个绰号听来不雅，但学生们往往并非恶意，甚或其中还包含着几分亲呢。既称"萝卜头"，想必个头矮小。这雷老师个头虽矮，据任众形容，身材却自成比例，精精神神的一个人，唱起歌来，胸部共鸣箱挺起，震得音乐教室的玻璃窗喻喻发响，很有意大利美声的味道。雷老师的爱徒是施万春，前面已经说到；对任众他也挺喜欢，因为他发现任众居然能演唱托赛利小夜曲：

往日的爱情，已经永远消逝，
幸福的回忆，像梦一样留在我心里……

雷老师一定在心里追问过：这个无忧无虑的"任大块儿"，难道真的已有过逝去的爱情了么？这少年人心中的梦，难道真充溢着淡淡的哀愁？任众其实是

▶1951年，辅大附中男生部由国家接管，定名为北京十三中。笔者1961年到该校任教。据说十三是个不祥的数字。有趣的是，笔者不仅分配到十三中工作，而经由十三中的一条公共汽车路线恰是十三路，并且从其北部起点站到离十三校最近的一站东官房又恰是第十三站。笔者1974年从该校借调到出版社写作，后正式调离该校，恰好在该校十三年。感谢十三！人生吉凶不在数字中。把握机遇，努力奋斗，任何数字下都可能绽开成功之花！

到后来，才真正尝到锥心的失爱之痛的，少年少年，为什么没有愁苦强吟苦？真是苦难压头时，你却再难如此引吭高歌了啊！

任众对雷老师的回忆，是明亮温馨，闪着玫瑰色的。他记得，1956年深秋，那时他已从"胡风分子"的阴影中解脱出来，正准备来年去投考电影学院，为此他积极提升自己的艺术修养；有一回从音乐厅听完一个音乐会，他登上十四路公共汽车，他在车前头，忽听车后头有人大声地呼唤他："任众！"他定睛细看，啊，原来是雷老师，雷老师从车后挤到他跟前，就像遇上了老朋友，热情地跟他聊了起来；雷老师兴奋地说："知道吗？万春考上中音啦！等着听他谱的妙曲吧！……"显然，雷老师的人生价值，通过培养出了施万春这样一个得意门生，得到了相当充分的体现；任众打心眼儿里为雷老师，也为施万春高兴；雷老师

▶1953年正是任众、赵大同等小伙子热衷于"练块儿"的时期，课余他们除了在学校操场猛练，还经常到器械更加齐全的北海体育场锻炼。任众当时已能在吊环上做高难度的"十字悬垂"动作，这一动作使他的阔背肌至今仍比一般人发达。

还告诉他，已经离开十三中，调南京音乐学院任教了……

我到十三中时，已有另外的音乐教师。十三中的历届音乐教师都很有才，听说 50 年代一首唱遍全国的歌曲，便是由十三中音乐教师参与创作的，可惜我一直没搞清究竟是否有雷老师，或别的哪位老师的份儿；那首歌的歌词是这样的：

> 嘿啦啦啦啦，嘿啦啦啦，
>
> 嘿啦啦啦啦，嘿啦啦啦，
>
> 天空出彩霞呀，地上开红花呀，
>
> 中朝人民力量大，打败了美国兵呀，
>
> 全世界人民拍手笑啊，
>
> 帝国主义害了怕呀，
>
> 全世界人民团结紧，
>
> 把帝国主义连根拔、连根拔！

▶ 任众一直保留着这几幅当年获得过高分的美术作业。《恭贺新禧》天主教味道太浓，像这样的画法在那以后的美术课上恐怕不仅得不到高分，还可能被批评为"缺乏时代气息"。《劳模双喜》的剪纸有了时代气息，选材似乎又不切合于中学生。至于那幅得到 98 分的和平鸽图案画，似乎从中也还看不出任众在美术方面有多么高的特殊才能。但任众几次向笔者提及，当时教美术的马老师力劝任众投考中央美术学院附中，并说他定能保荐其入学——毋乃太厚爱乎？

太"意识形态化"么？不可能像《半个月亮爬上来》那种歌似的永远流传么？但是，对普通的个体生命不要苛求！就像我小时候几乎每天挂在嘴上的顺口溜：

> 一二三四五，
>
> 上山打老虎，
>
> 老虎不吃人，
>
> 专吃杜鲁门！

那就是我的童年。在那个时空中，我别无选择，只能进入那样的"话语情境"。（需要向现在年轻人说明的是：杜鲁门是朝鲜战争时的美国总统。）

所以，当年十三中音乐教师能参与创作那样的歌曲——其曲调十分活泼灵动，可以用来伴舞——也算是人尽其才，其乐融融了！

但是，当任众回忆到当年的美术老师时，我的心情却又沉重下来。那位教美术的牛老师擅长国画，专攻写意山水和花鸟鱼虫，任众还记得牛老师如何在课堂上，以韵味十足的"京片子"口吻，教学生们画水墨山水的皴法。任众在绘画上的基本功始终难以恭维，但着笔点彩中确实透着灵气，而且能通过想象自己创作出画幅来，因此当他初中毕业时，牛老师曾很认真地鼓励他报考美术学院附中。这位牛老师也在我去十三中任教前便调离了，但他的老伴仍在十三中，是总务处的一个职员。十三中虽说是个小树林子，教职员工却也有一百上下。我始终就没注意过牛老师的那位老伴，她实在是太不起眼了。"文革"爆发后，在很长一段时间里，她也不引人注意。可是，到有一条"最高指示"公布，说"文化大革命"的实质，是共产党和国民党斗争的继续什么的，忽然"革委会"召集全体教职工大会，以迅雷不及掩耳之势，把牛老师的老伴揪了出来，并宣布她是一个"穷凶极恶"的"现行反革命分子"，这真把我和很多同事着实吓了一跳！那位被揪出的"反革命"，虽然低着头，倒并不怎么股栗觫觳，她立即被隔离审查，禁闭在一间空屋中，窗户糊上报纸，由挑选出的女教职工轮番看守。

究竟是怎么一回事儿？原来，那位牛老师，因为有历史问题，大概是解放前参加过国民党，有过什么一定级别的身份，因此在"文革"一爆发时，便被

刘 心 武 文 存 5

以下五幅速写都作于 1956 年。

没有美术老师给高分了，灵气反而多了。

不为分数，不为发表，完全非功利地作画，反而有可能缩短与真正的艺术创作之间的距离。

丝瓜架

盖宿舍

《西望长安》（话剧演出）

树 与 林 同 在

车站小景

▶这幅速写，据任众说画的是中山公园内一座公共厕所在夜晚的路灯光下，侧面山墙所呈现出的金字塔形黑影。
当时他竟被这人世间最平凡，甚至可以说是相当猥琐的景象所深深吸引。也许，这种敏锐而独特的感受力，
恰是一种真正的艺术潜质？

该校的"红卫兵"揪出来，并且以"历史反革命"的罪名，遣返到原籍去了。他那原籍倒并不远，就在京东某农村。没想到他到那里以后，"极不老实"，除了劳动，居然铺纸作画，馈送村干部，"骗取了某些村干部的同情"；他老伴呢，自从他被轰回老家，满脑门子心思琢磨着如何能让他回城，就是户口一时迁不回，能回家住着也行；待运动的重点转向揪斗"党内走资本主义当权派"，对他们这样的角色无暇多顾，她便居然跑到农村去看望老伴，还对村干部们"腐蚀拉拢"；怎么个腐蚀拉拢呢？一是跟他们说：赶明儿有事进城，就到我家"打尖儿"；二是后来那村里的两个干部果然进城办事时，跑到她家"打尖儿"，她便热情接待，并且对他们施以"糖衣炮弹"。怎样的"糖衣炮弹"？据说是，村干部突然来了，她很激动，忙问"吃过没有？"答曰"没呢！"她便留他们在家里吃米饭，炒了一盘榨菜肉丝；那时京东的那个村子很穷，村干部们从未吃过榨菜炒肉丝，边吃边赞，简直觉得那就是御膳了，连问这跟肉炒在一起的，金晃晃的，嚼起来挺劲道的，味儿辣乎乎的，是什么东西？看村干部如此欣赏，于是，牛老师的老伴便赶紧到附近的副食店给他们俩一人买了一包四川榨菜，让他们带回家去吃。这么着，村干部就"丧失原则"，以牛老师年老多病为由，允许他回城在家里住着了。不知后来是谁检举了牛老师的回城，闹得不仅牛老师本人被重新押回了农村，那两个村干部也被打倒，而牛老师的老伴，也便在我们学校被揪出圈禁，并不时召开批斗会，拉出来作为"阶级斗争真是树欲静而风不止"的活例证示众。

我那时是一个并不敢反对"文化大革命"的卑微存在，而且原来对有国民党身份的人及其家属也不可能有什么好感，但是，这件"骇人听闻"的具有"国民党复辟"性质的"反革命事件"，它那两包榨菜的细节，却令我暗中鼻酸。我是四川人，深知即使在旧社会，榨菜这种东西也实在绝非什么高贵之物，那两位村干部竟从未吃过榨菜，并吃进嘴中后有如得啖天食般地激动，这情景令我发愣：怎么许诺为大地上的众生带来幸福极乐的革命搞了多年，却使得那个京东村子还是如许贫穷？我并且暗中同情，甚至于钦佩牛老师的老伴，为了使自己家庭团圆，她真是竭尽了全力啊！而且，她的那盘榨菜炒肉丝，那两包送给村干部的榨菜，不仅未失体统，更蕴涵着社会底层最质朴的人情……也许，牛老师和她确实属于只具有负面价值的人，但他们实在并未对社会、他人形成威胁啊，他们不过已是一种无聊的社会存在，只希求能蜷缩苟活于北京灰色的小胡同中的灰色小屋里，怎么这么伟大的一场革命，非得跟他们这种蝼蚁似的生命一般见识呢? ……

后来，有一天，学校"革委会"宣布，给牛老师的老伴戴上"腐蚀革命政权的坏分子"的帽子（不知为什么并不是戴"现行反革命"的帽子），也遭返到牛老师的老家，去一起由贫下中农监督改造。那天来了一辆大卡车，闹不清把"坏分子"塞到了什么地方，反正临到开车时，把我也叫到了车斗上，挤在人群中。那实在是"革委会"信任我的体现。因为车子开到京东那村子后，要召开由几方面联合举行的大型批斗会，我能被选中作为北京十三中的"师生代表"之一，到阶级斗争的火线上去接受一次对敌斗争的洗礼，即使我自己并未引以自豪，也很有一些想去而未被喊上车去的人暗暗嫉妒哩!

记得那次批斗会是在村中的场院召开的，周围的大树上挂满了国画作品，画的是些牡丹花、大丽菊、胖蝈蝈、小雏鸡什么的，乍一看真会误以为是个露天画展呢；其实，那些画都是牛老师在村里画的，有的是他送给村干部，以及别的村民的；那些画既是他腐蚀拉拢干部群众的铁证，后来据大会发言揭示，也无一不是恶毒攻击无产阶级专政的"黑画"；那两个村干部没吃完的榨菜也被展览了出来，以求取得"阶级敌人施放糖衣炮弹是多么猖狂恶毒、触目惊心"的教育效果……批斗会开得轰轰烈烈，先是把牛老师和他老伴押到台上，然后是那两个被榨菜"腐蚀"的干部，再后是村里所有的地、富、反、坏、右……那天我席地坐在台下人丛中，不时跟着喊"打倒"的口号，热汗淋漓，心头闷然；我注意到，最后被揪上台的是一个"富农婆娘"，她有着一张阔大而白净的脸庞，看上去只有三十岁上下；因为挨斗的人实在太多，斗人的不可能对挨斗者一一加以严密监视，所以，她并不低头，嘴角边还分明噙着一个冷笑，竟始终未被发现而遭报应；不知为什么，那天的批斗会，至今其他的印象全模糊了，唯有那女人的一张大白脸，和那嘴角的冷笑，却紧粘在我的记忆中，撕扯不掉!

跟任众一起回忆十三中的种种人与事，有时对我来说是极为痛苦的。比如，当他提到当年教他们语文，并且担任过班主任的俞老师时，我便很长时间不接话茬儿，哼哼哈哈，似乎那俞老师于我而言，也只不过是一个类似牛老师及其老伴那样的，无甚干系的角色。偏任众对评议俞老师乐此不疲，一会儿跟我细细形容该人当年颀长身材、白面书生的相貌，一会儿学起他讲课时温文尔雅、咬文嚼字的做派……还说 1989 年十三中举行六十周年（从辅仁附中开办连续起算）校庆时，他怎么与俞老师相见甚欢，校庆第二天，俞老师还特特地跑到他在城内的住处找他，两人竟足足聊了一下午，还拍了几张合影……

"你在十三中的时候，俞老师也一直在吧，你对他印象怎么样？"任众傻乎乎地问我。

我对他的印象？

上面说过，像我这样的青年教师，到了十三中，便会由组织上，派党员给我"交底"，告诉我对哪些人要"提高警惕"，这体现着组织上对我的关心与爱护，我除了感激，也很紧张，因为我初涉人世，不知该怎样地警惕，方可不受那些被"控制使用"的"另册"上的教职工蛊惑腐蚀；像上面所提到的教体育的晁老师，提醒者不过是一带而过，俞老师，则作为了一个重点，郑重地告诉我说："这家伙虽然在农村劳动了几年，现在调回来让他工作，表面上似乎还老实，可他骨头里头的反动情绪，恐怕是有机会还会放射出来的！当年反右斗争里头，最不服罪的就是他，居然敢在批判会上跟我们狡辩，整个儿是个'滚刀筋'！"

对这位"滚刀筋"，我当然是尽量避而远之。但是，也有避不过的时候。我爱到校图书馆借书，俞老师是图书馆管理员——那时候有个规定，当了"右派"的教师即使劳动一段仍回校工作，如原来是教政治和语文的，一律不能再教这两科，必须另行安排——我借书必得跟他接触，那时他身材虽仍算颀长，却已然难称白面书生了，面庞显得很粗糙，戴一副最廉价的眼镜，总穿着洗得发白的旧衣服，待人接物虽不像晁老师那么谨小慎微，能拿出个不卑不亢的劲头，但脸上常无明确表情，有问必答，却不苟言笑。我有时候问他有没有某本书，那是中学图书馆里未必应藏的，不过是实在想看，心存侥幸，问问罢了，他告曰"没有"，我便另去挑书（教师可以自行入库挑书）；但等我下次去时，他可能便会拿出一本我上回提及的书来，递到我手中，令我惊喜不止——原来他去新华书店购书时，特意选了我提到的那一本，在这种情况下，我难道不说声"谢

▶1989年，十三中举行六十周年（从辅仁附中起算）校庆活动时，任众与当年的班主任及语文老师（本书正文中称俞老师）亲切合影。任众几年后与笔者相识，问及他这位恩师与笔者同在十三中工作时的相处情况，笔者竟一时语塞，后又哼哼哈哈，"顾左右而言他"……却是为何？细读本书，当可了然。

谢"？"谢"字一出，人跟人之间的距离，也就缩短了。后来，带学生下乡帮生产队拔麦子，我是班主任，他分配到我这一班，充当炊事员，为了让学生们能吃好吃饱，我俩势必得通力合作，记得那时候就在地头搭个篷子起灶做饭，每天张罗完晚饭，把学生们安顿到农民家里歇息，我们俩便坐在灶前凝望远处的地平线，各想各的心事；记得夕阳霞光总是非常美丽，沐着那光，嗅着田野的气息，我们也就有一搭没一搭地聊上几句，我一点没觉得他是什么"滚刀筋"，回校向领导汇报，我说俞老师表现挺好。

在我的天性里，确实，存在着与人为善、同情弱者的一面。我也经常展示自己的这一面。但是，来了"文革"，这是我无可逭逃的事。我不是"红卫兵"，虽然1966年我24岁，只比当时高三学生大五岁，但我已定位于"旧学校培养的学生"，而且作为教师，无可避免地贯彻执行了"修正主义教育路线"，是有"原罪"的，没资格充当"金猴"，戴上红臂章造反；但我也不是"走资本主义道路当权派"，我一非党员，二非干部，不当权，运动起来不至于成为"斗争重点"；我也够不上"资产阶级反动权威"；当然，我历史简单清白，也不是地富反坏右；以我胆小怕事的性格，也不可能挺身而出，去当个什么"现行反革命"；这么说，好呀，你正好置身事外，当个"逍遥派"吧！且不说"文革"铺天盖地而来，任是深山更深处，也应无计避"文革"，就算社会上总还是有些个缝隙，可以让有的人相对"逍遥"一时吧，我那时可是单身一人，住在学校宿舍里头，而且父母远在外地，连跑到父母那里躲躲的可能性也没有，我只能是随"文革"之波，逐"文革"之流，战战兢兢，唯求自保。

但要保住自己，竟是一桩十分困难的事。简言之，到 1967 年，学校里的"革命群众组织"便分成了两大派（有一派还分成了两个不同的"战斗队"）。这是当时全国各地区、各系统、各单位都出现了的事态。搞"文革"史研究的人士，已经，并且会继续不断地，对这一情况作出分析评判。政治家高屋建瓴，纵横捭阖，此时宠用这批社会群体，彼时又激赏那批社会族群，充分榨出每一个社会群体的战斗力，以打击政敌，却又不让任何一个社会族群坐大，关键时刻打一巴掌："你们犯错误的时候到了！"使各群体互相制约，并激发出效忠大比拼，推出一波未平一波又起的运动新澜，这是政治艺术的极致？权术审美的佳构？以我之愚钝，岂敢妄评！反正，"文革"中在十三中，就我个人而言，开始选择一派参加，可能仅仅是为了表示自己也"紧跟伟大领袖的英明部署"，加入到"誓把无产阶级文化大革命进行到底"的光荣行列了；但很快地，两派便都惶恐起来，因为那"英明部署"实在捉摸不透，比如，你以为把共产党干部统统揪出来斗是不对的，"应该只斗走资派呀"，可是，"中央文革"却偏偏宣布你这样做是成了"保皇派"，犯了方向性路线性的大错误！可是，你英勇无畏地贴出了炮轰某某大干部的大字报，却又很可能说你是"怀疑一切"，甚至是"炮打无产阶级司令部"，也是犯了方向性路线性的大错误！自己所归属的一派倘若出了问题，那自己也就很可能被对方以任何一种理由揪出，比如，我曾在1964 年年初，在《北京日报》上发表过一篇认为"京剧革命必要，但京剧不宜表现最当前的现实生活"的文章，我这一派站住了，我这文章便只不过是"认识问题"，我这一派垮掉了，这文章便是我"反对江青，反对京剧革命"的"铁证"，甚至于会被打成"现行反革命"，押往"牛棚"！因此，十三中的两大派为保卫自己，也打开了派仗，互相找碴儿，基本上是比谁"正确"，想方设法证明对方"右倾"或"形左实右"，仿佛两条吐着血红的长芯子、磨着利齿的毒蛇，拉长了身子比长短，到头来谁的身子比谁长，谁就可以把对方从头吞到尾，整个儿吃掉！当然，想得远的人，更会在心里盘算，恐怕到头来谁也不能整个儿吃掉谁，让搞"革命大联合"嘛，但是，一旦尘埃落定，成立新的领导机构，那肯定是占上风的掌大权，那么，自己那派占上风，今后日子便好过；自己那派萎下去，日后肯定不会有好果子吃！于是，斗啊，掐啊，两派都红了眼，整个儿竟是个你死我活的局面！

在那斯文扫地的两派之战中，我和俞老师分属两派，当时他自认为摘了"右派"帽子便不能再算是"右派"，而是"革命群众"之一，积极参与他们那派的活动，这简直是给了我们这派一个大大的"把柄"，我们这派毫不犹豫地率先冲着他去，揪住他话里话外的"破绽"，把他定为"右派翻天"，当做"混入革命群众组织"的"黑手"，给揪了出来；在那场殊死的战斗中，我挺身而出，跟他和他的"战友"辩论，又撰写篇幅浩大的大字报稿，由我们这派的"战友"抄写出来，把1963年拆掉大片平房盖成的那座教学楼的楼墙，贴满了整整两面；他一个"右派分子"，怎经得住我们的凌厉攻势，他们那派见兜出了他的"老底儿"，也舍弃他不保，甚至于为了证明他们比我们更恨"老右派"，把他斗得更惨，记得在全校的批斗大会上，他被搓揉得狼狈不堪，那天并没下雨，可是一场批斗会下来，他身上冒出的汗水真是把他湿成了一只十足的落汤鸡！

任众提及俞老师，触动到我灵魂深处的神经。我的人性里，何尝没有恶！而"文革"的"派仗"，竟充分地把我的人性恶调动了出来，在批斗俞老师的过程中，我不仅丝毫没有对牛老师及他老伴的那种同情与怜悯，我甚至感到十足的快意，啊，你这个"滚刀筋"，这回可在我们的刀口下被剁碎了吧！在"文革"那人斗人的狂潮中，我也曾是一个积极斗人的急先锋啊！

我后来很怕遇到俞老师，尤其是1979年，俞老师和几十万"右派"都获得平反改正之后。我也曾在心里这样对自己说：连发明"红卫兵"这个符码的人都并不反思忏悔；连现在我们在公开发表的，"文革"中野蛮揪斗彭德怀的那种照片上所看到的，揪着彭德怀的胳膊的斗争者，他们的形象被如此清晰地曝了光，也没见哪一位站出来说几句后悔的话；"文革"中我只不过是在一所小小的中学里，积极批斗了一个完全不具备社会性名声的"老右派"，真是太算不得什么了！我何必于心不安？……

可是，现在我却再不能抑制住内心泉涌般的悔恨与耻感。我不能把这种事的责任统统推到一场在无可脱离的时空中所发生的政治运动上，这里有我自己的责任，我为了使自己在运动中"安全"，不惜通过做这样的事，来证明自己"正确"。我严重地伤害了俞老师，以及相关的一些人，他们跟我一样，都是活鲜鲜的生命，我们可以合不来，可以疏远，可以各人去过自己的生活，却不可以互相恶斗，互相伤害！

我把我的悔意，告诉了任众，并委托任众，找机会代我向俞老师致歉。这位具有一定才能与胆识的知识分子坎坷了几十年，现在虽然苦尽甘来，却已是耄耋老人了。任众听了我的话，良久不语。后来，他眼圈红了。

任众毕竟离开十三中太早了，他所忆起的老师们，或已撒手人寰，或已垂垂老矣，而我所能忆起的，要多许多……有一位艾老师，大约比我大十岁，是位女士，教数学的，她身材高大，一头总是剪得整整齐齐的厚密短发，总穿着一身笔挺的干部服，干干净净，爽爽利利，走路说话气派挺大，而且上班时从不带一般的提包，总是握着一个黑色的文件夹子，腰板直直地豪迈走来，那种文件夹子，在当年是只有机关里的处级干部们才使用的，这不仅使她赢得了"艾处长"的绰号，而且，也流传着这样的闲言碎语：她们艾家是高干背景，所以她傲得起来，你看她在校领导面前一点不怵，有后台么！这样的女性，今天叫做"女强人"，倘下海当个总经理，或兴办个高档私立住宿中学什么的，保管能风风火火、轰轰烈烈地立一番大事业。我跟她的关系，原本相当不错，但"文革"打起派仗，她竟加盟对立面一方，而且相当强悍，难以对付，我就亲眼看见她在教学楼门口，当着过往的师生，给入驻十三中的"军宣队"指导员提意见，当时我心里就嘀咕，此人不是吃了豹子胆，就一定是有大仗恃，真够鲁的！派仗中我们从他们一派营垒里揪出了"反攻倒算"的"大右派"俞某人，虽使他们吃亏不浅，但到底没能打中"七寸"……忽然有一天，我们那派的几位"同一战壕的战友"喘吁吁跑到我宿舍来，激动地告诉我："知道吗？'军宣队'亲自公布啦！……"公布了什么？乍听真是不能相信自己的耳膜——对艾老师立即进行隔离审查！原来，她的伯父，某正局级老干部，不仅是"死不改悔的走资派"，而且"现已查明"，还是一个国民党特务，是一个大叛徒！"军宣队"认为，那"大特务大叛徒"，通过艾老师，构成了"伸向十三中群众组织的大黑手"！

当时我听分明了以后，是怎样的一种心情，怎样的一种反应？短暂的惊诧过去之后，我竟欣喜若狂！啊！这下好啦！对立面那派彻底完蛋啦！……"军宣队"选中了我住的那间宿舍作为囚禁艾老师的隔离室，我竟仿佛获得了殊荣，赶紧打点铺盖卷搬到了指定我暂住一时的生物标本室里，那里封存着些泡在福尔马林液里的毒蛇标本，还有真的头盖骨什么的，我竟并不感到恶心恐怖！

参与揪斗俞老师，并不是我人性恶蹿升的唯一事例，我对艾老师的这种幸灾乐祸，说明当时我灵魂深处最糟糕最污浊的东西，已被"文化大革命"的"熊熊烈火"充分地调动了出来！我悲苦的灵魂啊，为什么，为什么，其中那些善美的东西，一时竟被挤压到我自己找不到，也不想去找的旮旯里了！

……几天过后，"军宣队"引领我们，紧锣密鼓地准备召开第一次揪斗艾老师的"打态度会"，就在预定开会的那天凌晨，看守艾老师的两位女老师经不住困乏，在躺椅上打瞌睡时，艾老师拿起看守用来驱蚊虫的一瓶"敌敌畏"，一饮而尽……她被拉到医院时已然昏迷，医生给她洗胃，无效，就那么死掉了！

……而预定的批斗会按原定时间准时召开，当然，内容改成了批判艾某某的"畏罪自杀"，她被指斥为"猖狂对抗无产阶级文化大革命"，"死有余辜"！在那个会场上，我的良知猛地闪烁出了一道强光，啊，我理解艾老师，她的毅然自尽，首先还不一定是认罪不认罪的问题，她那倔犟的性格，那高度的自尊心，那一贯的高傲与自爱，使得她首先不能接受把她押到众人面前，辱其人格的场面！她刚烈，她宁折不弯，她以死抗争的，首先是生而为人的一份尊严！……我倏地意识到自己所置身的时空，是那么样的荒谬！特别是，因她的被揪出，并且以死抗拒，她那一派的某些人不禁心慌意乱，生怕连累自己，在压力下不得不发言斥骂她的情景，令我不寒而栗；我原有的思路由此轰毁，对派仗的兴趣，

▶ 北京十三中北墙外,至今仍有"文化大革命"残存的巨幅标语,那曾是 1966 年 8 月昭示"红色恐怖"的符码之一。任众小儿子生于 1975 年,到他出世时"文革"已成往事,这残存的符码也再不令人恐怖,人们心平气和甚至视而不见地在那"残标"下走来走去。再恐怖的法西斯狂飙,终究拗不过普世大众人性中的那些平凡而琐屑的诉求,到头来取胜的还是"让人们过正常生活"的朴素天道。

粉碎为纷飞的沉重问号！人啊，人，什么时候，你才能真正懂得，不可以任何理由，蔑视、侮辱他人的人格！

……"支左"的"军宣队"终于表态，我们那一派里的一个小小的"战斗队"被指认为唯一"大方向正确"的"革命群众组织"，不仅对立面那派由此瓦解，我这样的被"绕开的""革命群众"也顿感失落，真是：连轴恶斗伤人后，为谁辛苦为谁忙？

我把这段心灵史也讲给了任众听。当然，我也告诉他，"文革"结束后，艾老师的那位伯父得到彻底、全面的平反，当然艾老师也被宣布为无罪。可是，屈死的人命，怎能复生？死了也就死了，活着的人们，在新的社会环境里，管自活下去，渐渐地，除了某几个最亲近的人，谁还记得艾老师般屈死的人？

对比于跟俞老师的关系，艾老师的揪出、自尽，我没有丝毫直接的责任，可是，我仍觉得有必要，为我心里曾一度涌出过幸灾乐祸的卑劣情绪，而自责，而忏悔。倘真有所谓"在天之灵"，她那很可能仍在痛苦的灵魂，是否能以宽恕我的罪恶？

……

十三中只是一个小小的树林。多少年过去，有的树夭折，有的树枯萎，有的树根深叶茂，有的树挺拔入云，有的老树发出新枝，有的幼树长出了树瘤，有的树四季变幻色貌，有的树冬夏常青……风曾吹过，雷曾击过，雨曾淋过，雪曾飘过，树林还在；有树移出，有树栽入，有花在开，有果在膨，有鸟啭鸣，有蝶翻飞……

这贝勒府的小树林啊，你是整个民族大树林的缩影。走出贝勒府二十多年了，因与任众邂逅，我重温了那小树林中的许多事情，心中充溢着一种莫可名状的情怀。

不仅仅是为了怀旧，不仅仅是为了感慨，也不仅仅是为了忏悔，是的……让我们走出贝勒府，到更开阔的人间里，去憬悟人性的底蕴！

## 静夜里，谁的青春在饮泣？

任众在进入电影学院考场前，正享受着单位给他的假期，那正是阳春三月，柳絮成团在空中飞舞追逐，海棠花在娇红的花瓣里吐出长长的蕊柱，这时他接到了单位里的通知，让他回去参加一个会议，他问：我已报考电影学院，准备应试节目、复习文化课正忙，能不能别参加了？回答是，这是帮助党整风的会，很重要，党培养你这么多年，你难道连党的亲切召唤都不听从吗？任众于是回去开会，会上，领导鼓动大家敞开提意见，任众满脑门子心思是考电影学院的事儿，他所准备的朗诵节目，一个是鲁迅的杂文《友邦惊诧论》，一个是冯雪峰的寓言《蜜蜂》，一个是玛雅柯夫斯基的诗《苏联护照》；别人发言时，他没怎么往耳朵里装，一心二用地默诵着这些节目，比如玛雅科夫斯基那气势凌厉的诗句："我真想／像狼一样地／吃掉官僚主义！"……但是，"任众！你怎么不说话？该你啦！"主持者笑吟吟地点任众的名；任众想了想，便发言说，党给我平了反，我不是什么"胡风分子"，我很高兴，也很感谢，可是，当时为了我这么个小青年，也没什么过硬的证据，只是为了扩大"肃反"的战果，就动用了好多的人力物力，耽搁了好多工夫，内查外调，大会小会……这值得吗？这起码是官僚主义吧？……发完言，散了会，任众轻轻松松地又去了北海公园，他哪里想得到，为这个对他来说完全是不经意的发言，他将付出沉重的，淹没他整个青春的代价！

北海公园的琼岛上，有个较为僻静的所在，叫抱春室，抱春室前头，有一根汉白玉雕柱，柱上有个铜铸的仙人，双臂高举，托着一只大铜盘，这整个铜雕叫仙人承露盘——传说汉武帝时有方士献上秘方，说是常饮清晨凝出的甘露，便能长生不老，所以汉武帝便令人广置这类的承露盘，以接晨阳初泻前的甘露，虽说到头来并未奏效，后来历代帝王宫殿园林里，也还常有这个玩意儿——这个地方是任众所钟爱的，不仅是因为过往的游人稀少，更是因为仙人承露盘这个形象，对他来说蕴涵着许多的希望，许多的诗意，许多的美感……

抱春室以及连接它的山坡走廊，当时都破败失修。走廊尽头，出了廊门，外面的山坡上，有个带"游人止步"字样的小院，仿佛里头住着过日子的人家。任众路过时曾暗笑：他们家可到哪儿打酱油去啊！但也并没再往多想。任众在

▶北京北海公园琼岛上的仙人承露盘。许多游览过北海公园的人都没有注意到这尊铜雕。耐人寻味的事物往往隐匿在角落中，需要我们在人生跋涉中刻意追寻。

▶仙人承露盘曾激发出笔者十分充沛的
创作灵感。以《仙人承露盘》为题的
中篇小说试图探索人性中隐秘的情
愫。笔者并曾在现场作过水彩写生;
这幅水彩画赠人后,一度出现在京城
拍卖会上,几次叫价后以 1000 元人
民币拍出。

抱春室的地面上,用粉笔头写写画画,复习文化课,写画一阵,用鞋底擦掉,
再写画……有一天,他发现一个男孩,凑过来朝他写画的地方望,他便开玩笑
地对男孩说:"你看什么?你能帮我忙么?我粉笔头全鼓捣光了,你能给我找些
来?"这本是劝退那男孩的话,没想到,那男孩竟应声允诺说:"行!你等着!"
说完腾腾腾朝廊子上跑去,很快,又跑了回来,笑嘻嘻地把一捧粉笔头,递给
他;他这才知道,男孩便是住在坡上那个小院里的人;他跟男孩交谈起来,问
男孩家里都有谁,男孩顽皮地说:"我爸我妈,我,还有一个,你猜是谁?"他
说:"那我哪儿知道?"男孩说:"你当就你一个人要考试,得复习功课?"说着,
头朝廊子上扭,他顺那方向看去,才发现,在走廊上方的廊栏上,坐着一个姑娘,
大约十七八岁,该是个高中生吧,也拿着书本纸笔,在那儿复习功课,他明白了,

那是男孩的姐姐，但没等他多想，男孩忽然一阵风似的，跑开了……

后来，任众在抱春室复习时，那男孩的姐姐，会从他身边走过，他在一瞥之中，发现那姑娘脸儿绯红，像初绽的芍药，如盛开的塘荷……他还隐隐感觉到，凡他蹲坐在抱春室中复习时，那廊子上头，也便总有一个身影，在……复习？他心头像有很多只蜻蜓在舞动，痒痒的，糟糕，这样谁也复习不好啊！有一回他就下死眼朝上面望了个够，那姑娘穿着一身光洁的旧衣服，一头短发毫无装饰，只是用一根最朴素的猴皮筋箍住了一绺秀发；姑娘垂着眼皮专心看书，一动不动，宛若一朵迎风而不变形的素云……倏地，他心里的蜻蜓全变成了燕雀，痒痒感转换成了撞笼欲飞的冲动……

……那是关键的一天，他还在"老地方"，她从走廊上匆匆而过，连眼皮

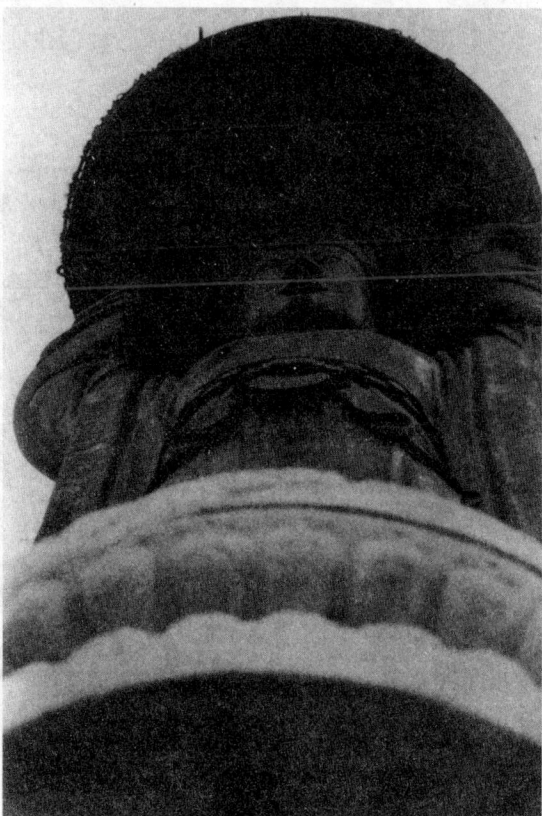

▶ 铜雕仙人及露盘近景。你相信饮用了露盘中承接的甘霖便可长生不老么？渴望生之快乐并希图永不终止，并非帝王独有的心理。我们如何方能在有限的生命和无限的欲望间求得平衡？

也没夹他一下……可是，忽然，他发现脚下多了一样什么东西——那是一张折起的纸条，他慌忙打开，只见上头用娟秀的字体写着：

　　　　我们都应该专心复习。让我们都换个地方复习，好吗？盼考试结束后，再在这个地方相见！祝你成功！

　　下面只署着一个"温"字。他紧紧把那字条捏在手中。啊，她姓温！

　　炎夏七月，任众考完了，满怀信心地等候复试通知。他又到北海公园去，到那接到纸条后所回避的地方——能不能真的见到"温"，他信心并不充分。他走上琼岛，转过两个弯，拐进抱春室……知了叫着，合欢花开着，那铜铸的仙人还在耐心地承接千年甘露……忽然有人咳嗽，他一抬头，正是她，穿了一件有小碎花的布衬衫，两眼毫不犹豫地朝他透出笑意，亭亭玉立在廊子上头……

　　那一年任众23岁，温姑娘19岁。他们在世界上最美丽的公园中经历着共

▶此画作于1957年中秋节后。正当任众青春期的黄金时段。

树 与 林 同 在

同的初恋。夕阳渐敛,湖波熔金;星月初现,熏风拂柳;小船儿轻轻,漂荡在水中;共坐船尾,任小船儿打旋;桥上轻吟莱蒙托夫,亭畔同哼"红梅花开"……那年代北海公园关门很晚,每次跟温姑娘相会完,任众差不多总是最后一个离园者。在最炎热的伏天,温姑娘家迁出了公园,搬到了公园东墙外的夹道中,有一天他俩幽会完,任众送姑娘回家,这回,姑娘的母亲守候在门口,见了他们,拍下大腿说:"咳,可回来啦! 就都给我进来吧! "任众这才头一回迈进温家的门。显然,温姑娘的双亲早就听熟了他,并且无意反对闺女跟他"搞对象",只是,那担心由母亲直截了当地说了出来:"她还小! 你们怎么'乱爱'都行,可就是不能给我弄出丢人现眼的事儿来! "温姑娘嗔怪地叫了一声:"妈! "任众诚恳地表态说:"那绝对不会! 请您放心! "是的,温姑娘的双亲绝对可以放心,虽然北海公园充满了隐秘的角落,那时也确实有些青年男女在某些旮旯里弄出了"丢人现眼的事儿",可是,任众与温姑娘尽管有说不完的话,两人却都没有直截了当地说出过"我爱你"这个短句,温姑娘示爱的最强烈最明了的语句只是:"我喜欢——"喜欢谁? 连宾语都省略。每次临分手,他们拥抱几分钟,任众主动,她只是任他拥抱,没有反拥,当然,头是靠在了他的肩膀上,使他嗅足秀发的自然芬芳……他们没有接过吻。

任众沉醉在初恋的微醺中,并等待着电影学院的复试期间,"反右"运动已然开展起来。但任众实在是个非政治性的人物,他刚好又处在可以暂不到单位上班的考学期中,而温姑娘又还只是个未毕业的高中学生,他们不是每天都看报纸、听广播,所以,竟在很多天里,都不知道《人民日报》已发表了标志政治风向一百八十度大转弯的那篇社论《这是为什么?》,只是有一天,任众偶尔在街头报栏看报,才从那版面上意识到,政治局势好像发生了很大的变化;报上说有资产阶级右派分子,假借给党提意见、帮助党整风的的名义,向党,向社会主义,发动了猖狂进攻;任众感到迷茫不解,可是,他还丝毫没有联想到自己,没有回想起五月份被请回去开的那个"帮助党整风"的座谈会,以及他那个即兴提出的意见。

忽然有一天,树上的知了叫疯了,暑气令人气闷,单位里来人找他,给他带来两个信息;那头一个信息是他等候已久的:"电影学院让你去复试呢! ……"他

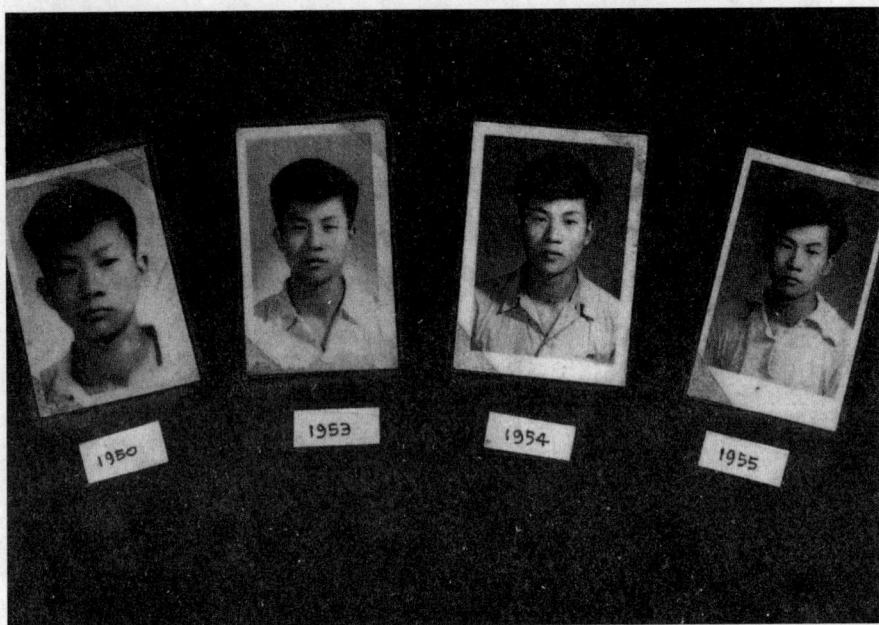

▶人在一生中留下的照片，有如人生航道中一系列的航标灯，回顾摩挲这些照片，仿佛重新在已往经过的航道
中穿行。

正想问，复试通知呢？哪一天复试？……却劈头来了第二个信息："组织上决定
你下月初下放劳动，你好好准备一下吧，拆洗拆洗被褥什么的……"他觉得这
两个信息互相冲突，正想发表意见，对方以不容讨论的口气宣布："服从组织的
安排，下放锻炼！电影学院就不要再考虑啦！"

任众服从组织安排，跟本系统的一批干部，下放到茶淀农场，挖河泥，起
猪圈，干着最重最脏的活，虽然没能上成电影学院是个遗憾，但当时已蕴酿着
"大跃进"，工农兵学商里都有人被下放到农村修水库、搞深翻，自己的处境不
算特殊；何况每月休假时还可以跟温姑娘欢聚，而温姑娘更曾在他们不放假时，
大大方方地从城里跑来看望他，这都使得他的心情基本上还是欢畅的；工余，
他唱歌，吹口琴，说笑话，是集体中欢快情绪的发源地。

转眼到了1958年。新年过后，他们一起下放的集体中，忽然有人被个别
叫回了城里，而且不久便传来了消息：该人被批判了，划为了"右派分子"；也
许，这是他个人的特殊情况吧？可是，又有两三位被叫回，而他们也都划了"右"，

树 与 林 同 在

▶1957年，自以为可以考入电影学院，将来当一个电影明星的任众在照相馆郑重留影。真可谓"少年心事当拿云"，踌躇满志的任众在镜头前端起架子，煞有介事地故作"深沉状"。取出后一看，连他自己也不禁哑然失笑，所以立即用笔给相片上的自己戴上了一副"金丝边眼镜"。

这样，留下来的都惧怕被突然叫回去；每当大家还在田里劳动，一看到公路上又来了吉普车，像是又来叫人回去的，便纷纷色变、心中打鼓：这回该叫谁啦？

春节到了，大家都获准回城过年。这一年的春节任众过得很愉快，因为他没有被突然召回，他是正儿八百跟整个集体一起，名正言顺地回城里的！

春节一过，大家都按时回到了茶淀。刚回去两天，忽然城里来了吉普车，这回车里下来的人进了工棚便问："任众呢？"正坐在床铺上用手帕擦拭口琴的任众一愣，他缓缓地站了起来……当时脑子里飘过的是什么念头——怎么会是我？还是——啊，终于轮到我了！

确实——轮到他了。

笔者叙述任众的这一段经历，究竟是为了什么目的？有一位年轻人，曾很明确地告诉我，他腻味这一类的"悲惨故事"，他对"祥林嫂"翻来覆去地唠叨"春天也会有狼到村里来吃孩子"已然生厌，他只愿意阅读"崭新的文本"，他讶怪我何以还要汲汲孳孳地写这些个"陈芝麻、烂谷子"？我当然应该尊重他这种读者的阅读取向，我怎能强求他来阅读我的文字？但是，他也当尊重我这一类的作者，尊重我取材的自由和选择文本策略的自由。我之所以还要来叙述任

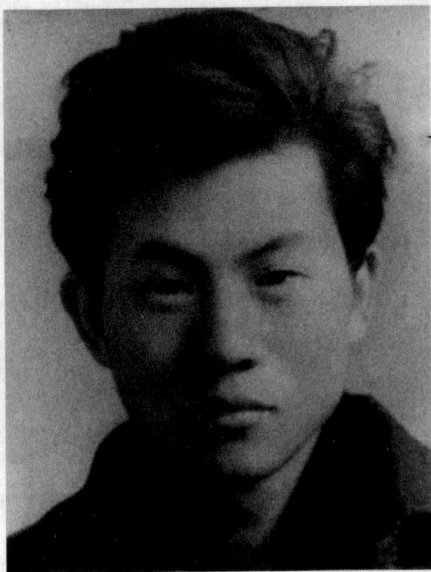

▶仅隔一年，1958 年，任众再对着镜头时，已如经霜之草。请注意其双眼中流溢出的惊惧与无奈。当时已宣布他为"右派分子"，原本已无心拍照，是文中所写到的那位温姑娘，得知他霉运当头后，要求与他去照相馆拍合影的。合影拍完，又单拍了这样一张。合影既可理解为沉痛地分手，也可理解为诚挚地宣誓……

众的这一段经历，出发点之一，是因为我感觉到人们对那一段历史的认知仍很不清晰透彻。

"陈芝麻，烂谷子"？

这一堆芝麻和谷子，其实还大有嚼头。究竟怎么会出现了"反右斗争"？岂是"阳谋"两个字所能解释清楚的！现在已有论者指出，毛泽东在 1956 年发动大鸣大放，开展整风，起初确实是想通过这样的方式，来整顿一下党内，特别是共产党员干部层里面，那些他看不惯的作风，整肃一下那些当时已引得他不快的党内同僚；他十年后发动"文革"的思路，正是由此就萌生的；但是他万没想到，整风鸣放所引出的意见，竟有冲着整个共产党，甚至于冲着他而来的，这倒也还罢了，当时国际共产主义运动，在东欧爆发了斯大林逝世后最大的政治危机：波兰工人的大罢工，匈牙利的"反革命暴乱"……国际共运中的"反右"之声甚隆，不由你不赶紧左转，以示自己对无产阶级专政的忠贞不贰——也只有如此才能在国际共运中赢得威望；在这种复杂的情势下，他迅速调整自己的思路，并决定与自己本来并不喜欢的同僚（这些人早在批判电影《武训传》和俞平伯的《红楼梦研究》时，便遭到过他严厉的批评），联手对付那些敢于向共产党挑战的社会力量，正是在这种情况下，他才自称先前的鼓励大鸣大放是"阳谋"，而且把他在最高国务会议上的讲话，改得全然变了倾向性和总调式，正式发表出来。伟人的谋略毕竟也由客观运势推动，走到哪一步说到哪一步。事过四十多年，当年所划的"右派"，据说没改正的只剩下寥寥数人，因此现在有一种普遍的看法，就是当年的种种"右派言论"，全是被冤屈了的"正确言论"，情形真是如此么？仔细检索当年的有关资料，如会议记录、内部简报、新闻报导，以及北大、清华、人大等处所出现的演讲，所贴出的大字报，及所散发的油印刊物、小报、传单等等，我们不难发现，其中有的矛头所指，确实关乎政治体制；而"党天下"这样的"鸣放"，"政治设计院"这样的"建议"，也确实触动到最根本的所在……因此，现在人们之所以觉得言者无罪，恐怕还是因为人们终于提升了共识：是你发动人家"畅所欲言"的嘛，人家不过是响应号召，说说而已，又没有采取什么非法的手段，怎么可以就据此把人家一巴掌打翻在地，整得那么惨呢？而"反右"的最大悲剧在于，毛泽东未能实现自己的初衷，所想整顿的他所看不惯的党风并没受到什么触动，且由此日见炽盛，尤其是，他所讨厌的党内同僚，非常欣悦地接过他的"阳谋"号令，把"反右"搞得有声有色，轰轰烈烈，而下面的各级党组织，出于各种各样的动机，如借此显示自己的"战斗性"与"坚定性"，借此打击妨碍自己权力运作的持不同意见者，借此扩充自己的宗派剿灭异己的宗派，借此整肃惹人讨厌的"刺头儿"，借此发泄嫉贤妒能的人性恶，等等，对"按比例"打"右派"乐此不疲，"数不够，拉来凑"，以至将"反右运动"扩大化到了骇人听闻的地步。有论者指出，"反右运动"固然是几十万"右派分子"的集体悲剧，也是毛泽东个人的悲剧——这是一场没有真正胜利者的运动。这场运动中所潜藏的玄机，仍有待于严肃而冷静的史家根据详实的资料，进行爬剔、梳理、分析、阐释！

"反右运动"中受到最沉重打击的，是中国社会中本来比例并不高的知识分子这个群体。无产阶级专政下，知识分子，特别是人文知识分子如何定位——这既包括政权对他们的定位，也包括他们面对政权的自我定位，以及这当中的双向互动关系——作为一个学术课题，其艰深的程度，是笔者无力就此展开探究的。但是，笔者注意到，90年代以降，许多中国大陆知识分子言必及的两个人，一位是曾明确拒绝马克思主义、主张废弃政治学习制度的陈寅恪（他甚至还拒绝简化字和横排印刷），一位是被两次打成"右派"而坚持在"文革""牛棚"中写"禁书"的顾准；在一些知识分子，尤其是青年知识分子当中，他们几乎被奉为了圣人，所谓"独立之精神，自由之意志"，十个字仿佛一面大旗，在其崇拜者头上猎猎飘扬。笔者所想指出的是，90年代这一人文景观的出现，更证明当年那么凶猛与轰烈的"反右"和"文革"，到头来还是都归于了失败，这，也许便是人们常说的"历史必然规律"在起作用吧？

本书的贯穿性人物，严格而言，算不上"正儿八经"的知识分子，即使算，也是最小的那种知识分子，因为他学历低，其才能也一直未得到最充分的施展，但是，他的沦落为"右派分子"，经历"文革"，其间其后的种种遭际与心路历程，却有可能作为另一种生命个案，为更广大的社会众生，提供穿越苦难、珍爱生命、自强不息、创造价值的一个参照。

任众被召回单位，不让他回家，先是让他在宿舍中写"思想汇报"，要求向党彻底"交心"，后来就通知他开会，进了会场让他站在当中，他发现四周墙上已贴满了揭露他"丑恶面目"的漫画，以及"打退资产阶级右派分子的猖狂进攻"之类的标语；人们一个接一个地发言，他在头年五月"整风会"上的言论，他在"思想汇报"中的某些段落，都成了他"反党反社会主义"的"铁证"……当然，他和许多遇到类似情况的"右派"一样，还试图为自己申辩，但绝对没有人要听取他的解释，而且，会场上有积极分子提出："任众必须交出反动日记！"立刻一片应和声；他的喜欢记日记，以及把日记本放在枕头下的习惯，都是尽人皆知的；也用不着任众自己交出，口号声中，已经就有派定的人去到他一个人住的小屋，从他枕头底下抄来了他的日记本，其中还夹有别人写给他的私信和相片什么的……在以后的两个月里，这样的会开了好几次，四月底的一天，明知在劫难逃的任众竟还在乒乓球室里，跟人打乒乓球；笔者问任众：那种氛围下，还会有人跟你打乒乓球吗？他说，不仅单位里还有几个人"敢"跟他打球，并且一位上级机关派下来的协理员，跟他单独打完一局球以后，竟走拢他身边，望着他，小声地说："任众，可惜，你太可惜了！"他说那人的这两句话，他揣心窝一辈子！那位黑脸膛的政工干部，当年大约30多岁，

树 与 林 同 在

▶ 泱泱海阔凭鱼跃，淋隘冰池阻奋飞。

这虽然是两帧任众的休闲照，照中人被拍摄时心情都颇为欢欣怡悦，但回观旧照时却可以从中派生出种种联想。你翻阅自家的私人照相簿时，也无妨用此法激活自己的情感与思路，从中撷拾意外的精神零食。

名叫殷厚善，本是专门派来参与整他材料的啊！就在他俩暂短地个别接触之后，走廊里有人喊着："开会啦！都到会议室！"……那便是正式给任众戴上"右派分子"帽子的大会！

"右派"沉沦的故事，人们确实已经听过不少，也写过不少，任众作为1958年"反右斗争"的"补课"尾声中的一个小小牺牲品，其所遭所遇，似乎也并没有荒谬和悲惨到十二万分。但是，我们将要探究的，关键还并不是"反右斗争"这场政治运动的对错，以及任众被打成"右派"是否冤屈；我们懂得，每一个个体生命，在其生命的发展过程中，都有遇到劫难的可能，这劫难可能来自政治冲击，可能来自经济危机，可能来自人际恩怨，可能来自感情创伤，可能来自自然灾害，可能来自飞来横祸，可能来自生理病变，可能来自心理障碍……更多的情况，是上述因素中两种以上的交叉会合，甚至还有若干说不清道不明的因素杂糅其中；人啊，你真是一个易碎的苦器！我们要探讨的是：如何使脆弱的生命，在劫难降临时得以坚韧？

1958年"五一"节，任众被作为"二类右派"，发配到京郊树村监督劳动。当时，他们那个系统有十几个"二类右派"都被下放到了那里。"牛棚"一词，是"文革"中才有的，意为关押"牛鬼蛇神"的处所，倒并不一定真是喂牛的牛棚，任众他们当年到了树村，却真的被搁到了牛棚中——那屋子外间是牛和羊过夜的地方，充溢着牛羊粪溺的腺味；里间给他们住宿的屋子，窗户上连纸都没糊；他们就在搭起的铺板上，放下了各自的被褥卷，掀开了人生中那悲惨的一页……

白日的劳动，极其艰苦：用大个儿的柳罐给白薯地挑水，那柳罐的特点是底儿呈球形，从河里舀足了水以后奇重，运送的长途中绝不可往地下搁放、略事喘息，大家几天下来，肩膀都磨破了皮；不过，这原是尚可承受的，任众在未划"右"以前，也曾在茶淀下放过，干过极重的农活；但那种下放，跟这种处境，已分明是两回事儿了！

任众永远记得那一天，大约是发配到树村一周以后，上工前忽然让他们排队来到村里的旷场上，指令他们蹲在席棚前头；待村民们（当时叫"人民公社社员"）都来齐后，由一位当地派出所的民警大声地指着他们，宣布说："……大家伙看好！这些个家伙，他们不是下放干部！他们都是些个假借着帮助党整风，猖狂向党进攻的，反党反社会主义的右派分子！……大家伙要对他们提高警惕，严格监督，只许他们老老实实，不许他们乱说乱动！……"这时，村民们的眼光全射向他们，任众的自尊心，受到他生命史上前所未有的一次轰击，顿时仿佛被当众扒光了衣服，耻感如毒蛇般缠绞咬啮着他的心……

中外古今，许多人之所以自杀，便是人性中的冤屈感加当众受辱的强烈耻感，先摧毁了自尊心，再进一步产生出极端的自爱或极端的自卑，于是愤而"玉碎"或悄然自戕。这天在白晃晃阳光下，由司专政的人员向陌生的社会群体宣布自己的"异类"身份，已使任众萌发了自尽的念头。

自杀的另一重要触因，则是为恨所包围，失却了爱，或有所爱而已不能再爱。人性中有一种嗜爱的基因，越是遭到劫难，其噬爱量便越大，但却往往偏无爱可啖，在缺爱的饥渴中，更受到恨的伤害，于是以生命的断裂，来结束这极端的痛苦。

任众划"右"并宣布发配农村后，才得以回父母家，并与温姑娘见面，他如实向温姑娘陈述了自己的处境，头上的政治帽子且不去多说，现在他已被取消了每月43元的干部工资，只发放18元的生活费，以18元勉强养活自己已经非常吃力，怎敢再谈恋爱及往下一步想！温姑娘低头不语，欲语泪先流，以泪代语，尽在不言中……他痛苦地转过脸，却又正好望见了温姑娘的弟弟，那男孩原本与他目光对接时，总是流溢出欢喜与敬仰，此刻却满目迷茫，乃至怀疑……他觉得不仅无力再维系应得的爱，也无计再维系应得的敬……他到了树村才几天，温姑娘忽然跑来探他，给他带来了他所爱吃的年糕，却也给他带来了这样的信息：她是团员，本来自己出身就不好（父亲有历史问题），很难获得组织上信任，现在想来想去，跟他认识的事，还是再也不能隐瞒，所以，头天已经鼓起勇气，向组织上汇报了；他说那是应该的，以后别见了吧……他和温姑娘只能在地头匆匆地说一会儿话，却是些这样的话！生人作死别，恨恨哪可论！初夏的风拂过他们的身体，他们并没感觉凉爽，只害怕风把他们的话语裹挟到监督者耳朵里……他让温姑娘快些离去，忍住，不回头去望她远去的背影，手里紧紧地攥着那包年糕，年糕捏变形了也不碎，他的心却既变了形又裂成了几瓣……

▶任众自称信奉天主教，每到教堂他总是一腔虔诚，但他并不定期定时去教堂望弥撒。他认为天主教给予他心灵的启示主要是与人为善和以善行拯救自己的灵魂。

……那是黑沉沉的静夜，任众仰卧在硬邦邦的床板上，他的青春在滴血饮泣……

人类啊，你当中的每一个体生命，除了幼夭者，都有其青春，那如花的青春期啊，为什么往往要施加它那样多的风刀霜剑，那样多的悲愁冤苦？在地球辘辘的转动中，每当一片大地沉入夜色时，几多的青春在泰然安睡？几多的青春在欣悦欢歌？是谁在静夜中有哲思妙构？而又是谁，竟在静夜中凄然饮泣？……

任众他们所住的那个牛棚既无门窗，晚上蚊虫小咬便肆虐如潮；其他人不管怎么穷窘，发配来时还都没忘带上一袭蚊帐，唯独任众没有蚊帐，因此他的身躯成了蚊虫小咬的宴飨，他只能不时地拍打，甚至于连连掴自己耳光，弄得满手血腥气，也还是不能解决问题……

那一晚，任众的生趣消亡到了零，并迅速往负数滑动。自尊心的轰毁，失爱的痛楚，高度的劳累，恶劣的食宿，还有缺少一顶蚊帐这个纯属是技术性的细节，综合交融，所产生的效应，便是他毅然地下了床铺，走到没有门扇的里屋门边，解下了裤腰带，把它甩到了与墙体间有相当缝隙的门框上，并摸黑成功地套住门框打成了一个结……

就在他踮起脚，把结成的套环往脑袋上套时，忽然，有人恰巧翻身起床，咚咚地往外跑，是去撒尿，那是一个姓石的麻脸汉子，他每晚睡觉时一丝不挂，他在逼近任众身边时才发觉有人挡道，并且大概是以第六感觉认出了挡道的是谁，于是大声地问："任众么？你干吗呢呀？"问完冲出屋子，刚到院子便极响亮充沛地撒起了一泡大尿……

首先使任众的死意消退下来的，是光屁眼儿的石麻子那撒尿的声响，在那粗鄙不堪的声响中，传达出一种生之召唤……是的，多年后回味，你可以说那石麻子是苟活于人世的颟顸者，不足为训；然而，无罪的颟顸者，他为什么就不能自生，只能自灭？难道那些精明的整人者，那些虚伪的变色龙，就有资格在这世界上过有滋有味的快乐生活？……

当时任众他们所住的屋子里不仅没有电灯，连个蜡烛头也没有；石麻子的豪放一尿惊醒了好几个人，那几个人都在蚊帐里擦亮火柴，点燃了劣质香烟……任众收回了裤带，回到自己的床上……

一泡尿救活了一条命。

当然，死意的中断，并不能马上弥补生趣消失所形成的巨大心灵空白。在那以后的几天里，任众魂不守舍，他的躯体在机械地挑着柳罐、推着水车，魂魄却在躯体外流浪、呻吟，灵肉分离的状态下，肉体躯壳仍可能霎时失控，自我陨灭。

任众的父亲，早年曾给比利时籍的天主教神甫当过一段管家，因此全家那时就算皈依了天主教；后来有一段任众还冒充孤儿，在意大利籍神甫主持的鲍斯高慈幼院里待过一年，并充任过唱诗班的领唱；虽然解放后任众已经不再进教堂，并在课堂上接受了唯物主义教育，可是，天主教对他灵魂的滋养却是潜移默化，难以廓清的；当任众在24岁遇到了生死大劫时，起初他灵魂深处的天主教意识并未上扬，可是，在那个夜晚以后，他那飘荡不定的灵魂开始断断续续地吟唱出些经文与赞美诗里的句子，这些句子像黎明前的玫瑰色曙光，抚慰着他几乎断裂的躯壳，并往其中注入着生之意志：

> 我信全能者天主之父化成天地，
>
> 我信其唯一子耶稣基利斯督我等主……
>
> 我信圣神……
>
> 我信罪之赦……
>
> 在天我等父者，我等愿尔名见圣……
>
> 尔旨承行于地如于天焉……
>
> ……乃救我于凶恶！

当他昏昏沉沉，伏在本当是由驴拉动的水车转盘的把柄上，疲惫地推转时，耳边会梦幻般地响起教堂里管风琴的轰鸣，并且有童音合唱出的舒伯特的《圣母颂》：

> 啊，圣玛丽亚！
>
> 温柔的母亲！
>
> 请你听一位少女恳求，
>
> 在这荒凉的岩石上，
>
> 我的控诉飞向你的身旁；
>
> 我睡到明天早晨醒来，
>
> 而人们仍然是这样残忍……
>
> 啊，圣母，要将女儿导引，
>
> 啊，母亲，我是个可怜的人！
>
> ……

丝丝缕缕的缥缈仙音，不断积累、增强……终于，当静夜里他倒卧在床铺上时，灵归窍，壳储魂，他意识到，他的生命，他的尊严，他的价值，他的死活，有一个超越现实的更高存在，在引领着……他不能因尘世里那些嗜好整人、斗人的怪物给予了他一种罪名，就失却了对那更高存在的信心，他不能死，不能为那些怪物而死，他要活下去，为超越尘世的至高存在而活……

任众的濒死而复生，最关键的，还是他找到了一种可支撑的信仰。信仰是个体生命善待自己，在劫难中克服自杀危机的最强有力的刹车器。这是一个普适的道理。我曾与"文革"中以"反革命暴乱罪"判处过死刑的某文学青年交往，他之所以被判死刑，后改死缓，并被押往许多地方游斗，是因为他们世代祖居的村落里，大家都是虔诚的伊斯兰教徒，"文革"中"红卫兵"跑去"破四旧"，要拆毁清真寺，被他们轰走；后来又跑来了什么"宣传队"，强迫他们停止世代相传、每日到时辰从不曾间断过的宗教仪式，他们当然不能听从，于是"宣传队"竟往村中水井里投猪肉猪油，这下矛盾尖锐起来，他们就把"宣传队"打出了村子；于是，又进入了"军宣队"，说是要坚决查处带头打"宣传队"的"坏头头"，让村民们揭发检举，"首恶必办"，其余都算作"胁从"，只要认罪，都可不究；可是，他们村的居民非常团结，不仅无人检举自首，而且，在一个漆黑的夜里，由一群年轻人动手——我所认识的那位便在其中——把"军宣队"缴了械，轰出了村子；这下事情闹大了，当地"革委会"竟派出部队，包围了该村，先是用高音喇叭喊话，让村中的"反革命"交出武器，出来自首；后来趁夜色派出"突击队"进村，意在以"迅雷之势"抓出"一小撮"，却没想到连村中老太婆都出来跟"突击队"拼命……于是，终于下决心正面攻入，军队奉命入村，村民奋起反抗，竟出现了巷战的场面，双方都伤亡惨重……后来村庄终于陷落，抓了一批人，从判死刑立即执行到判徒刑的，都有，那文学青年也在其中；但这批被抓的"反革命暴乱分子"竟无一人认罪，为什么？当我问起时，那青年仰起头，凝望西南，高傲地说："我们信真主！"那个远在云南的村子里发生的事，直到 80 年代初，才由胡耀邦亲自过问，得到彻底平反，平反后我受邀入村做客，青年朋友带我进入了他们集资，加上全国乃至世界各地穆斯林捐款，所建成的极其宏大崇伟的清真寺中参观，再听他细述当年抗争详情，对他们顽强坚持信仰，并在信仰支撑下，身遭大劫却既不怕死也不自尽的意志，心生敬佩，感慨不已。

中国汉族人，大多没有宗教信仰，进佛寺拜佛，到道观寻幽，绝大多数都只抱着浅近的功利目的，或为祈福增寿，或为去祸免灾，真到生死关头，有的俗人就难以自持，或卑微乞活，或轻率自戕。当然，对于宗教，人们有信仰的自由，也有不信仰的自由。有不少唯物主义者，他们面临大灾大难，甚至于不得不牺牲时，支撑他们的，也是坚定的信仰，比如政治家里，就有在关键时刻说出"在真理面前人人平等"这样掷地有声的话语，以及宣布"好在历史是人民写的"这样的理念，果然终于超越一时的劫难，获得自己青史上应有符码价值的例证。

在困境中活下去，除了超凡的信仰，发现人世中善的闪光，将其聚合为一种生趣，也是很重要的。任众在魂归躯壳后，接连很多天，接收到了这种来自尘世的可贵善意信号。在菜地摘西红柿，正当他提着沉甸甸的大筐送往地头时，忽然有个人影挡住了他，他本能地让开，那人影却屹立不动，他抬眼一看，是个姑娘，那是当时来村里作防疫实习的医学院学生之一，他模糊地知道，却从未曾有过与之接触的想法，更未曾有过人家主动来接触他的幻想，但是，那姑娘却显然是要故意与他在地头单独相遇……只听那姑娘对他说："你没有什么……你要坚强……坚强！……"说完便走开了。他搂住装满西红柿的荆条筐，愣住，却分明感觉到有一暖流，从脚下的土地中蹿入到他的身体……下工后，走在车辙纵横的村街上，一位贫农大妈叫住他，亲切地说："小伙子，我看你挺好，干活累成什么样儿了，来来来，去我家，我给你熬棒楂粥吃！"他当然不能去吃，可是他的心灵不啻获得了一餐善的宴飨。还有一天，村里的一个民兵小伙子拉着他的手说："我不管他们怎么说，我不那么看！……来我家聊聊，我贴一锅饼子给你吃！"村里晚上放露天电影，任众他们只能站在最后头看，却有个农村姑娘笑嘻嘻地拿来个家里的凳子，硬是要他坐下看，他连说："我不能坐不能坐……"姑娘却大声地说："你怎么不能坐？我就要你坐！"……

在"反右运动"获得"伟大胜利"之后，1957年7月6日南京《新华日报》发表了一篇社论《反击右派不能温情主义》，翌日《人民日报》迅即转载，郭沫若同日在该报发表两首诗作，第二首劈头两句便是："右派猖狂蠢动时，温情哪许一丝丝！"但是，温情，作为人性中的一种良性因素，是在任何严酷惨烈的世道中，都不曾泯灭的，希特勒法西斯那样凶残地杀戮犹太人时，就在被宣布为优秀人种的进了保险箱的社会群体里，还是出现了辛德勒这样的，本是唯利是图的商人，他内心的温情，战胜了唯利是图，更战胜了"元首思想"，以假招工、真掩护的手段，开列出长长的《辛德勒名单》，拯救了大批的犹太人；中国的"反右"、"文革"，铺天盖地，莫非极左，遭受打击者，如陷地狱，然而，丝丝缕缕的温情，还是斩不断，掐不尽，甚至于从被视为革命中坚力量的工、农、兵里，也不断旋出、蔓延，给劫难中的"罪人"，以善的濡护，这是运动发动者，以及郭沫若之流，到头来无力禁绝的事！相信人性中有善，相信即使有的人灵魂中的善已被掏空，另一些人（他们一定更多）的灵魂中，还是有善存在的；尽管在险恶的时局中，温情，怜悯，宽容，不忍之心，也就是善，会被视为是有害的、碍事的、多余的，"哪许一丝丝"，但是，许不许在你，有没有在我，像

▶ 个体生命常在无意中跨时空地重复着某一肢体语言，从这一惯常性的肢体语言中，往往鲜明地反映出该个体生命始终不变的性格。这里连续出现的9幅任众照片，最早的一幅摄于1971年颐和园天然泳场，最晚的一幅摄于1998年夏季，背景或园林山野，或大海湖滨，有时泳装赤膊，有时冬衣丰厚……甚至手持野花、拉奏手风琴，但其肢体语言的"造句方式"、风格特色，竟恍若出于同一时空。"性格即命运"，而惯常的肢体语言，也即性格。

任众当时所遇到的那些"革命群众",他们就是偏要把自身的温情,给予任众这种入了"另册"的"右派分子",其奈他何!其奈他何!

人逢劫难,请以信仰支撑生命,请注意从他人的善意中汲取生趣。有些喧腾一时的东西,或给劫难中的人一种错觉,仿佛那必是铁定于万世镇物,比如当年任众每天都要从村里电线杆上的高音喇叭里听到的那首歌,其中唱到"右派分子反也反不了",每当这句入耳,任众总是锥心般地痛苦,不是他想"反",而是铭心刻骨地意识到,自己既被定为了"右派分子",那就万劫不复了!谁知到了"文革"，这句歌词，还有"帝国主义夹着尾巴逃跑了"等句，都被批判为"阶级斗争熄灭论"；另外还有"掀起了……建设高潮、建设高潮"等句，又被指斥为"唯生产力论"，其词曲作者也被揪斗，很吃了些苦头；现在，这首歌似乎只具备资料价值，也很难再按原词演唱，甚至于还有人故意改词，如唱成"帝国主义夹着皮包回来了"，令人苦笑，真此一时也，彼一时也，由此小例子可以悟大天道，人世沧桑，谁可阻拦？

任众的弃轻生之念而坚定顽强存在的标志性行为，是有一天他用十八块生活费中的七块钱，买回一顶新蚊帐，郑重其事地安装在了自己铺位上。他又擦拭干净口琴，放到唇边，倚床吹起了《骑兵进行曲》，开始，那紧凑活泼的旋律竟把屋里的人们都吓了一跳；后来，石麻子过去拍他的肩膀："好啊！活过来啦！"他知道那并不意味着石麻子那天发觉了他的自杀企图，石麻子只不过是说他不再打蔫了而已。他吹得更起劲了。

## 阅尽人间秋色

　　房山县在北京西南，那里有个举世闻名的周口店，是我们最远古的祖先"北京人"的头盖骨，以及生活遗痕被发掘出来的地方。生命重叠而更新地延续着，一代一代，无数的群体，裹挟着一个一个……亿万斯个的生命个体，受欲望、情感、理念和非理性的冲动支配，在这片大地上演出了无数幕悲喜正闹的活剧，群体的记忆被称为历史，个体的记忆呢？倘还没有被收容到群体的文本中，是否只能算是随风而散的烟云？

　　在任众的个人记忆里，在房山沟峪中寻找大片山草的一次经历，却是岁月之风永难吹散的心灵之诗。

　　任众1958年被划"右"后，先在近郊的树村，后到密云水库监督劳动，十月份，他被调到房山的造林大队，继续监督劳动；这个造林大队除了队部头目，成员基本上都是他们那个系统里的"问题人物"，有的有这样那样的"历史问题"，有的"出身不好"而本人又被视为"落后"，有的在"男女关系"上犯过事儿……但被认为是"问题"最严重的，则是若干每月只发放十八元生活费的"右派分子"。

　　以十八块钱来维系生命，是远比用一根绳子来结束生命，更艰难的事。但任众一旦在树村度过了生关死劫，坚定了生的意志，他便把以十八块钱维系生命，视为了一种在炼狱中升华尊严的挑战，这既是对迫害者蔑视他生存价值的无言挑战，也是对自我生命韧性的挑战。

十八块钱！现在一个青年如果手里只有十八块钱，他甚至会觉得不够他一餐饭的消费，在"麦当劳"或"肯德基"那样的快餐店，十八块买不了现成的套餐，只能零买几样汉堡包、炸鸡块和薯条、可乐什么的；即使去吃最便宜的兰州拉面、山西刀削面，十八块钱也只能勉强支撑一两天；可是，那时任众却必须用十八元维持一个月的生存。他把生活需求压缩到了最低限度。十八块钱，其中十二块用作伙食费，平均每天四毛钱；四毛钱能吃什么？早饭免了，午饭四个馒头（每个四分钱）一块咸菜（一分钱）喝些不要钱的高汤；晚饭三个窝头（每个三分）一碗粥（三分钱）一个"丙菜"（五分钱，绝对无肉，无非萝卜条土豆丝之类），这样算下来是三毛四分钱，这是最常态的消费；所余的一点钱，攒多了，可能在某天吃个"乙菜"甚或"甲菜"，打打"牙祭"。伙食费外的六块钱，其中两块多钱用来作每月休假时回城里看望父母的路费，一块多钱用来买些山柿、核桃带回家，也算是一点心意，剩下的便只够买一盒牙粉，几个信封、几张邮票了。

用十八块钱支撑的生命，却要从事最沉重的体力劳动。任众在很长的时间里干的是打眼、放炮、开石、盖房这一类的活计。秋凉过后，冬气袭来，任众仍穿着短裤；他是队里经济上最穷窘的一个，家里父母兄嫂也困难，谁也补贴不了他；因为在小分队里，他是唯一的"右派"，所以别人都睡在炕上，只有他一个人被安排在炕底下，以四块石头，撑起一个铺板，上头垫些茅草，罩一块旧棉毯，将就着睡；他又只有一床又旧又薄的棉被，晚上秋风灌进门缝，他冻得怎么也睡不着，便爽性爬起来，到院子里跳绳，跳热了身子，再回来睡，还能勉强睡过去。"短裤"与"跳绳"的"动向"，还有任众工余穿着短裤跳到河滩的秋水里去游泳，裤子湿了也不脱下来晾干，就那么让裤子在身上慢慢干掉的"反常行为"，很快引起了"积极分子"们的注意，并及时汇报到了上面，于是，在每晚必开的"生活会"上，"积极分子"们便朝他开上了炮："你这是不是向党示威？""这是你抗拒改造的表现！"任众懒得辩护。在他，原不过是为了磨炼生存能力，严冬酷寒即到，如果这样循序渐近地增强耐寒能力，他估计自己是可以挺过寒冬的。上面的领导倒并不想把任众怎么样，实在也是，还能把这个生命怎么样处置呢？何况许多最重最难的活，都是任众在干，那些"积极

1963.5.摄于北京房山县娄子水村西
庄公院 任众

▶庄公院的这座道士塔频频出现在这本书的影图中。如此高大雄伟并且是院外唯一的墓塔，该是那位被称为庄公的老道的羽化之处吧？35年后任众故地重游，发现该处正在修路，准备整葺后对外开放，发展当地旅游事业。当年是"任是深山更深处，也应无计避'批资'"，如今却是"任是深山更深处，也应设计多'引资'"。世道变迁如此，思之宁不肃然？

分子"嘴头上行，干起活来可是又笨又滑！领导找他谈话，又在开会时当众这样说："你是反党反社会主义的右派分子，是罪人，可是党的政策是宽大的，每月还给你十八块钱的生活费，让你努力改造，重新回到人民当中来，你应当感激，应当更努力地改造自己，有抗拒情绪是不对的，是不允许的，也是危险的！现在冬天马上要到了，你没有棉衣棉裤，没有袜子，你应当相信党，党是可以为你重新做人提供必要的条件的，你可以申请补助，组织上可以考虑……"这一番话，使在场的"问题分子"们，有的感动不已，他们还以为组织上会对任众施以沉重打击呢，没想到竟是打算给他补助！在场的"积极分子"们，有的却很失望，甚至于怀疑这位领导是否"右倾"？所有的眼睛都盯住了任众，可

是任众却说出了令所有人震惊的话："我不需要补助。我可以挺过去！"……第
二天，领导还是让任众写一个申请，让他逐项提出补助的款额，任众随手写上：
"棉被：三元；棉衣棉裤：六元；袜子：一元。共十元。"过两天批了下来，补助
他十五元。其实十五元也不可能把这些东西买齐。最后只好放弃棉被，买了棉
衣棉裤，好在晚上把棉衣棉裤搭在薄被上，也就算有了厚被子了。

　　在房山造林队一待就是七年。在那七年里，几乎每天都是在别人的监视下
生存。唯有某一年秋天，任众得到了一次无人监视的出工机会——那时需要为
造林队所养的牛马驴骡储备草料，而何处有大片的山草可供收割，需要有人先
去寻觅，这是一个费力不讨好，而且也需要充沛体力和应变机智的任务，以积
极斗人而赢得领导欢心的"积极分子"，这时派不上用场了，队里便派任众只
身深入荒无人烟的深沟谷壑，去寻觅丰茂的秋草。

　　任众戴顶草帽，握把镰刀，出发了。即使在监视的目光下，任众也经常在
心里想自己的事、哼自己的歌，现在摆脱了监视的目光，置身在无人可以取缔
的大自然里，沐浴着无人可以没收的天光，任众的主体意识，得到了极大的驰
骋自由，他欢快地转入了空谷，去寻找秋肥的山草。

　　任众在造林大队所在地，听当地村里人说起过，房山的山大都像房上的坡
状屋顶，而他们所在的那一片山，往往又像砍去了一半屋顶，西边是陡直的悬
崖，东边是斜缓的坡地，在东边朝阳的坡地上，会长出丰茂的山草。任众去探
坡地，安全的办法，是一律绕到东边，看个究竟；但是他决定冒险：登上一面
最高的西崖，到顶部去鸟瞰整个东部的情况，如果发现了大片山草，再从东面
下山，设计出改日指引大队人马接近的最佳路线。

　　任众所选择登攀的那面山崖，约六十多米高，崖上长着许多根子在石隙中
扎得很深的荆棵子，砍伐下来是编扎荆筐的原料，任众把镰刀别在腰后，决定
抓住荆棵子，奋力向上攀升。

　　头十来米，腾腾腾几下，任众便攀上去了。霎时间他仿佛回到了在十三中
"练块儿"的时期，"练块儿"是一种自我雕塑，是一种自我审美，把造物主赋
予自己的肉体，锤炼成与大自然相和谐的美物，其中的快乐，是难以形容的。
后来所遭逢的政治运动，所给予他生命的打击，既痛彻心灵，也摧残他的肉体，

山中令

斗折羊肠路，三清殿下曾住。伯居行取佛灯！非也，佛灯不如炭光。

▶ 任众 1963 年为庄公院白描写生，并赋小曲一阕。苦中作乐，达观自娱，是支撑苦难中生命的良策。

但是他不仅战胜了灵肉俱焚的自杀之念，不仅竭力维系住了灵之自尊，也奇迹般地保持住了肉的健美。当他矫捷地腾升在悬崖上时，他感到无比自豪！

人啊，劫难中的人，困境中的人，不要丧失对自我的尊重与热爱，不仅要维系住心灵中的良知善美，也要在哪怕是极艰苦龃龉的处境中，力保自己身体的康健，即使摧辱交加病痛袭来，也应尽可能地挺直腰板、洗净颜面、刷白牙齿……为生命的尊严而奋斗！当哪怕是部分的尊严得到了有限的体现，也应昂首自豪！

任众继续往上攀。有的荆棵子的根部在簌簌落土，他忙换手去揪住另外更粗大的一棵，旁边的酸枣棵子在他手上脸上划出了些道道，他感到有血渗出，但他仍然信心百倍地朝上移动。无数人间善意的例证，又汇聚到了他的心头。到了房山，在远比树村荒僻的村落里，一位贫农老大妈执意要给他"说个媳妇"，任众对她说："大妈，您不知道吗？我是右派啊！"大妈应声道："嗨，右派，不就是敢说真话吗？不碍的！"任众说："大妈，我现在只有十八块生活费……"大妈截住他话茬说："不用你有钱，身子骨好，人好，就成啦！告诉你吧，人家家里有三圪垃房哩！……"任众至今没弄清楚"三圪垃房"是怎样的房，但在他生存状态最艰辛最沉沦的时候，有这样的贫农，愿让他享受到"三圪垃房"的温暖，这说明人间还是很值得眷念的啊！……荆棵子的穗状蓝花在他眼前晃动，那是最朴素的花，氤氲出淡淡的气息，那或许并不能说成香气，然而却饱含着晴阳下的生命之味，光是为了世界上有这花，也应顽强地活下去啊！……他眼前浮现出跟荆棵子花一样颜色的毛蓝布衣衫……前些时，他们系统一些短期来造林队锻炼的下放干部，是些未入"另册"的"正常人"，本是应处处小心防范他们，尤其不应主动与"右派分子"接触的，可是，午餐时却有一位女干部，故意多买了一个带肉的包子，吃完自己的两个以后，走到他身边，把那"多余"的包子搁到他搪瓷饭盆里，说声："我吃不了啦，帮我吃了吧！"便管自走开，她那穿毛蓝布外套的背影，多像这荆棵子的花穗在摇曳……一次"吃不了"倒也罢了，怎么她回回"吃不了"，回回多买，回回要他"帮吃"？包子虽小，其善巨大……

　　爬过三分之一，出现了第一波疲劳感，而且崖石上可蹬脚处甚少，不得不像拔绳似的，轮换着倒手紧抓荆棵子，悬吊着身躯引体向上，忽然一手所抓的荆棵子松动了，山土碎石往下流泄，赶紧调整，但另一棵离得稍远，跃动中险些失身落下……

　　痛苦。艰险。一些屈辱的事，忽然丛聚心头。

　　……就因为他是"右派"，队里有人失窃了五块钱，死活认定是他所为，大会小会逼他承认，后来偷窃者良心发现，向领导自首，也还是不给他公开平反……挑着沉重的铁板大桶，走十多里山路去运水给树苗浇水，那小头目竟不允许他挑的水桶发出丝毫声响，可是崎岖的山路，羊肠小道，两旁伸出那么多的杂树灌木，有时一侧还有凸现的崖石，铁板桶怎么能悄无音响？"臭右派任众！你干什么呢？你那桶干什么响？你抗拒改造！你想翻天呢！不许你桶响！再想斗死你！你个臭右派！……"小头目尽情詈骂，其实已与什么巩固无产阶级专政之类的政治意图无关，只说明政治运动的牺牲品，可以为小头目之类的人提供一种施虐的方便，他们人性中最恶的东西，得以披着政治话语的外衣得到顺畅发泄……炎夏暑日，他跟着造林大队一位自己也有问题，仅仅是没被划"右"的车把式去十几公里外运砖，到了砖场，那车把式到席棚的阴凉里管自抽烟，一整车的砖都是由他一个人用双手搬上码齐，回程中，半路上忽降滂沱大雨，那车把式雨来时即给自己披上雨衣、戴定草帽，还给拉车的牲口从腰部盖上了塑料布，可是自始至终，跟来时一样，都没有看他一眼，哪怕仅仅看上一眼也行啊！却硬是仿佛他不存在，就那样，在弥天暴雨中，他只能在车上的砖垛上抱肩蹲着，任暴雨把自己淋个透湿，砖垛散发出炎气形成的烟雾，与他身

▶1972年任众在上方山留影。摄影者是大哥的徒弟。当时大哥他们工厂组织郊游，从"五一六分子"阴影下解脱出来不久的大哥当时没有游兴，任众却鼓励他一定要去，并且自己也特意一起去；因为大哥挨整时，任众的"问题"曾是重要的牵连因素，所以任众偏要让大哥工厂的人们"见识"一下，"任众何许人也"；怀着这种心情站在镜头前，留下的影像中那肢体语言与面部表情当然也就饱含着非一般郊游照中所能有的复杂内涵。

▶ 1984 年出差青岛游崂山时留影。同 1972 年上方山留影相比，乍看似乎十分雷同，但细细比较，则可看出"心语"的重大差异。读人像照片时要善于读出其"心语"，否则往往会觉得索然寡味。

体上泄出的热气烟雾混成了一片；终于熬到队部，他昏昏沉沉、跌跌撞撞地回到宿舍，倒在床铺上，立刻发起高烧，昏迷中他还在断断续续地痛苦寻思，那车把式为何如此漠视他的存在？难道因为他是"右派"，就连牲口也不如了吗？人们对畜生可以打骂呵斥，更可以根本不理睬，那车把式对他的毫不理睬，比那小头目的恶声辱骂，甚至更令他寒心，人啊，人，你怎么能不把人当人？你怎么会不被人当人？什么时候，人类的所有成员才能够终于都懂得：人要把人当人！即使是妨害他人、群体、国家、民族的罪犯，依法制裁他们，限制他们的活动自由，对他们实行处罚，甚至于结束他们的生命，在那个过程中，也不能侮辱他们的人格，不可以把他们视为牲畜，不能把他们作为发泄自己人性恶中的施虐欲的目标……无论是以革命的名义，还是以法律的名义，都不可以——不把人当人对待！

实际上，笔者写到这一段，是与当年的任众一起，在攀那座悬崖；当时的具体感受，属于任众，所生发出的思绪，则是写作中笔者与任众在交谈的共鸣中，一起升华出来的……悬崖还高，一如我们大家的人生，磨难与感悟远未到头，必须咬紧牙关，不懈地坚持……

……任众的脚终于找到了可蹬歇之处，大汗淋漓中，他稍微朝下一望，已如在十几层楼房的外墙上，下面的石棱乱榛森然可怖，倘若他稍有闪失，便会垂直坠下，跌出一片血浆！……

他牢牢抓住荆棵子，那荆棵子犹如树木，主干有碗口粗，使他感到牢靠……在这个世界上，如这种荆棵子般的人际依靠，对他来说越来越少了……温姑娘跟他保持了几年的通信关系，成不了夫妻，做个朋友也好啊！但是，有一天他收到了她的回信，信中坦诚地跟他说，自己有"朋友"了，基本上定下来了，恐怕"办完事"后只好不再跟他通信了；他给她写了最后一封信，表示祝贺，却又忍不住提出一个相当非分的要求：能不能让我在下次回城时，看一看你那"朋友"？她便也给他写了最后一封信：你回城就给我打电话吧，我们一起见一面……那次回城，他们电话约定到劳动人民文化宫见面；在约定的地点，温姑娘先露面，秋波里淘不尽对他的爱意，嘴里只是说："好人，你真是好人！"然后，那个男青年露面了，大方地伸出手来，跟他握手；他花钱请他们在露天剧场看了某文艺团体的歌舞演出，其中有"蛇舞"，他们谈到蛇，城里的蛇与山野的蛇；后来，他们一起来到后面的筒子河边；河边的古柏该看尽了多少人间的悲欢离合？古柏无语，他们起初也良久无语；终于，那困难的一刻来临，温姑娘说："我们下星期要办事了……"他不记得他是怎么祝贺的，只记得那男青年拉过他的手，动真情地说："谢谢，谢谢你！"他不需要感谢，这是应该的……然而，这根维系人世温情的线，就此断了！……只剩下父母兄嫂弟妹了，他们多年来一直住在鼓楼后面的花枝胡同里，花枝胡同——这是《红楼梦》里出现过的地名，书中贾琏偷娶尤二姐和尤三姐用鸳鸯剑自刎的处所——那小小的胡同，破旧的院落里，有他的骨肉血亲，每个月休假四天，得以回家探亲，那是给他心灵增添生趣的加油站；父亲口拙，说不出太多的话，只是一再重复："孩子，没有过不去的火焰山。""留得青山在，不怕没柴烧。"母亲呢，她总是因他的归来，多炒一两个菜，并且像品尝仙果似的，小口小口地吃他带回来的柿子核桃；嫂子冷淡，他不在意，哥哥听他说："羽毛自知美，被人呼作鸡！"点头叹息，弟弟在十三中上学，牛老师教美术，介绍过齐白石，便接过话茬说："这是齐白石题画的词儿！"……但是，由于种种原因，有时候，纯粹是他伙食"超标"——不是他非要吃"甲菜"，而是因为某些时候他下工特晚，食堂里剩下的只有较贵的包子和"甲菜"什么的——他实在连回家的路费都没有了，便只好冷冷清清地度过那四天的休假；有一年的中秋节他就是因为这种原因未能回家，他一个人爬到山顶，遥望北京城，北京城那个方向罩着一团银晕，天上的圆月从云翳中游出，他只能以独自引吭高歌来排解内心的孤独：

▶艺术创造始于临摹与模仿。
《苏秦苦读图》摹自一本"小人书"，时间是1963年，在造林大队紧张的劳动间隙中摹画的。

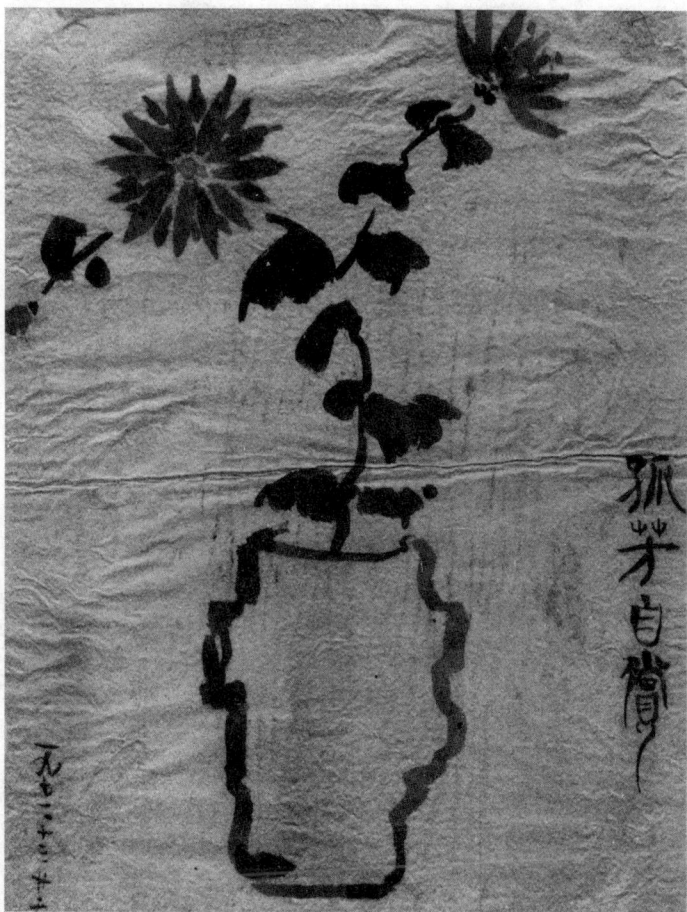

▶《孤芳自赏》是
1971 年当油漆工时
期抽暇绘制的。
披露这些画幅不
是为了证明任众
具有绘画才能，而
是为了展示他在
最艰难的岁月中
的那种乐观自励
的生存激情。

月儿高挂在天上，

光明照耀四方；

在这个静静的深夜里，

忆起了我的故乡……

　　故乡的家人，也都在忆念他吗？……那一年九月，他回家，发现家中气氛
格外沉闷，他问："怎么啦？"大家都不吭声，他问弟弟考大学的结果："考上
哪儿啦？"那确实是他挂心的事；父亲母亲微微叹气，他想一定是因为弟弟考

▶《钢铁是怎样炼成的》这本苏联小说
至少影响过两代中国读者的心灵。
1962年任众摹画了该书作者尼·奥
斯特洛夫斯基的画像（这也可理解为
书中英雄人物保尔·柯察金的造像），
激励自己在艰苦奋斗中要坚韧不拔。
但这本小说在九十年代苏联解体后
在中国大陆上渐渐消褪了不可质疑
的神圣感，报刊上公开刊出了对其
"不恭"的"重新评价"，当然也立
即引出了对批评意见的强烈反弹。
对其的争论中，蕴涵着中国社会转
型乃至全球格局变动中许多复杂的
认知冲突与心理、情感的相激相荡。

上的学校不理想，便说："其实，能有大学上就挺好……"突然弟弟朝他大吼：
"哪个大学还能要我？！"他摸不着头脑，弟弟一向学习成绩优秀，上次回来
听他自己说考得也不错……他疑惑地望着弟弟，弟弟更大声地吼出了如利刀割
他心肝的话："都——是——你——！你！……五敌之一！！！"啊，原来，他
那在"地富反坏右"的敌人系列中名列第五的身份，已经株连到弟弟，使他
这次落榜，以后也无望迈进大学门槛！……

　　痛苦的回忆令任众手一松，险些跌落，他忙换抓另一株荆棵子，扭动身躯
朝上攀了几尺，喘息中他脑海里闪过那以后的一系列凄惨画面……

……弟弟那"你！……五敌之一！"的嘶吼，令他心碎血迸……他头一回假期未完便提前返回房山，他从城西北的花枝胡同，徒步走到了城南的永定门火车站；买火车票，他本应买到琉璃河，却只买到前一站窦店，省下了三毛钱；下火车他要比往常爬更多的山路，他走到造林大队驻地时天已麻黑；他感觉到腿脚酸疼，心却一时麻木……他为什么要尽可能地徒步，尽可能地省钱？他是为了惩罚自己：你不配坐车！你不配花钱！你害得弟弟这么痛苦！但即使是这样地自虐，他也还是感到无法赎回株连弟弟的罪孽！……

……连家，也成了他无颜再回的地方！

……曾在火车上，邂逅十三中教体育的晁老师，原来晁老师也划了"右"，也在远郊劳动改造……当年那般风流倜傥的晁老师，现在如霜下秋叶，拍着他手背说："别再多说一句吧……"又曾在郊区遇上当年单位里先于他划"右"的

▶死人的事是经常发生的，世途多舛，生命脆弱。从1985年被打成"右派"到1979年获得改正，21年中任众目睹了许多死人的事，其中不少是死于非命。1976年，难友卢绍湘在车祸中不幸丧生。任众和另一难友在帮助卢氏亲属埋葬了他以后，在墓地前的山林中留影。当时深感死之神秘与生之艰难。

老李，老李跟他叙完旧、问完好，告别，各自东西，都走出几十米了，忽然又折回来，叫住他，凑拢他跟前，小声叮嘱他："兄弟，记住啊——连个狗也别去得罪！"……

……可是，对于任众，还有更痛入肌肤的侮辱，不是打骂，不是批斗，也不是漠视，而是每当造林大队集中的时候，几乎任何一个不是"右派"的人都可以朝他吆喝："任众！来一个！"来一个什么？"来个《拉兹之歌》！""来段《沙里红巴》！"……就是命令他唱歌或吹口琴，他若反应稍为迟慢，便会遭到鄙夷："怎么着？给脸不要么？"唱歌吹琴本是他喜欢做的事，他便在心里想：我这是为自己唱，为自己吹……于是投入地唱、奏起来，但往往是唱完奏完，连掌也不给他鼓，甚至于马上又吆喝他："行啦行啦！一边一边！要开会啦！去！"……

在所有的痛苦中，屈辱是最深重的痛苦……

……任众继续往上攀登。超过一半了，超过三分之二了，只剩下几米就能

▶死者已去，生者长叹。1998年开春，当年在造林大队"劳动改造"的难友们重返庄公院，扳着手指头计算造林大队的死者与生者。死者们究竟都到哪里去了？生的彼岸，究竟是个什么地方？以后我们是都到那边集合，还是各有不同去向？

▶因几句"打游击"的戏言屈入囹圄二十年的王强（左），如今在天堂河农场畜牧场过着一种最简朴恬淡的生活。不过，他虽"一双冷眼看世人"，却仍愿"满腔热血酬知己"。

抵达崖顶了……任众正稍事喘息，忽然，他发现前面的灌木丛里，有一个差不多脸盆那么大的马蜂窝，蜂巢的孔穴中布满了嗡嗡嘤嘤的大马蜂，似正飞入，又像欲纷纷飞出……他没有办法远离那马蜂窝，他的命运又面临着一个非常具体的严峻考验，无论他是进还是退，都有可能一下子惹得满窝的马蜂飞出来蜇他，蜇得满脸满身红肿大包倒还事小，在那种密集的进攻下，他还能抓紧荆棵子而不坠落么？真没想到，到头来结束他生命的，竟会是这一窝马蜂！……

任众现在回想起当时的情景，还不禁心悸。那马蜂窝如电影上的特写镜头，恐怖地推进到他鼻子根前，他的视觉再感觉不到其他事物的存在……他稍一动弹，那马蜂窝便仿佛膨胀起来——马蜂们眼看就要冲出巢孔；他屏息不动，马蜂窝又仿佛往回收缩——马蜂们都把身子藏进了巢孔……

人在一生中，大概都会遇到类似的处境，那一刻所有的荣辱沉浮爱恨恩仇都退到了远处，千钧一发，不是生存，便是死亡，竟只决定于眼前的一个偶然出现的小小因素；这时最重要的是冷静再冷静，并且要全身心地面对具体的现实状况，精心地设计出摆脱危机的方案，沉住气，一步步地，技术上不能失误地，加以解决，辟出生路……

任众设计出的方案是：利用马蜂们的犹豫不决，先以小小的动静，令它们"膨"而又"缩"，渐渐地，增大动静，使它们逐步熟悉动静，作出"这动静大概对我们无害"的判断，始终不至于轰然飞出……稳定住后，迅速冲攀到崖顶！

他以冷静、沉着、技巧、迅捷，实现了这个应变方案，当他跃上崖顶，远离崖口后，那窝马蜂也没来追袭他。

在崖顶上，任众舒展肢体，满心欢喜。

望下去，满目肥茂的秋草。

任众坐在秋草中，任风吹，任草拂，嗅草香，采野花。他有一种超越感。超越了什么？超越了苦难，超越了自我，超越了屈辱，超越了危机……任众说，就在那一天，就在那崖顶上，在那座山东坡的秋草中，他忽然觉得自己成熟了，那成熟的标志是，他不再仅从一己的遭际去思考问题，他发现自己有了更多感受他人不幸的需求，并能从中去认真憬悟人性三昧……

在攀登西崖的过程中，任众几乎是回顾了他遭劫后的全部明伤隐痛。到了崖顶，步入东坡，任众开始回想他所阅历的他人悲剧。

有人说春是喜剧，夏是闹剧，秋是悲剧，冬是正剧。那天正届仲秋，下午的秋阳明艳却无热力，山上的花草树木色彩斑斓，但有的已然锈了叶边谢了花瓣，秋虫鸣声已细微喑哑，秋蝶布完卵后已开始溘然坠落……秋啊，秋啊，悲情盈怀的秋，你惹出敏感的心灵多少深沉的喟叹！

任众仰卧草丛，撷一根草叶横衔口中，凝望悠远高旷的蓝天；秋云缓缓舒卷，他的思绪也涟漪般旋展……

……刚到房山，便遇上宣判"王强廉德山反革命集团"，王强那时 23 岁，廉德山那时 24 岁，有一天造林队几个人，其中有他俩，上山挖鱼鳞坑，以便植树；上到山顶，小事休息，大家环顾四周，这时王强说了一句："嘿，这地方真不错！适合打游击！"廉德山乐呵呵地附和说："是呀！你当队长，我当政委！"说完也就忘了；谁知干活回去，有人向领导汇报了他们的这两句话，领导极为重视，再向上层层报告，不久，便突然将他们逮捕，一顿逼、供、信，把他们，还有

▶1957年后共患难的部分造林大队成员重返房山娄子水村的庄公院。王强、廉德山等的"打游击"戏言就出自离此道士塔不远的山径上。这悠悠往事,怎忍心一笑了之?

另外几个平时跟他们接近的人,打成了"企图武装暴乱"的"反革命集团"!王强被判二十年徒刑,廉德山因为是"政委",判得最重——无期徒刑;这是一桩明显的冤案,甚至于办案的人私下里也并不相信他们真是要组织一支反革命的游击队,但是,在那个历史时期,在那种社会氛围里,他们必须为那两句戏言,付出那样惨重的代价!

在那个秋日的下午,在那个秋草摇曳的山坡上,任众想到王强等的悲惨遭遇,心堵气短。仅仅因为两句话,两句戏言……仅仅根据一个汇报,一个揭发……

现在笔者和任众讨论这样一个问题：这悲剧的最令人震撼之处，究竟在哪里？

任众说，后来得知，廉德山在狱中自杀身亡；王强熬到刑满释放，他入狱前新婚燕尔，一入狱妻子便与他离婚，出狱后父母已双亡，举目无亲，再未成家……太惨了！

我说，"打游击"，"政委"，这些符码，包括引出这些符码的联想，其实恰恰是从 50 年代大量的革命宣传品，特别是电影戏剧里已成滥觞的情节对话里，通过潜移默化，积淀在他们话语库里，受到某种外界事物——比如险峻的山谷、蜿蜒的小路——的触发，便自然而然流泄出来的；这本来恰恰应当视为一个革命话语成功渗透与普及到民间的显例，革命政权的守卫者应当闻而生喜，岂有反为此闻而惊心，重罪处置"学舌者"的道理？！

任众说，你哪里知道，同样的话，从不同的嘴里说出来，便会有完全不同的报应。王强和廉德山，因为是划了"右派"，发配到造林大队来的，他们已经有了"原罪"，是不许"乱说乱动"的，那两句话，也许"革命群众"说得，他们却万万说不得！你说是"开玩笑"，是"戏言"？"右派分子"是没有开玩笑和口出戏言的权利的！

这是一种最深重的悲剧，不仅是因言治罪，也不仅是因"戏言"治罪，而是因"不配"使用革命的话语，以其口中呐出的正宗革命话语而治罪！

法国哲学家米歇尔·福科指出，语言的背后是权力，权力经常以话语暴力形式体现，但是在他的例子里，不知道是否已收录了王强、廉德山式的个案——他们以学舌的方式表现出对革命暴力的崇敬与向往，结果反而被指认为企图以反革命暴力对抗革命！

……那天在草丛中，任众还想到了靳新民。他本是公安局的外线侦察员，执行任务一贯都很出色。"反右运动"一直到尾声了，都还没有他的事儿。偏那时家中父亲病重，来信催他回去看望，他便回了一趟河北高阳老家；回来后，有人问起他家乡情况，他说了些实情，如实行"吃饭不要钱"，已经吃空了粮库，现在没得吃了，等等；结果也是被人汇报，被装入了最后一批划"右"的末班车。他被发配到造林大队后，几乎成了一个哑巴，除了干活、吃饭、睡觉，一声不吭；

学习会、生活会上也死不发言，久而久之，大家也就习惯了他的沉默，甚至经常忽略了他的存在。有一天大家上山种树，休息时他忽然走到山崖边，朝下面的深谷一跳。事情发生得很快，他从站起身到走过去到跳下去，一共不到一分钟。人们在小头目指挥下，一批人下山绕到崖后，把他抬到路边，一批人赶回队部汇报。任众是抬他的人之一；靳新民浑身渗血，胳膊腿脚都错位变形，但人还是绵软的，鼻子里还在出气……队部派来了一辆大卡车，让把他抬到车斗里，又派了几个人围守着他，说是送到县医院去……卡车颠颠簸簸地朝县城里开，围守在他旁边的人都觉得他是要咽气了，其中一个就用手背去挨他的鼻子，意在测一测他断气了没有；谁知就在那一刹那间，他竟猛地张嘴将那人的手背狠狠咬住，牙齿都嵌进了那人皮下肉中！那人惊叫起来，其余人惊诧莫名……那人费力地挣脱后，他才咽下了最后一口气，僵硬起来……死时，他29岁。

在当年，靳新民临咽气前的猛咬一口，自然被说成"反动透顶"、"阶级报复"、"死有余辜"。现在，我们想探究，当他久久地沉默时，内心里经受着些什么煎熬？他的跳崖，那样地从容，那样地迅捷，说明他已毫无生之眷念；显然，他原本的计划里，绝无咬人这一细节的设置；而他竟摔而不死，肉体处于极度痛苦中自不消说，那弥留中的灵魂，想必在痛楚中也基本上失去了理智，不过，那最终的一咬，也很难说就是非理性使然，那显然很可能确确实实是人性中报复欲的一次大昂扬、大亢奋……

靳新民的悲剧，集中在最后那一咬上，虽然我们有所猜度，但那仍是一个难以阐释的人性之谜……为什么，为什么事态的发展，最后引出了这悲怆凶狠的一咬？

靳新民是个弱者。但弱者在特定情境下的这拼命一咬，于草率对待弱者的强者们而言，思之宁不心悸？

任众回忆着他那一回在山上秋草中的所思所想，笔者在记述他的回忆时不断将现在与他讨论及引出的憬悟糅合进去，为的是召唤读者们一起思索。阅尽人间秋色，尝遍人间滋味，方可开灵魂之窍，启良知之门。我们怅悼秋之悲，为的是祈盼人性中的宽容、善意、同情心与怜悯心，得以扩张、增强。

任众曾在房山最艰辛的岁月里，悄悄在笔记本上写下了一首近一百五十行

▶1998 年仲夏。任众和当年几个难友，到 1959 年靳新民跳崖处祭奠亡灵。莫道"世情已逐浮云散，离恨空随江水长"；一个生命的非正常死亡，值得与其相处过的生命怜惜；怀念与祭奠都是必要的。我们悼念无辜的死者，为的是彻底埋葬造成"人生值艰难，不如路旁草"局面的那些个"纲"和"线"。我们的愿望能以实现么？为此我们还需要付出怎样的努力？

的长诗，题为《求圣水的青年》，其开头是这样的：

> 不知在哪一省份
>
> 也不知在哪一个县里
>
> 只知道在一个村庄
>
> 有这样一个青年
>
> 他为了给村中所有的盲人治好眼睛
>
> 给村中所有的村民解除贫困
>
> 从一个仙人那里
>
> 听到了一个信息——
>
> 一种神奇的圣水
>
> 但是啊

要翻过许多崇山峻岭

要越过许多急流险滩

……

青年毫不犹豫

面对着双目失明的父老

和那些贫困的村民

发下誓愿——

我一定要找到圣水

否则决不回还

　　这首诗的写作，意味着任众的思绪已经超越一己的屈辱悲叹，升华到以大悲悯的情怀，为"村中所有的盲人"去寻求明目的圣水的境界。但是，圣水究竟何在？他能否走通达于圣水的路径？他的那首诗，在一百行后便找到了圣水；而在实际生活中，接近一种向往的境界，却非常、非常艰难！

……任众探明了大片秋草所在，用镰刀割下一些样品，从缓坡下山，再探大队人马来割草的最佳路径……忽然他感到口干舌燥，在溪谷中，他发现了一泓甘泉，那是从蕨草茂密、青苔涸润的山石上不断滴落的山水，汇聚而成的……他俯身一顿好喝，喉甘气畅，真叫痛快！一瞥间，更觉得那如澡盆般大的泉池清澈见底，优美异常，这该便是圣水吧！可是，再定睛一看，水波不大自然；俯首细看，那是什么？一根长长的马尾？怎么会落在了这清泉中？呀，那"马尾"分明是在蜷伸游动，那是一条细如马尾的动物吧？它是什么动物呢？看久了令人感到肉麻……任众一阵恶心，好险呀，刚才俯身便张嘴一顿猛喝，差一点就把那"马尾"吮进肚子啊！

至今任众还是不知道那条"马尾"究竟是什么动物，我帮他查书，也请教过有关专家，不得要领。

议及此事，我们更感到宇宙万物的神秘一面。

让我们一起持之以恒地寻找圣水——没有游动着的"马尾"的圣水。

## 遇罗克一家的故事：
## 他们和任众、笔者的某些命运交叉

1970 年 3 月 5 日，北京工人体育场再一次用于非体育的政治集会，那是一次"宣判大会"，会上押出了一个戴脚镣手铐的青年，因为多日遭受非人的囚禁，连大小便都不许使用马桶，他身上发出令人窒息的气味；他被当场宣判死刑，立即执行；当警察把他拉走去行刑时，他奋力挣扎，不肯把戴着脚镣的双腿移动一步；这时被召集来参与批斗的"红卫兵"与"革命群众"在台上主持者的引领下，发出阵阵怒吼；终于，那青年被拖了下去，送往刑场，惨遭杀害，时年 27 岁。他的名字，叫遇罗克。

遇罗克为什么被枪毙，他犯了什么罪？

宣判大会，说他是"现行反革命分子"；他有什么"现行反革命罪行"呢？因为他写了一篇题目叫《出身论》的文章。一篇文章送掉一条命，他不是头一个。但他的遭遇，似乎凝聚着更多值得探究的课题。

遇罗克早慧，不满 18 岁时，便高中毕业。他毕业于北京六十五中。

真是人生何处不相逢。笔者也是从北京六十五中高中毕业，并且，毕业时也是 17 岁。笔者比他高一届，1959 年毕业；他是 1960 年毕业的。笔者和遇罗克，在六十五中这个空间里，有着两年的共度期。六十五中当时是一所很"别致"的学校,它只设高中,不设初中;当时北京大多数中学分男校、女校,有的虽男女合校,但男女不合班;六十五中却不仅男女合校而且合班,还常常是男女生同座,并且是共用一种从苏联模仿来的双人连体课桌椅;该校只有一所教学楼,一个大操场,空间设施简单,学生比初高中皆有的"完全中学"少许多,因此在校学生们即使互相没有交往,也往往"脸熟"。但是,当时笔者并不认识遇罗克,后来见了他的遗像,也没觉得"脸熟"。

遇罗克在六十五中时学习成绩优良。毕业后考大学时他也考得不错。可是他落榜了。头回落榜,他虽觉得蹊跷,但还尽量往自己方面想,是否有的考题自己以为答对了,却还是要被扣分?自己的志愿是否填得不够恰当、技巧,从而造成了"高分死档"?……但他翌年、再翌年,仍报考,仍考得不错,并且十分注意填好志愿,也表示绝对服从分配,却还是落榜、落榜。这究竟是为什么?为什么自己屡次被拒之大学门外?后来他才明白,这并不是因为别的原因,而是他有"原罪"——出身不好。

遇罗克的父亲遇崇基早年毕业于日本早稻田大学,50年代是华北电业管理局的工程师,1957年被划为"右派分子",并被开除公职,劳动教养,60年代初回到家中赋闲;母亲王秋琳,50年代初是私营"理研铁工厂"厂长,公私合营后此厂改名机床附件厂,她任副厂长,1957年也被划为了"右派分子",撤销职务,但仍保留一份工资。遇罗克考大学时,他家还有姥姥,有一个妹妹和两个弟弟,全家七口人靠母亲七八十块钱的工资维持生活。那时遇罗克对家庭物质生活的困窘并不在意,他只向往着自己的才能有一个充分发挥的机会,而且他天真地认为,父母是父母,纵使他们"犯了错误",由他们自己承担就是了,自己属于"祖国的花朵",应当能以和别的所有花朵一样,在阳光雨露下结出丰硕的果实。

像遇罗克一样天真,是那个时代许多同龄人的通病。笔者也是其中一个。笔者比遇罗克早毕业一年。那是1959年,"反右"的极左政治狂潮,以及"大跃进"的极左经济狂飙,都已显露出种种弊端败象,但却又蕴育着更其惨烈的"反右倾机会主义斗争";那一年的大学招生,据说不仅更看重家庭出身,也更注重考生个人的"政治表现"。

笔者当年在六十五中不仅功课好，而且才华初露，画的古典建筑水彩写生，常在班级壁报上展示——1998 年由中国建筑工业出版社推出了笔者的一本建筑评论专著《我眼中的建筑与环境》，记者采访时间：您对建筑艺术是什么时候开始感兴趣的？我说，大约是四十年前，即指这一类的表现——而且，那时我便积极给报刊投稿，1958 年的《读书》杂志采用了我一篇《评〈第四十一〉》，是我的文章平生第一次排成铅字，正式发表；1959 年，《北京晚报》开始发表我的儿童诗和小小说；同年，中央人民广播电台少儿部《小喇叭》约我为他们写幼儿广播故事和广播剧，其中《咕咚》一剧写成后，经编辑加工，录制广播后，大受欢迎，虽然"文革"中一度被打成"毒草"，80 年代后重新录制，成为了几代幼儿喜爱的保留节目……

1959 年笔者高中毕业后，先报考了中央戏剧学院导演系，层层过关，一直参加到只剩不到十个人的复试；在普通高考中也觉得自己一路顺当，似乎被扣分数不会太多；考完后心满意畅地在家等候录取佳音。可是，放榜了，却出现了很奇怪的现象。若干同学接到了录取通知书，这当然很正常，向他们祝贺！若干同学接到了不录取通知书，这也正常，为他们叹息！可是，为什么我既没接到录取通之书，也没接到不录取通知书？等了好几天，还是杳无信息！而且，同学们一碰头，怪，若干平时学习成绩优秀，而且考得也不错的主儿，居然都遇到了这种怪事！有的就去询问，不得要领；有的就开始去科学院研究所试验室联系，说我们没考上大学，能不能到你们这儿洗试管？……

隔了很多天，我们这批学生才分别接到了不同的通知。一位初中便与我在二十一中同窗，高中与我继续同窗并始终保持友谊的李纪——他已于 1997 年仙逝，愿他在天之灵安息——接到了北京师范学院中文系的录取通知，他报考的理工科，而且，他最不感兴趣的就是语文，特别是作文，可是，偏让他上师院中文系，以后教语文，这算是怎么回事儿呢？另一位女同学，高中三年连续门门五分（当时实行苏联式的五分制，三分及格，五分优秀），是班上学习最拔尖的人物，而且，她是共青团员，家里状况也挺好，可是，她等来等去，却接到了一纸"不录取通知"！大学为什么要对她訇然关门呢？我自己，则接到了北京师范专科学校中文科的录取通知，去报到时，我拼命清理自己的思绪：一定是戏剧学院终于还是刷掉了我，这样我的档案转到普通招生系统时，前面的志愿学校都招满了，所以我只能落到师专……可为什么人家考上师专的，早就得着通知了，我却得到的这么晚呢？……一定是我自以为考得不错，而卷子上被扣的分不少，所以才最后作为"兜底"的角色，勉强招收的吧！……

几年以后，我大哥，他解放前夕就参加了中国人民解放军，在解放海南岛的战斗中勇敢地冲锋陷阵，后来又在广州的剿匪斗争中负伤立功，他迫切地要求加入共产党，但始终未能批准，为什么？在他回北京探亲时，他偷偷地告诉了我们弟妹：我们的父亲，在1956年的"反右运动"中，有"错误言论"，虽未被公开划为"右派分子"，却被组织上作为"内定右派""控制使用"，他说他直到知晓了这一点以后，才明白自己为什么总是不能入党；而我的不能进入中央戏剧学院与北京大学，估计亦与此有关！当时大哥给我们交这个"底儿"，意在鼓励他自己和弟妹们，"因为我们是这样的出身，所以需要更刻苦的思想改造与更突出的政治表现！"

大哥的"交底"，使我头一次意识到家庭出身的重要性。从此我谨小慎微，生怕沾"右"。可惜大哥告诉我未免太晚了一点。

1986年，六十五中的一些同窗聚会，当年的班长，一位现在已徐娘半老的科研人员问我："你知道你当年为什么考不上好大学吗？"我很不愿意再接触这一问题。过去的就让它过去吧！何况，我后来阴错阳差的，因上了师专而当了中学教师，因当过中学教师而写出了《班主任》，并竟因此一举成名，倘若我当年考上的是戏剧学院，或北京大学，后来倒也未必会巧逢机遇，人模狗样地跻身于所谓的"名人"行列；但那位热心的老大姐偏要把当年的"黑幕"扯破！

原来，我的噩运是1957年，上高二时便埋下了！那时，我每天从钱粮胡同的家里，步行到骑河楼的六十五中上学，当中可以路过北京人民艺术剧院，我喜欢戏剧，常去看他们的演出，那一时期，他们演出的每一个剧目，从屡演不衰的保留剧目到演一两场就算的应景剧目，我几乎一个不落；我中午不回家，在教室吃带去的饭盒里的饭，那时学校给学生热带去的饭，也有热开水喝，中午在教室里，吃带饭的同学们很像是开"派对"，三三两两，对坐着边吃边聊……据当时的班长三十九年后告诉我，有一天中午，我与一位女生边吃边聊时的对话，事后被汇报了上去：

> 我：……嘿，前两天看了人艺的话剧《风雪夜归人》，真好看！张瞳演的主角，他还真有点男旦的味道……杨薇演爱他的那个姨太太……你知道吗？还有舒绣文呢！就是电影《一江春水向东流》里演泼妇的那个……她在这戏里只演一个龙套，那么出名的演员只演一个龙套，你说多逗！……哎，真好看！……
>
> 女：……是吗？（笑）……是吗？……
>
> 另一同学：什么《风雪夜归人》！那编剧的叫吴祖光，是个大右派！
>
> 我：什么？不会吧！……《风雪夜归人》很进步的呀！……我前些天还在《人民日报》看见吴祖光写的文章，反对演《杀子报》《黄氏女游阴》那样的鬼戏嘛！他会是大右派吗？
>
> 另：他就是大右派！
>
> 我：那么有才的人会是大右派呀！那我也愿意当个右派哩！……
>
> 女：（笑）……

　　这样，到1959年我毕业时，不仅我父亲是"控制使用"的"内定右派"决定了我不可能被名牌大学所接纳，而最要命的还是我自己，因为有过这样的"言论"，所以在我的操行评语上，竟有着明确的"该生不宜录取"的字样！

　　那为什么后来又被师专录取了呢？据说是，当年师范院校招不满，于是便从已决定不予录取的考生档案中，调取了考分颇高，但家庭出身或操行评语不好的一些档案，从中斟酌再三，抽取了一些，勉强用以填塞师范院校空额。李纪没报文科，被分配到师院中文系，我在"最后一刻"被分配到师专，都是这一"补缺"措施的产物。可是，那位只因为那天中午吃带饭时偶然坐在了我对面，并且根本没什么言论，只是在我议论中天真地笑了笑的女同学——正是前面提到的，连续三年各科皆优的那位——却因为被评定为"身为共青团员，在严重的错误言论面前不仅不能奋起反驳，反而予以纵容支持，政治上表现极差，不宜进大学深造"，从而连为师范院校"补缺"的工作人员，都见她的评语而生畏，

▶笔者曾撰有《风雪夜归缘》一文，备述笔者少年时代，仅因说了几句"吴祖光的《风雪夜归人》真好看呀"之类的话，便被个别执有予夺之权的人判定为"不宜进大学深造"，一度失落坎坷。当年那些想方设法，"围追堵截"，阻挠笔者成为作家、走上文坛的人，怎想到二十多年后，"阴错阳差"，笔者竟忝列于作家行列，并与神系多年的吴祖光先生相聚一堂，促膝谈心。

致使这样一位才华过人的女青年，始终未能进入正规大学，不得充分施展自己抱负！

从当年班长那里获得的这些"历史掌故"，使我心情非常沉重。尤其是，我为连累了那位女同窗而深感内疚，而且我知道得太晚，以至事到如今，简直找不到一点点补救的办法，难道像这样草菅才能的事情，是我去跟她道一声"对不起"，便能以抚平她心上厚疤的吗？

我进入文坛后，接触到了历尽劫波神更健的吴祖光先生，后来并有较多来往，我把自己的这段经历讲给了他听，并写出了《风雪夜归缘》一文，我们都感慨万端；吴先生写书法，最常写的是"生正逢时"四个字，是啊，我们生者经历了难以忘怀的时代，并在一个充满希望的新时期里继续我们的人生跋涉……可是，死者们呢？遇罗克呢？

遇罗克远比我不幸，可是他又曾经远比我天真。我自从 1961 年进了师专，并且从大哥处知道我们的父亲是"内定右派"后，便懂得自己在政治上不可能有远大前程，比如入党，那就最好不要抱非分之想。虽然我在师专学习和在十三中当教师时，继续给报刊投稿，仍抱着进入文艺界的幻想，可是，从我所发表出的一系列文章题目可以看出来，我基本上是走着一条"软路子"：《丁香花开》《桂花飘香》《银锭观山》《玫瑰花和它的影子》……也就是取对生活作温馨抒咏与温情批评的态度；只有极少数文章是带一点刺儿，如《水仙成灾及其他》，在"三年困难时期"刚刚结束时，批评了教条主义，提倡辩证思维；又如1964年初参与《北京日报》"京剧改革"的讨论，发表了"京剧应当改革，但要符合其艺术规律；京剧不宜表现最当前的现实生活"的意见（这在"文革"中成为我"反江青"的一条罪状）；我因为关心文化动态，所以是在1965年11月10日《文汇报》刊登出姚文元批判《海瑞罢官》的文章的第二天，学校阅览室刚把那张报夹在报夹上不久，便最先从报架上取下，先睹为快的人——读罢我确确实实感到了"不妙"，当然我完全不能预测出半年多后"文化大革命"的到来，但那时我的灵魂如虫见火，唯求蜷缩自保，绝无飞蛾扑灯的勇气——我当时很后悔给《北京日报》投去了那篇参与讨论"京剧改革"的文章，实际上那时毛主席对文艺界的头一个批示早已下达，第二个更严厉的批示已箭在弦上，编者大概是清楚的，可怜我一个区区中学教师，尚以为那真是一场文艺范畴的讨论，非关政治，后来才恍然大悟，"京剧改革"（后又称"京剧革命"）也是"文化大革命"的发端之一。我的文章招致篇幅浩荡的批评后，我自知是"马失前蹄"，只准备认错检讨，绝无再与之"理论"的盛气。

遇罗克连续三年考大学落榜后，先是到农场当农工，后又进工厂当工人，他也是希图从文艺上展示自己的才能，虽然他的许多投稿都因为"政审"时发现其"出身不好"而被退稿或不予理睬，但那时也还有些社会缝隙得以让他的某些尝试"穿隙而出"：1962年他在《北京晚报》发表了他的短篇小说《蘑菇碉堡和菜花老人》；1963年《大众电影》杂志刊登了他的《评影片〈刘三姐〉》；1964年他写了《焦裕禄演戏》的梅花大鼓，由北京曲艺团演出。他固执地认为，自己出身虽不算好，但党是重在表现的，因此，自己没必要看低自己，更没必要把自己的社会性参与限定在一个"应有自知之明"的框框内，他觉得自己完全有资格以马克思主义者的身份，进入社会政治的主流话语，参与什么是真马克思主义什么是假马克思主义的辩论。我说他这是天真，也许是说错了；这也许是大勇大智吧？但事过多年，现在许多人已经把他忘记，年轻的一代甚至于根本不知他何许人也，当我写着这些文字时，心中充弥着大悲怆，历史，你究竟是什么？你给予一代人心灵的沉重，是适当地传递给后人，以促使人性善美的升腾为好，还是干脆连当事的一代也麻木忘却，以便大家为眼前的利益，眼前的欢乐，而腾空严肃的思考空间，只让其充满了立时消费的文化快餐？

遇罗克在读到《文汇报》上姚文元批《海瑞罢官》的文章后，和我一样地敏感，然而我是因敏感而蜷缩，他却是因敏感而奋进。他立刻写了《从〈海瑞罢官〉谈到历史遗产继承》，投寄陈伯达主编的《红旗》杂志，被退稿，后来从他平反后收集到的日记里，记者们发现了他有这样的反应："报纸上一些无聊文人大喊：'吴晗的拥护者们态度鲜明地站出来吧！'今天有一篇态度鲜明的文章又不敢发表。"接着他又写了一篇《人们需不需要海瑞》，副标题挑明是与姚文元商榷，投寄了《文汇报》，1966 年 2 月 13 日，文章被放在该报第四版最下角刊出，题目被改为了《和机械论者进行斗争的时候到了》，凡经历过"反胡风"和"反右"运动的人都知道，"胡风分子"和"右派分子"的"罪状"之一，就是"打着反机械唯物论的名义反对马克思主义"，文章被这样发表了出来，他一看报纸便知编者用心，当天他在日记上写道："整个版面的安排对我纯属不利……我的文章俨然是工人和农民的反面教材了。"倘若他能像我在参与"京剧改革"的讨论时，发现自己的意见已被钉死在"反面"位置，及时抱惭而退，甚至于随时准备检讨，那他也许后来就不会被枪毙了；可是，他却义无反顾，不仅继续书写"反动日记"，而且在"文化大革命"已然如火如荼地开展起来以后，竟采用了公开的、大张旗鼓的方式，发表出了那篇当年轰动一时，今天却被许多过来人所淡忘，也不为今天青年一代所知的《出身论》。

现在当我面对着为写此书而搜集来的一摞发黄的报纸——不仅 31 年前刊登《出身论》的报纸发黄了，18 年前刊发为他平反的长篇通讯的报纸也发黄了——我不知是该为自己的"适可而止，顺生而存"，以至活到今天，甚至于还成为了六十五中毕业生里的一个"有志者事竟成"的显例，而自觉欣慰呢，还是该在遇罗克这样的同龄人、同窗的亡灵面前，感到汗颜，憬悟到我苟活至今中的那些卑微与昏迷，实在应当在余生中用力地淘澄、清除？

往事悠悠，回顾何由？我在这本书里写遇罗克，写他一家，不仅是因为我和遇罗克同在六十五中那一个空间里，度过了满腹憧憬的少年时代，而且，更凑巧的是，任众曾和他家为邻，并与遇罗克有过较深的交往。

任众在 1962 年摘掉了"右派帽子"，恢复了工资，每月 37 块；1965 年从公安系统的造林大队转业到了建筑部门，回到城里；这时他已成家，迁了几次住处后，于 1966 年住进了东四北大街 519 号，这个杂居院落处于从街面凹进的一个死胡同里，任众住一间小东房，所紧挨着的三间北房里，便住着遇罗克一家，遇家老少三代，大儿大女，七口人，三间屋并不够住，遇罗克作为大哥，便腾空了与三间屋子连着的一间存煤的小棚屋，一个人去住，任众常看见他一个人钻进那间小屋，坐在简陋的铺板上读书，偶尔，任众也应邀进去，站着跟他聊一会儿——那间窄小的棚屋里实在没有两人坐着谈话的条件；据任众回忆，遇罗克主要是攻读马列经典原著，像《哥达纲领批判》《反杜林论》《共产主义运动中的"左派"幼稚病》什么的，并且有一次还建议任众也来攻读《资本论》；在任众回忆中，遇罗克那小屋里的低瓦数电灯经常彻夜昏黄如拳，他不是在那灯下读书，便是趴在床边的一个小茶几上写东西。

在"文革"初期，给任众记忆里烙下难忘记忆的，首先不是遇罗克，而是他母亲。那时身为"资本家"、"右派"的王秋琳，自然免不了饱受冲击，被剪了"阴阳头"，但每天还要挣扎着到单位里，去接受批斗；但那是一个性格坚毅的女性，她似乎很快就适应了劫难中的生存，给自己草草缝制了一顶"尼姑帽"，每天扣在头上，帽边长出些长长短短的"刺猬毛"，进出杂院，居然坦然自若，毫无自惭形秽的神色。任众记得有一天她从外面回来，没进屋就招呼子女们："快，快，快点把大立柜腾出来！"子女们面面相觑，实不理解：这是怎么回事儿呀？她迈脚进屋，马上动手搬出大立柜里的东西，子女们忙跟过去帮忙，只听她大声地对子女们说："嗨，这还不明白吗？——我把它卖啦！不卖它，咱们吃什么呀？"那口气，不像是悲愤怨怼，倒像是在叙说一桩平常至极的事情……那时她已没了工资，只发放一点生活费，虽说是大儿子遇罗克和女儿遇罗锦当时进了工厂有点工资，家中另外四口无收入的人，还需她想办法筹集食物填饱肚皮啊！

"文化大革命"的狂潮推向社会，主要靠一场轰轰烈烈的"红卫兵运动"。这场运动没有直接冲击到任众，他当时在建筑公司当油漆工，只是有一天，他走进工地，劈头发现贴出了一纸"勒令"："凡地富反坏右及资本家，见此令必须在三天内滚出公司，否则后果自负！见令签名！……"这显然是社会上"横扫一切牛鬼蛇神"的"红卫兵运动"的余波；任众见那下面已有几个人签了名，便也签了一个名；翌日，他到市公安局接待处去"上访"，那位端坐在桌子后的接待员恰是他当年公安学校的同届同学，但在那样的时候那样的情形下相见，对方只能面无表情，又尽可能耐心地应付他的"上访"；他反映了单位的"勒令"，

▶遇罗克的母亲王秋琳本是大家闺秀，抗战爆发前留学日本，后来成为北京女界实业家之一。

▶18岁的王秋琳。舒展的眉眼,爽朗的笑容,
 预示着这一生命有以达观、坚毅的性格经
 历苦难而不自弃的力量。

问：三天后"滚出公司"，他的生活怎么办？他本是从公安局转业到建筑公司的，是否公安局仍可接纳他，给一个安身之处？对方说你还是要回你现在的单位，接受群众运动的考验，你不可以提出回公安局的要求，我现在对你的话都未作记录，如果我记录下来，那对你是很不利的！任众觉得这位昔日同窗还算好心，未作记录算是保护了自己。后来三天过去，单位也没把被"勒令"的他怎么样，只是暂把他从油漆工变成了铲沙子、搬砖的壮工。

说起"红卫兵运动"，到笔者撰此书为止，所见到的海内外几种"文革史"，都不仅十分简略，而且与笔者所目睹身受的种种情形，不能完全对榫，甚至于明显地不准确。

"红卫兵运动"发源于北京的中学。有的人因为后来大学里的"红卫兵"一度直接进入了高层政治，一些个"红卫兵"头头如清华大学的蒯大富、北京航空学院的韩爱晶、地质学院的王大宾、北京师范大学的谭厚兰，曾备受宠信，非常有名，后来却又在"文革"结束后被羁押判刑，演出了先喜后悲的人生活

▶1981 年，遇罗克冤案已获平反，遇崇基、王秋琳夫妇本身的"右派问题"也已获得改正。在他们苍老的容颜上，绽出了多年难得一现的笑意。

树 与 林 同 在

▶ 1946 年。王秋琳在徐州与遇罗克（左）和遇罗
锦（怀抱中）合影。

▶ 遇家的四个孩子在 1951 年"六一"国际儿童
节合影。中立者为遇罗克，右为遇罗锦，左为
遇罗文，前坐者为遇罗勉。当时最大的遇罗克
也才九岁。他们怎能知道，在嗣后的岁月里，
会遭遇那般惊心动魄的劫难。

剧，所以误以为这些人便是"红卫兵运动"的创始人；更有人误以为"红卫兵运动"始自北京大学聂元梓等人贴出的，被毛泽东称之为"全国第一张马列主义大字报"的事件，其实那时聂元梓已是个中年妇女，完全不适合"小将"的称谓，她后来虽也戴上了"红卫兵"袖章，成为北大一派"红卫兵"组织的头头，不过是因为那时"红卫兵"这个"革命符码"已然"公众共享"了而已。

"红卫兵"这三个字眼，也就是这个载入人类文明史的符码，究竟是谁第一个想出来的？ 1992 年 4 月 20 日，日本岩波书店第一版发行了一本由中文译为日文的《红卫兵の时代》，据读过这本薄薄的小册子的人告诉我，该书著者宣告"红卫兵"这个符码系由他个人发明；但这本书的原稿虽用中文写成，据笔者所知，到目前为止，却不知为何只有这样一个日文本公开面世，而日文又不是由著者自己译出的，所以很难引用；为什么对研究红卫兵运动具有重要意义的这样一部著作，中国大陆、中国台湾、中国香港，以及其他国家和地区的中文出版机构，不仅至今都未出版它的中文版，而且即使是研究"文革"的学者们，也鲜见引用与提及呢？这是耐人寻味的事。

一般"文革史"，都会提及 1966 年夏天毛泽东给清华附中红卫兵的信件，正是在这封信里，毛泽东把马克思主义的千头万绪归结为一句简单的话，就是"造反有理"。毛泽东在这封著名的信件里还表达了他对清华红卫兵毫无保留的、激情澎湃的坚定支持。所以说，"红卫兵"是在清华大学附属中学诞生的，但这"红卫兵"应是一个组织而非一个人，那么，究竟是其中哪一位最先想出并提出了"红卫兵"这个符码，恐怕至少要两个以上的人站出来确证，方可写入正史。

关于"最早的"，或者说"原始的"，具有发源性质与开创意义的红卫兵，即清华大学附中的红卫兵，我知之甚少。但毛泽东给清华附中红卫兵的支持信一在社会上流传，北京各中学便迅即地出现了红卫兵，首先是在海淀区（清华附中即在此区）、西城区和东城区的"重点中学"里出现。当时我所在的北京十三中也很快出现了红卫兵，这批红卫兵后来被称为"老兵"。对这些"老兵"，我有所了解。

十三中虽然比不上四中、实验中学等市一级的重点中学，没那么大的名气，因而也就似乎没有领导潮流的资格，但它毕竟也是个区级重点中学，在潮流涌来时也颇得风气之先。

十三中的头一茬红卫兵即"老兵"，成立时曾在操场上集结，我从旁观察，发现他们"极其自然"地以他们老子的政治地位来排"座次顺序"，比如说当时有一位大将的儿子正在十三中上学，因为没有谁比他老子的政治地位更高，所以他无可争议地成了十三中红卫兵的总头；其余依此类推，部长的儿子排在副部长儿子前头，局长的儿子排在副部长儿子后头，等等，我觉得他们的情绪是激昂的，真切的，充溢着青春期的浪漫色彩；从他们所贴出的宣言和所发表的演说，可以很清晰地了解他们的思路：他们为自己父辈打下了这红色江山而自豪，他们要为捍卫这红色江山而奋斗！他们对"文革"的初步认知是：现在是他们依照父辈的模式干革命的时候了！他们成立了红卫兵后所做的第一件事，便是把北京十三中改名为抗大附中，"抗大附中"这个符码的选择，充分体现出了他们接过老子们手中"接力棒"的豪情壮志。

这批后来被称为"老兵"的红卫兵，当时主要从事了以下几桩"革命行动"。

一是冲出校门，冲出社会，大破"四旧"。"四旧"指的是"旧思想，旧文化，旧风俗，旧习惯"，又被概括为"封、资、修"，即封建主义的、资本主义的、修正主义的事物。这场以无情破坏为宗旨的革命行动，所涉及的范围极广，所摧毁的事物极多，砸烂古迹文物，拆掉商店招牌，焚烧书籍，踩烂唱片，凡此种种，不一而足；又在大街上拦截梳辫子的姑娘，拉过去"咔嚓"一剪刀剪断辫子，或将穿高跟鞋的妇女那鞋上的高跟斩断，又或不分男女，凡觉得其裤腿过紧或过长的，一律用剪刀豁开剪短……

一是"横扫一切牛鬼蛇神"，打击地富反坏右、资本家等剥削阶级分子，这与"破四旧"相结合，又从在大街上革命发展到"抄家"，革到私人家庭里面去，翻箱倒柜，凿墙掘地；有的地富成分的人被押送到火车站，令其返回原籍，甚至连其子女一同"轰走"；当时有一位据说是资本家的人被红卫兵押到十三中操场，同时把从他家抄出来的东西摆了一大片，然后拳打脚踢地批斗，最后将他活活打死，打死后下起了大雨，红卫兵一哄而散，那曝尸在大雨中惨不忍睹……后来，1980年，我在中篇小说《如意》中使用了这个细节，并借小说中石大爷之手，给那被打死的人盖上了一块塑料布。十三中的红卫兵还打死了一个"臭流氓",那是他们同班的同学,据说确实因流氓行为被派出所拘留过,红卫兵找不到更具体的革命对象,便把拷打他当做一桩革命壮举,听说是把他绑到一个木头钉的十字架上打,似乎也并不是刻意要把他打死——那时红卫兵的"革命行动"充满了随机性,可以突然发作,也可能戛然而止——他们打累了,也便把他放了,那"流氓学生"极感口渴,跑到厕所足喝了一顿自来水,结果很快死亡;我就是从那个悲惨的事件里懂得,在失血过多的情况下,无论多么口渴,都是万不能马上大量喝水的!

"老兵"们很快发现,光是这么样英勇地"破四旧"或横扫地富反坏右,或者再加上打击资本家,乃至于"小流氓",都很难算作是积极投入了"无产阶级文化大革命",当时毛主席,党中央,都公开端出了"彭、罗、陆、杨"的问题,因此,红卫兵应当冲在与这些"黑帮分子"斗争的最前列;从十三中"老兵"的动向来看,他们对"揪黑帮"、"斗黑帮"的劲头还是很足的;那时彭真等四个"大黑帮"及其所牵连到的一些"中黑帮"、"小黑帮"都被不知是哪儿杀出的一些红卫兵,在一个夜晚突然被从家里揪了出去,并马上在第二天押到工人体育场召开了十万人的首次批斗大会,十三中的红卫兵是踊跃参加的。我感觉到,那时十三中的"老兵"们的思路,大体上是这样的:我们老子都是毛主席的兵,我们是毛主席和老子们的接班人;现在我们自己的兵营里出了一小撮"黑帮分子",他们真可恨!我们要把"黑帮分子"斗倒斗臭!在他们的这个思路里,非革命的老子们的儿女们,是与他们"自己家里"(这个家的家长是毛主席)的这场"清洁内部"的斗争了无关系的,至多,这些"外人"也仅止于起点召之即来、呼之即去的"壮声威"的作用罢了。

但是,毛主席发动"文革",到头来并不是只为了解决几个"黑帮"及其下属的问题,他是要发动亿万群众,冲击整个党的组织,考验各级党组织究竟是忠于他和他的路线,还是忠于"资产阶级司令部"及其"反动路线",而"资产阶级司令部"的总头目,他认定是刘少奇。他最感兴趣的,并不是比如说抄资本家的家,抄出些金条、金元宝,或国民党党旗、蒋介石画像什么的(当时在北京展览馆举办了大型的红卫兵战果展,所展示的都是这一类的"战利品",那似乎是"老兵"最荣耀的时期);甚至于也已经不是比如说把自杀未遂、跌断了腿的罗瑞卿拿箩筐抬出来批斗，这一类充分展示对"黑帮"憎恨的效忠行为，而是要"大乱中求大治"，遍地起火，火光冲天，既要考验基层，更鼓励"大闹天宫"；在他的亲自发动下，加上"中央文革"的一再引导，很快地，运动的冲击重点确实转移到了"走资本主义道路的当权派"上面。尽管"老兵"们对他们所在学校的当权派毫不吝惜，有的校长、党支部书记已作为忠实跟从彭真的"旧北京市委""黑帮"的"走狗"，被揪出狠斗，甚至光是西城区的中学里，就斗死了好几个这样的"黑帮走狗"；但他们惊讶地发现，他们自己的老子竟也被猛烈冲击，而且，那冲击他们老子的人群里，竟有很不老少是出身不怎么样，甚至于是地富反坏右和资本家的子女，这还了得！于是，他们有了"维护正常革命秩序"的心理需求，在这种越来越紧迫的需求推动下，他们组织了"纠察队"，开头是分城区的组织，如"东城区纠察队"、"西城区纠察队"、"海淀区纠察队"，后来，实行了联合，称"联合行动委员会"，简称"联动"。"联动"成立后所做的头一桩大事，就是到处贴出了这样一副对联：

老子英雄儿好汉

老子反动儿混蛋

横批：基本如此

这副对联立即风靡全城，传往外地，并且立即引发出了激烈的辩论。

当时十三中也贴出了这副对联，也出现了辩论场面。"联动"意在通过这副对联，剥夺出身不好的青年人参加"文化大革命"的政治资本：你们的老子既然反动，你们便是"混蛋"，只有低头改造自己的份儿，哪有揭发、批斗"走资派"的份儿！去去去！一边待着去！站出来与他们辩论的，多是老子有这样那样的"问题"，或老子虽无"问题"却也并无革命资历的青年学生，他们指出，"对联"宣扬的是"血统论"，是不符合马列主义、毛泽东思想的，也是不符合党一贯实行的"有成分论，不唯成分论，重在个人政治表现"的政策的；"联动"一方在辩论中往往恼羞成怒，认为敢与他们对阵，并积极冲击"走资派"的对立面是"狗崽子翻天"；矛盾白热化后，有的地方就出现了"联动"迫害出身不好的青年学生的现象，把对地富反坏右和资本家的专政，延伸到对其子女的专政上，十三中就出现过"红五类"（指革命干部、革命军人——具体指政界和军界的高级干部——以及工人、贫下中农和解放军一般指战员子女）对"黑五类"（指地富反坏右子女）实行体罚的现象，其中的办法之一，是罚他们面壁而立，并且要把脑门儿紧顶在墙上伸出的钉子上；不过十三中的"联动"还远不算最厉害的，有的中学，竟出现了把跟他们辩论的"狗崽子"当做"反动学生"关押、批斗，以至折磨至死的事情。

中学"老兵"即"联动"所发动的"对联战"，战火也蔓延到了大学，而且很快蔓延到了全社会，对大学及其他地方出身不好的人，特别是觉得自己也完全有权利投入"文化大革命"群众运动的青年人，形成了很大的精神压力，为了摆脱这一压力，争得自己参与运动的政治权利，于是，出现了遇罗克这样的青年，他当时虽然已是工厂的工人，但他觉得这并不妨碍他与中学"联动"抛出的"血统论""杰作"——那副对联，唱对台戏，迎面搏击，于是，他在1966年夏、秋，便开始撰写那篇后来竟为他带来杀身之祸的《出身论》。

我费了这么多的篇幅，回顾"文革"初期我所目睹身受的红卫兵运动的种种情况，既是为了使读者明白那时为什么会出现《出身论》，也是为了抛砖引玉，希望海内外的"文革史"研究者，不要把"红卫兵"当做一个简单的概念，一个当时恒定存在的社会群体，不要笼而统之地评价"红卫兵"和红卫兵运动，我建议，应当撰写专门的《红卫兵运动史》，并且可以有不同的切入角度与不同的分析和评价。

事情过去已有三十多年，个人的记忆很难清晰准确，何况当时情况相当复杂，我深感即使是对十三中红卫兵的兴衰更迭，把它说个清楚明白亦非易事。大体上而言，是1966年七八月，毛泽东不在北京，刘少奇、邓小平觉得大学、中学的革命秩序很乱，于是派驻了"工作组"，希图驾驭住群众运动的走势；这时首先在大学里，出现了出身并非"革干"和"革军"，却也并非"狗崽子"的"红卫兵"及以他们为主体的造反组织，如清华大学的蒯大富及"清华景岗山"，他们与"工作组"对抗，一度被视为"右派学生"和"反动组织"遭到压制；但是毛主席却在七月底回到了北京，鲜明表态："工作组"执行了"资产阶级反动路线"，一律撤出！这时中学的"老兵"们还糊里糊涂，而一些有头脑的平民子弟，却已拉起了另外的红卫兵组织，不过，这时红卫兵运动的轴心，应当说已经转向大学了。

1966 年 8 月 18 日，毛泽东在天安门第一次接见红卫兵，当时十三中的红卫兵不仅自己兴奋地列队前往，大概是为了壮声势吧，也让其余的"革命师生"排在后面一起去，我那时作为一个尚未被发现出"问题"的青年教师，也排在队伍中随行。所以，我是"八一八"那次大接见的历史场面的见证人。当然，我始终只能待在广场上，而且位置几乎在最后面。当时广场上出现的狂热浪潮令我震惊，我在内心深处因自己不能与那狂热完全合拍而产生出罪感，并隐隐觉得恐怖。据我所知，那一天得以走上天安门，并能拥簇到毛泽东身边，获得人生中最幸福的一刻感受的红卫兵，还是中学里的"老兵"，基本上都是"革干"、"革军"子弟，没有什么大学里的红卫兵，也还轮不到蒯大富那样的人，从现在留下的照片中可以看出，那天簇拥在毛泽东身边的红卫兵年龄都还很小，有的分明还是孩子。就在一位女红卫兵给毛泽东戴上红臂章时，毛泽东亲切地问她叫什么名字，她说叫宋彬彬，毛泽东再问她是哪个"兵"，她说是"彬彬有礼"的"彬"，毛泽东即兴地说："要武嘛！"她便立刻改名为宋要武。这当然反映出毛泽东一贯对包括"彬彬有礼"在内的儒家"温良恭俭让"那一套道德规范的厌恶，也说明毛泽东感到当时"无产阶级文化大革命"的烈火还不够威武雄壮，他鼓励红卫兵们进一步"大闹天宫"。我认为当时的毛泽东和"老兵"之间实际上存在着双向误会，毛泽东并不清楚这些"老兵"已经拉起了"联动"之类的组织，企图把"文革"的群众运动限制在仅是揪斗已被点名的"黑帮"及其下属的范围内，并且很快会为自己的老子被冲击而转向"保皇"，他们实际上不仅不能成为"文革"的推进力，而且已然在成为这场指向刘少奇及其"资产阶级司令部"的"伟大革命"的阻力；"老兵"们呢，他们在被毛泽东接见时，充满了因"老子英雄"而备受宠爱的感恩激情，他们并不懂得毛泽东当时所需要的只是一种可以作为利剑刺向"刘少奇一伙"的社会力量，倒并不在乎这些社会力量是否"老子英雄"，"老兵"们下了天安门城楼后，把"要武"的力气用到"不许狗崽子翻天"之类的事情上，更是错会了意。这次接见，以及随后的一系列对外地进京的红卫兵的检阅，在毛泽东来说，是赢得了巨大的社会能量，这些娃娃们，青年人，最能横冲直撞，最少顾虑也最舍得牺牲，以这样一种群体带动整个社会，使"文化大革命"沿着他指引的方向如火山岩浆般流动，后来的事态证明，那真是难以阻挡，所向披靡。当然，在这些狂热的"岩浆"溢出了他规定的范围后，他又及时地以"军宣队"和"工宣队"取代了"红卫兵"的权威，并让几乎所有的"知识青年"都去上山下乡，以使运动走向最后的胜利。"八一八"对于中学"老兵"们是一个短暂的绮梦，很快地，随着"工作组"的撤出和遭到批判，以及几乎所有的领导干部普遍受到后起的红卫兵的冲击，他们当中许多人的"英雄老子"竟也被揪斗，这令他们无论如何也难以接受；而"对联"出来不久，"中央文革"，以至江青本人，竟大出他们意料地站出来表态，说那样的"血统论"是错误的！于是"联动"中有人便挺身而出，抵触"中央文革"，反对江青，这导致了"中央文革"和江青对"联动"的定性——宣布那是一个"反动组织"，予以取缔；甚至于还让公安部把其"坏头头"抓起来；若干"坏头头"被拘留后，他们的战友们冲击了公安部，事情闹得很僵，后来周恩来居中调解，把"联动"的人都放了，但从此"老兵"也便土崩瓦解。我记得，到1966年入冬时，十三中运动初期不可一世的"老兵"们，除了极个别的以外，基本上不再出现于校园，对我来说，他们是"不知所终"。后来在十三中变得很强大的红卫兵组织，其头头都是城市贫民和工人子弟，而且也吸收了不少"黑五类"子弟参加，呈现出了另一种政治运动的景观——从符码体系来说，当年的"老兵"一律是穿一身绿军装，戴绿军帽，腰系有大铜扣的军皮带（这也是他们用来抽打地富反坏右、资本家和"黑帮"及"狗崽子"的刑具），而新一茬的红卫兵虽然也视一身绿军装为美，但他们往往没办法弄到，也就穿得随便些了，只以一个红臂章表明身份而已，我记得当时十三中的新一茬红卫兵头头，大概是家庭经济状况不佳，穿着父母穿旧了的，打补丁的工作服，在校园里忙来忙去。

据任众回忆，遇罗克大概是在"联动"的"对联"出笼时，便开始埋头撰写批判"血统论"（即"唯出身论"）的《出身论》，他写得很认真，思考得很深，又引经据典，层层掘进地阐释他所认知的真理。到1966年深秋时，他和弟弟遇罗文（当时是六十五中的高中生）一起，以"北京家庭出身问题研究小组"的名义，将《出身论》油印了出来，拿到大街上散发，任众当时也参与了散发，方式是在骑自行车上班的过程中，看哪儿人行道上人多，便往他们脚底下一抛——每回总有人积极捡拾阅读。1967年年初，他们又假借"首都中学生革命造反司令部宣传部主办"的名义，创办了一份铅印小报《中学文革报》，将《出身论》"正式"发表了出来（文末注明：1966年7月初稿，9月定稿，11月定稿），这张小报当时张贴在城区很多地方，吸引了很多人驻足阅读，笔者当年就是在地安门一处报栏上头一回读到它的；遇罗文和弟弟遇罗勉（当时是北京二十五中的初中生）及他们的一些同学到街头卖报，销路极好，1月18日首印的"创刊号"两万份被一抢而空，以至不得不在二月又以"专刊"形式再印了六万多份，依然是供不应求；这份报纸也很快传到了外地，《出身论》被以各种形式翻印、传布。

《出身论》刊发时，前面有个"编者按"，其中说道："目前，北京市的中学运动普遍呈现出一派奄奄欲毙的气象，造反派虽然十分努力，群众总是发动不起来，资产阶级反动路线依然猖獗如故。这种现象，不由使许多同志疑惑起来：究竟是什么东西至今还这样有力地阻碍着对资产阶级反动路线的批判？我们认为，不是别的，正是在社会上广有市场的反动的唯出身论。……反动的唯出身论者，从资产阶级形而上学的哲学垃圾堆里寻得理论上的根据，把学生分成三、六、九等，妄图在社论主义制度下重新形成新的披上伪装的特权阶层，以至反动的种姓制度，人与人之间的新压迫……"这个"编者按"，其实也是遇罗克写的。《出身论》的文本值得仔细地进行研究。它分三大部分，第一部分"社会影响和家庭影响"，强调"社会影响远远超过了家庭影响，家庭影响服从社会影响"；第二部分"重在表现问题"，其中又有几个小标题，(1) 出身和成份完全不同，(2) 出身和表现关系甚小，(3) 出身好坏和保险与否毫无关系，这个话题是从"黑五类子女（对于革命）不保险"的说法引出的；第三部分"受害问题"，从大学招生、工厂提干、农村给地富子女划成分、街道办事处改选居民委员会等几个方面得出如下结论："'出身压死人'这句话一点也不假！类似的例子，只要是个克服了'阶级偏见'的人，都能比我们举得更多、更典型。那么，谁是受害者呢？

▶这张报纸已被国内外若干图书馆作为珍贵资料加以保存。相信今后会有专家、学者从不同的角度对这张报纸进行严肃而深入的学术研究。

像这样发展下去，与美国的黑人，印度的首陀罗、日本的贱民等种姓制度还有什么区别呢？"文章后面还有六条注解，其中第五条提出："我们建议……做一下社会调查。可以在本单位调查一下出身好的青年多少人？出身不好的青年人多少人？担任行政职务的比例是多少？党团员的比例是多少？有没有因出身不好而限制他们参加政治活动的？……"

1980 年 7 月 21 日，《光明日报》刊登了为遇罗克平反的长篇通讯《划破夜幕的陨星》，这篇由当时还是中国社会科学院新闻研究生，而现在已是《光明日报》总编辑的王晨领衔撰写的通讯，副标题是"记思想解放运动的先驱遇罗克"，"编者按"称："遇罗克成长的最大特点，就是他在身处逆境，不断遭受到打击的情况下，刻苦学习和逐步掌握马克思主义……他始终信仰马克思主义，始终热爱社会主义。"这当然是对遇罗克和《出身论》的权威性评价。但是，为什么一个始终信仰马克思主义、始终热爱社会主义的青年，却会在一个信仰马克思主义的社会主义国家里，被判死罪枪毙掉了呢？一个解释，是他遇到了假马克思主义者，比如一度是"中央文革"要员的戚本禹，1967 年 4 月 14 日出来表态：《出身论》是反动的！但是，事情还是不能得到充分解释，1968 年 1 月 5 日，遇罗克被捕入狱，1969 年中共"九大"召开前，戚本禹自己也进了监狱，但 1970 年 3 月 5 日，遇罗克仍被枪决。

1998 年 6 月 5 日，笔者在美国加州斯坦福大学胡佛研究中心图书馆中文部参观，那是搜集中文图书资料最勤最全的机构，笔者从电脑中查阅索引，发现该机构几乎收罗了我已公开出版的全部著作，甚至于连 1998 年 5 月第一版的《我眼中的建筑与环境》也赫然在目！我到一间办公室里，看到一位工作人员正戴着一次性的薄胶手套，正小心翼翼地翻动着中国大陆"文革"期间的民间小报，他耐心地把那些小报上的备检信息输入电脑，我恰巧发现他桌上正有一张 1967 年 2 月 2 日《中学文革报》第二期报纸，在那张报纸第二版右下角，刊出了一幅漫画，署名"一工人"，那工人便是任众。任众在画上画了一个"昏官"，他对《出身论》和反《出身论》（实际上是坚持"血统论"）"各打五十大板"；在这幅漫画上，《出身论》被画成了一个英俊无畏的可爱小伙，倾向性是十分鲜明的。任众告诉我，这幅漫画是应遇罗克之约而画的，遇罗克只是说："任老师，您给我们小报画幅画吧！"并没指定他该怎么画。任众的漫画并没有"幸而言中"。"昏官"最后并不是"各打五十大板"，《出身论》的作者最后是被枪毙了，而当年宣扬、坚持"血统论"即"唯成分论"的人，却至多只挨了几天拘留，其中绝大部分人后来都有着相当不错的处境。这"昏官"是谁呢？

在美国加州湾区，在一栋雅致的住宅里，在一个主要由华人组成的"派对"上，笔者和一些新旧朋友叙谈，不知怎么地就提到了遇罗克和他的《出身论》，并且听到了若干令笔者感到新奇和迷惑的说法。

公大老爷断案：《出身论》虽然好，它的缺点也不少；"评《出身论》"虽然糟，它的优点也有两条。——各打五十大板。

一工人

▶ 刊登于《中学文革报》第二期的这幅漫画，是任众此前公开发表的唯一美术作品。遇罗克 1967 年被捕入狱后，办案人员肯定要追问他绘制此幅为《出身论》抱不平漫画的"一工人"姓甚名谁？是哪个单位的工人？居住何处？……倘若他稍有招供，任众后来的生命史恐怕就得完全改写乃至戛然终止。但任众始终未受一丝牵连，证明遇罗克至死都恪守"一人做事一人当"的道德原则。

一位十年前从大陆来到美国，现已定居彼处的男士说：有两个"文革"。一个"文革"是官方的"文革"，或者说是毛泽东的"文革"；另一个"文革"则是老百姓的"文革"，特别是某些民间青年人的"文革"。比如遇罗克和《出身论》的出现，便说明一般老百姓，特别是像遇罗克这样的青年人，他们一度享有相当开阔的言论和行为空间。遇罗克的文章虽然不得不使用当时普遍流行的符码系统，马克思怎么说呀，毛主席怎么教导我们呀，等等，但是，他的《出身论》通体而言却很少八股气，充满了他对当时中国社会体制弊端的愤懑，并且一出来就在民间一些社群中获得了强烈的共鸣！这种以铅印小报公开发行方式传布个人言论的情形，甚至于在1957年春天的"大鸣大放"中也是没有过的！而且，一度几乎每一个共产党的支部书记以上的干部都受到了群众的冲击，积蓄已久的党群关系、干群关系中的紧张因素，得以通过批斗式的大发泄，使普通的老百姓获得一种强烈的心理快感……

（据我回国后找遇罗克弟弟遇罗文了解，他们当时编印那份小报确实相当自由，无须找"有关部门"批准，所谓"主办单位""首都中学生革命造反司令部宣传部"根本子虚乌有，纸张是他们从某民主党派——当时已瘫痪——那里白来的，给他们承印的是一家解放军的印刷厂，印费是先赊欠，待卖完报后有了钱再补付的。《出身论》署名"北京家庭出身问题研究小组"，其实并不存在这么一个严格意义上的组织，想来想去，能算作其成员的，除了他们哥俩儿，也就还有另一位工人罢了——因遇罗克被捕后咬紧牙关绝不提及自己以外的任何一人，所以该工人和画漫画的任众都未被株连，他现仍健在并事业有成。）

另一位从台湾到美国留学、定居，并且对大陆"文革"有研究兴趣的女士则认为，上面那位男士所说的"两个文革"，哪一个也没胜利，全都失败了；毛泽东的"文革"，被共产党以正式文件形式，作为他的"晚年错误"，彻底否定了；"民间文革"，无论冲击"走资派"也好，编印"小报"也好，其实也只能严格地在官方"文革"规定或容忍的符码系统和行为模式里运行，像遇罗克及其《出身论》，那是走得太远，太出格了，你一个工人，怎么能冒充中学生参与运动？《出身论》触及到体制，实际上所表达的，是"人生而平等"这样的吁求，而且替阶级背景不好的青年争权，这放在当时中国大陆的意识形态和权力结构的大语境和大背景下衡量，被指认为"反动"是必然的，可以理解的；只是何以这么这一篇文章，即使"反动"吧，怎么就至于把写文章的人杀掉呢？这一点令人难以理解……

另一位在加州大学伯克莱校区攻读中国近代史的美国博士生说，他对"红卫兵"天然向往、崇敬，因为那符合人性，个体生命的青春期，总是充满叛逆精神的！他对毛泽东在70多岁的高龄还能支持红卫兵，并且明确而响亮地说出了"造反有理"这样的话，感到敬佩不已！他觉得光这一句话，毛就是世界上人类中的千古伟人！不过，他试图读遇罗克的《出身论》，读不懂，他觉得那不像是红卫兵的文章，读不出"造反精神"，就是在那儿乞求：让我革命吧，相信我吧，我也是可靠的呀……干吗呀？你革命，你造反，你就去行动呀！为什么要写这样的文章呢？……对于遇罗克的被枪毙，他说，是不是像法国大革命那时候一样，有时候不需要什么理由，反正往断头台上一拉，就那么给杀了

▶1980 年 7 月 15 日，《北京日报》在头版头条位置刊出遇罗克彻底平反的长篇通讯。

▶ 在《北京日报》为遇罗克平反一周后，1980 年 7 月 21 日《光明日报》在头版发表了另一篇更富激情的通讯，称遇罗克是"思想解放的先驱"，将对他平反一事汇入到那一阶段冲决"两个凡是"桎梏、宣揄"实践是检验真理的唯一标准"的政治大潮流中。

呗！大历史对小生命，总是很不在乎的……

一位刚到美国没多久的大陆交换学者说，现在中国大陆已经不存在出身歧视了，甚至于有的小学生见父母在表格上的"出身"一栏里填入"贫农"字样感到羞耻："咱们家为什么不是富农呢？"国内有一家食品公司,现在公开用"黑五类"作为品牌，以广招徕，而且在中央电视台大做广告……这都说明，遇罗克所向往的社会环境，已经出现了。他说："我还要说几句也许你们会以为是刻薄的话，中国大陆出身歧视的消亡，《出身论》并没起到什么作用，历史总是水到渠成，在没有水的地方掘井，结果死掉，是个悲剧，却并不值得！……"

这位交换学者的刻薄话，如细刺扎在我的心上，使我在很多天里都很难过……

1967 年 3 月 15 日，是个星期日，遇罗克一早到任众家对他说："任老师，我们要去香山玩，您也去吧！"任众很高兴，背上借来的手风琴，跟他们骑上

▶《人民日报》在 1980 年 7 月 25 日及时转发了《光明日报》所刊出的赞扬遇罗克的通讯，并将遇罗克的遗像置于文首。

自行车，到香山去了。当时一行除了任家三兄弟，大约还有三四个中学生。到了香山，爬山的过程中，遇罗克断断续续地对任众说，《中学文革报》恐怕出不下去了，听说"中央文革"的戚本禹已经在小范围表态，说《出身论》不对；遇罗克还说，感到这些天在上班的路上，似乎有人跟踪他。不过那天总的来说遇罗克的情绪还是不错的，跟大家有说有笑，任众拉手风琴，他也很喜欢听。后来，他们爬到山顶一处废弃的破碉堡那儿，遇罗克没有招呼任众，却也并不避讳他，把小兄弟们叫到身边，小声地吩咐着什么，后来，任众看见他们把事先包扎好的一些本册往那废碉堡与山崖衔接处的缝隙里藏匿，藏完还拣了些石块封牢隙口；当时任众以为他们藏匿的是日记，很多年后，提起这事问遇罗文，遇罗文证实，他们藏的并不是日记，而是遇罗克与另外两个人合写的一部诗集《凝秀集》。为什么要藏匿这部诗集？集子里"凝"了些什么"秀"？遇罗文说连他也没读过这部诗集，哥哥平反后，他曾重登香山，找到那个地方，却怎么

▶ 1967 年 3 月，被捕入狱的阴影已经笼罩在遇罗克头上，但仍有一次难得的"香山之游"。此照摄于香山"鬼见愁"（香炉峰山顶）。披衣站立者为遇罗克，右一叉腰者为任众。遇罗克在那个特殊的历史时期里，试图基本上（不是全部）操用流行的符码，在唯一的话语体系内部向"血统论"进行一次殊死抗争，为此付出了他年轻的生命。尽管我们今天已有可能运用全新的话语体系来表达自己的理念，却不能忘记遇罗克和他的《出身论》。他那顽强地宣揄自己所认知的真理并不惜献身的精神永垂不朽！

也找不出那几个本册了。不知后来是何人取走了《凝秀集》？在沧桑世道、攘攘人寰中，这《凝秀集》还默然存在么？那黄脆的纸片上以褪色的墨迹书写出的诗句，谁还记得？谁愿钩沉？

1980 年，在为遇罗克平反的通讯中，引用了由同监难友背诵出的遇罗克诗作《赠友人》：

攻读健泳手足情，遗业艰难赖众英。

未必清明牲壮鬼，乾坤持重我头轻。

这首体现出遇罗克视死如归、豪情万丈的诗作，会是《凝秀集》中的一首吗？任众虽然和遇罗克一起在龙潭湖游过泳，却并没有跟他一起攻读过"马列"或别的什么书，自那回香山之游后，不久任众就搬离了东四北大街的那个小院，后来，遇罗克主动到任众住处探访过一回任众，没想到，那便是他们的永诀！我问任众，《赠友人》的受赠者会否是你？任众说自己不配。斯人系谁？如今尚在否？遇家幸存者们谁都不知，除非那人自己站出来，恐怕是一个永远的秘密了。

　　遇罗克被处决后，有关部门通知家属去领取遗物。遇崇基和王秋琳夫妇去了。所谓遗物，是几本马列著作，和一件遇罗克始终舍不得穿的新衬衫。人亡物在，宁不心碎！遇崇基难以自持，欲哭无泪，几乎倒地，王秋琳却紧紧地搀扶着他，大声对他说："咱们孩子没做什么见不得人的事，要哭，不在这儿哭，走，咱们回家！……"俩人挣扎着走到街上，遇崇基泪流满面，神魂恍惚，终于挪不动脚步，在一个墙根蹲了下来，王秋琳俯身安慰他："咱们回家，回家……"他们终于回到家里，姥姥弟弟们都凄然地等待着，王秋琳把门一关，立即拊掌大哭，全家轰然放悲，遇崇基哭得倒地打滚……

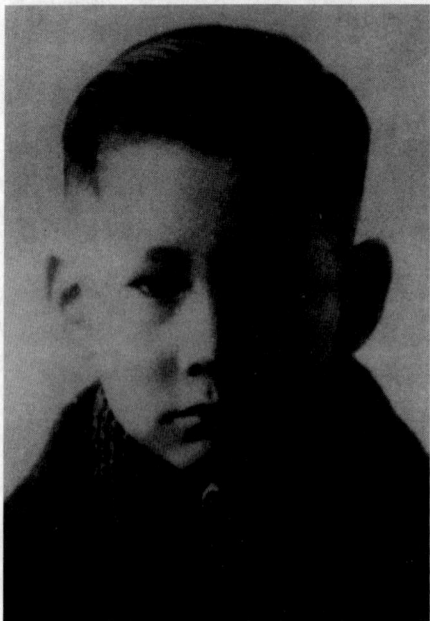

▶一个不该被粗暴地强行结束的生命。面对着遇罗克的这些遗像，请逐一检视他那双眼睛里渐次变化的神情。
1948年。6岁。面对镜头的双眼里只有羞涩。

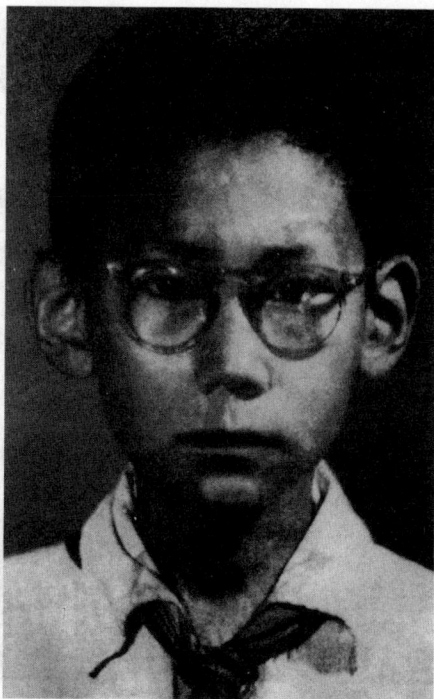

▶1953 年。11 岁。眼镜后的目光中流溢出过多的严肃。难道那时他已开始出现了丝丝缕缕沉重的思绪？

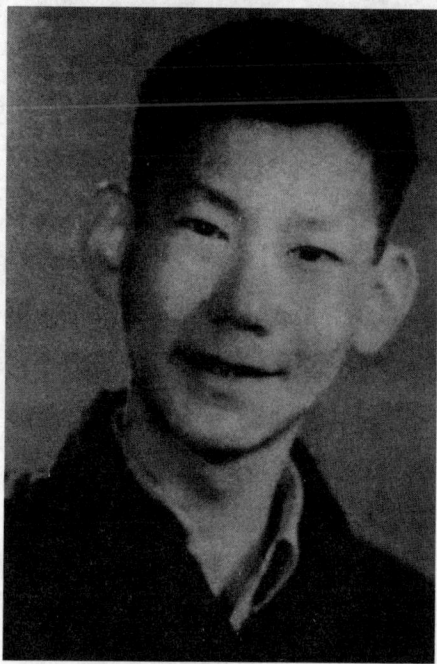

▶1956 年。14 岁。一副"天生我材必有用"的眼神。

刘 心 武 文 存 5

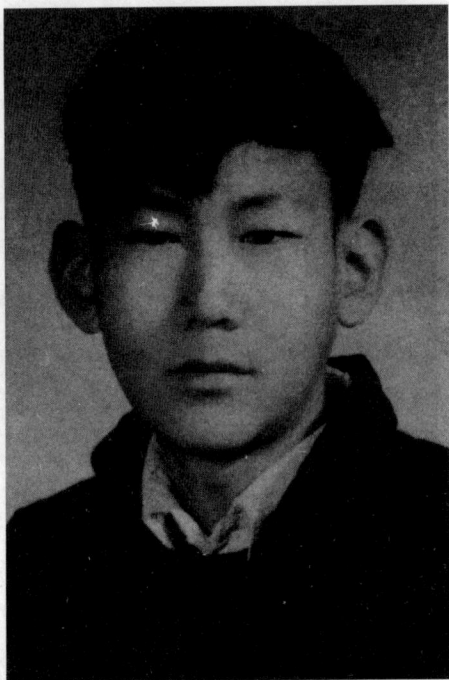

▶1958 年。16 岁。父母均被划为了"右派分子"。
双眼中透露出了忧郁。

▶1960 年。18 岁。第一次考大学未被录取。平
时成绩优秀，高考答卷亦未失常，却名落孙山。
尽管心有疑惑，却既自信，也相信党。双眼里
反倒一扫愁云怨黷，决心下一年再入考场。

▶1954 年。12 岁的遇罗克与 10 岁的遇罗锦。这幅照片集中展现出了那个时代若干流行的时尚：莫斯科克里姆林宫的布景、红领巾、翻出来显现于外套上方的衬衫领子、枫叶形的装饰趣味……从遇罗克的面部表情和肢体语言可以看出，他不仅极愿与社会主流亲合，而且也极有教养、极富感情，分明是个"乖孩子"。

在那个时代，家里有人成了"现行反革命"并且被公审枪决，政治上是备受歧视的。遇家不仅遭受冷眼，还常有人朝他家门窗投砖石瓦块。姥姥只好转移到亲戚家，不久在惊恐中病亡。遇崇基到东北一个尚愿收容他的朋友家暂住，后来连一贯倔犟的王秋琳也不得不辗转躲避。大妹妹遇罗锦早在哥哥枪毙前，就因日记被查抄，从中发现了她"恶毒攻击"文化大革命和红卫兵的"反动言论"，被送往茶淀农场"劳动教养"，一度家中只留下小弟弟遇罗勉（王秋琳本想与他相依为命，却被单位揪去给她办"学习班"，不许回家）；那时遇家窗户上没有一块完整的玻璃，屋子里一派破败景象，桌子上的灰土足有一厘米厚，用手指一划，能留下深深的凹痕。遇罗勉靠一些同学给些食物充饥；那时遇罗锦给家里来信，说实在不够吃，想吃点香的，遇罗勉就把家里面缸倒扣过来，把所余存的白面归拢到一起，在热锅里搅和熟，兑上些糖精，装了一小口袋，扒火车，给送了过去……

▶1967 年。25 岁。已知厄运逼近，但尚不知将临的劫难会残暴到什么程度的遇罗克。他身旁的书橱里，几乎都是马恩列斯和毛泽东的著作。

　　遇罗锦的才华不亚于遇罗克，而且个性更见棱角，她历尽劫难艰辛后，在改革开放初期，以一篇自传性的小说《冬天的童话》引出轰动，走上文坛；哥哥的平反，以及父母的平反，使遇家境况有了根本性好转，遇罗锦的才华也使得她与文化界一些有一定地位的人物有了交往，并派生出了新的情感经验，于是不久她又发表了引出争议的《春天的童话》，她的这些作品不仅在中国大陆备受欢迎，也立即在香港、台湾引出反响，并迅即由海外汉学家译成西方文字，在海外刊登出版，作为一个新出道的女作家，遇罗锦在中国文坛上可谓前途似锦。

　　1986 年春天，遇罗锦得到德国（当时的西德）方面的邀请，到那里作短期访问，可是她在签证期满以前，有一天忽然离开请她到德国访问并热情招待她的那位人士的家，跑到移民局去申请政治庇护，这件事在海内外轰动一时。1986 年 5 月，我正好到香港访问，某文化人与我茶话，当然不放过关于这个

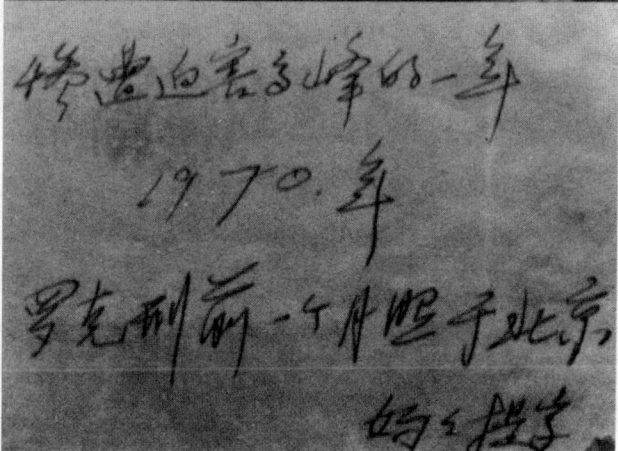

▶ 1970 年 5 月，遇罗锦和两个弟弟在北京合影。当时遇罗锦因"书写反动日记"被"劳动教养"，遇罗文（右）和遇罗勉已到农村插队。他们凑巧"跑回来"得以团聚。但他们的行为很快被当时的居委会和派出所视为"非分"，被强制遣返。谁知一个月后遇罗克即被"公审"枪毙。事后母亲王秋琳在这张照片后写下了沉痛的字句。

热门话题的提问，我坦率地作了回答，后来他写成一篇访问记，拿到一家杂志，该杂志迅即刊登，并在封面上同时刊出了我和遇罗锦的照片；那位记者撰写的《伤痕文学先锋谈文坛现状——访中国著名作家刘心武》一文中，有这样一节：

## 遇罗锦很真诚，易于激动

"现在请你谈谈，遇罗锦最近在西德寻求政治庇护，这件事你知道吗？"我转了话题。

"我知道。北京很多人都知道了。"

"你跟她都是北京作家，你对她了解吗？"

想不到刘心武的回答使我大感意外，他说："我知道她，但素未谋面。真的，我从来没有见过她。本来，去年她出国前，我们曾有一次见面的机会，当时我的纪实小说《5·19长镜头》影响正大着，就在我去南京写作的前一天，我收到了她寄来的一封信，写得很简单，说想见见我，说要么骑自行车来看我，要么就约个时间等我去，要我回她一封信。我住在北京城东南，她住在西北，距离很远。我回了封信给她，说很愿意跟她谈谈，但已买了明天去南京的车票。经南京回来，她大概忙于办出国的事，见面的事就拖了下来。这是我们之间第一次通信交往，想不到至今还没有见上面，竟传出了西德庇护的消息。"

"你对她怎么看法？"

"从她给我的短短的信，也可以看出她这个人很真诚，但也很单纯，有点感情用事，是个易于冲动的人，说做就做。"

"你认为这次遇罗锦事件，会影响今后中国和西德之间正常的文化交往吗？"

"我想是不会吧，西德方面马汉茂等人今夏就要举行一个'中国现代文学讨论会'，我知道的就邀请了中国许觉民、李子云、张辛欣、李陀等四位作家。而且，邀请遇罗锦去西德的，也不是像马汉茂等人那种著名的汉学家。遇罗锦出国的手续不是作家协会办的。不过，我很同情她以前的遭遇，现在对她的境况也很关注。"

"遇罗锦最近在接受台湾《联合报》电话访问时说，她想献给世界人民两本书，其中一部是西欧生活的。你对这有何看法？"

"我想知道的是她用什么文字写作，"刘心武说，"像她这样四十多

岁才到西欧生活的作家，语言方面怎么解决，能否写出令西欧人民接
受的作品，我还是存疑，希望她自重。"

　　那以后又陆续听到一些关于她的零碎消息：一次马汉茂（他是德国波鸿大
学的著名汉学家，中国大陆改革开放后，在西方积极评介中国当代作家的新创
作）来华访问时告诉我，遇罗锦很努力地学习德文，还曾用德文给他写简单的
信函，虽然语法上一塌糊涂，但拼出的一些单词和词组，倒也还能让人明白她
想表达些什么；还有从德国访问回来的人告诉我，曾看见遇罗锦在一家游戏厅
里工作，具体的工作内容是给顾客兑换游戏机上使用的筹码；也曾在香港报刊
上看到过一些关于她的访谈，其中配发的一张照片给我留下了很深的印象：她
把许多本不同文字的，她那两个《童话》的译本像折扇般摊捧于胸前，脸上露

▶ 遇崇基本是一个优秀的土木工程师。1998 年任众到良乡镇向退休的建筑工人打听 1955 年遇崇基设计"竹筋
楼"的往事。1998 年长江水灾中，发现有人以竹代钢，偷工减料，造成堤坝崩塌，一时成为人人喊打的"蛀
虫"。但1955 年时遇崇基设计"竹筋楼"却是一项受到表彰的技术革新。当时国家钢材有限，而职工宿舍的
建造又不能停顿，遇崇基的以竹筋替代钢筋的工艺，严谨而独特，经过精心挑选的竹材，涂以沥青增强防腐
功能后，替代钢筋，效果颇佳。

▶照片上所出现的，皆为"竹筋楼"，可以看出，当年的"竹筋楼"经过四十余年考验后仍可安全使用。

出自豪的笑容……只是至今没看见，也没听到传媒报导，她那两本"献给世界人民"的书写好了没有、出版了没有。

1979 年，遇崇基和王秋琳的"右派"问题得到改正。这时一些人回忆起遇崇基的才能与贡献，他曾在 50 年代国家钢材匮乏时，开动脑筋，反复实验，发明出一种用竹材替代钢筋，建筑楼房的方法，并在房山县的良乡镇推行，取得成功，所盖出的一批"竹筋楼"，至少在 70 年代初仍被安全使用；可是恰恰在他发明了以竹筋代钢筋的建房办法不久，就被划为了"右派"，给他改正时已然 67 岁，身体虚弱，纵使再想为国为民奉献聪明才智，已力不从心，他于 1988 年去世。王秋琳改正后在区工商联、区政协发挥了一些作用，虽性格刚强、为人豪爽，多年的苦难煎熬，使她多种疾病迸发，比老伴还早逝四年。

遇罗文、遇罗勉兄弟历尽劫波，前者还曾判刑入狱，1980 年官方为遇罗克

▶遇罗文（右）遇罗勉（左）兄弟与任众在一起。

▶这两兄弟"文革"中饱经颠沛流离之苦，"文革"后才终于获得了专心学习、研究发明的机会。他们从"电视大学"毕业后，有过多种发明创造，其中最突出的是超国际水平的切割机"水刀"。因打成"右派"而被"劳动教养"而成为"社会闲杂人员"的遇崇基，白白浪费了二十多年的岁月和才华；倘若他能晚些去世，亲眼目睹到罗文、罗勉两兄弟在科技和工艺上的发明创造，该是多么高兴啊！

▶1959 年。遇氏的全家福。即使苦难已经来临，即使更大的劫难悬在前方，善良的生命总是尽可能坚持前行。

公开平反，在报纸上作了宣传，才连带着把他解脱出来。他们哥俩继承了父亲那种喜欢理工、乐于发明创造的脾性，近年来专心研究水刀，已取得可喜成果；水刀是一种用来随意切割坚硬材料的先进器械，以高速射出的水柱，连带着水中的细沙，可将合金钢等金属材料、石材、木材、硬塑料、玻璃等等切割成任何指定的模样，是建筑装修行业中不可或缺的一种工具；直到现在，国内有关部门还都是在向国外，特别是美国，购买水刀；遇氏兄弟的发明不仅填补了国内这方面的空缺，而且，他们设计制造出的水刀比国外的更加先进，美国的水刀在水和细沙的混合上是"后混式"，即先有水的射流再掺入细沙，这样混合的弊病是"刀口"往往不够爽利，而遇氏兄弟的水刀是独创的"前混式"，射流出来时，水与细沙已然均匀混合，"刀口"绝对细腻，可切割出任何复杂的形状；目前我国每进口一台美国水刀约需 20 多万美元（约 200 万人民币），遇氏兄弟的水刀却只售 30 万人民币，他们殷殷期待着有关的企业支持他们的发明创造，放弃进口水刀，购买他们的国产水刀。

▶ 遇氏一家的故事里有太多的悲苦。越过这些悲苦，我们应当憬悟：青山常在，绿水长流，善良不可久欺，无辜终会昭雪，邪恶必遭唾弃，希望永在人间……

　　因为在遇氏一家命运的经纬中，任众和我分别都能牵出一些丝缕，而这些丝缕又能牵出我们心中许多的思绪与感慨，所以，我写下了这一章如许多的文字。我深知，在某些人看来，遇罗克及其《出身论》，都已成为历史陈迹，"过时"了，而像我这样的作家，还在写这些很不时髦的东西，也是"过时"的征兆。在神秘的时间面前，我确实感到迷茫，我不知道它从何开始，又会到哪里结束，而且它怎么总是变幻不定，永不停步，即如我现在写下这一行这一字的瞬间，已完全不是写上一行的那一瞬间，这究竟是怎么一回事情？但我又深深地憬悟到，我们每个人那镶嵌在时间中的生命，都是一个流程，现在时髦的，以后便成"过时"，谁能永领风骚？谁能让时间"定格"？因此，我尊重"过时"，不鄙时髦，对当下的潮流我尽量去理解，能亲善尽量亲善，却也不怕一朝"过时"、"落伍"，被主潮挤到边缘；我曾说过：边缘有光；在时髦的主潮之外，位于边缘的生命，有权利静静地回忆，默默地思索，并且会渐渐地感到，也有义务在边缘叙说，叙说那些因为太不时髦，已然"时过境迁"

的人与事，离与合，爱与憎，歌与哭，生与死，痴与悟……我还相信，这样的叙说，依然会被一些边缘人，一些边缘的群体，倾听，共鸣，在心与心的低诉欷歔中，相濡以沫，互相抚慰，以使不断"过时"的生命途程，变得更有滋味，更睿智也更具内在的宁静。

## 人生如草枯又绿

1992 年，笔者出版了一本《献给命运的紫罗兰》，任众很喜欢我这本书，他在书上一些字句下画了着重线，其中有几句是这样的：

> 世事如草，绿了又枯，枯了又绿。
> 人生如草，绿了易枯，枯了难绿。

我说，写这几句时，心中充满了大悲悯，对比于天地时间，人的生命是多么脆弱啊！任众点头，他说起了自己童年时的遭遇和难以磨灭的记忆。

1949 年以后，直到"文化大革命"时期，在中国大陆，一个成年人的阶级成分和一个未成年人的家庭出身，都是至关重要的。划分阶级成分，一般是根据其在解放前三年的政治经济与社会地位，这当然有一定道理，但是，世事与人生其实是非常复杂的，比如任众家，后来划定的成分，是城市贫民，根据这样的出身，本来在"肃反"运动中，是不该把任众当做怀疑对象的，可是，在 30 年代末到 40 年代初，任众父亲在北京一位比利时籍的天主教神甫所办的"宣德堂"当管家，全家因此入了天主教，任众小时候在教会所办的惠我小学上学，十几岁时又上过北京鲍斯高慈幼院，在唱诗班唱过诗，这样，他的出身也就有

▶望树沉思

了污点，甚至于由此推测出，他是天主教"圣母军"的成员。其实他并没有参加过"圣母军"，他父亲之所以给洋教士当管家和入天主教，都只不过是为了养家糊口罢了，并不是刻意要给外国人当洋奴、助其传教。在"宣德堂"时，任众全家和比利时神甫还曾一起合过影，长发长须的神甫站在中间，任众父亲穿着长袍站立一旁，任众母亲烫着卷发、穿着旗袍，抱着任众一个妹妹站立另一旁，任众和哥哥两人坐在大人前方的台阶上，穿着背带裤，头戴一种包着软木芯的"比利时盔"——就是我们在根据英国女作家克里斯蒂侦探小说拍摄的影片里，所看到的那个大侦探波洛头上总戴着的那种盔帽——这张照片在"文革"中理所当然地被任众父亲烧毁了，因为根据"文革"时极度简单化的思维判断逻辑，那便是任众一家诸罪齐备（洋奴、资产阶级、"特嫌"、反革命"圣母军"嫌疑）的"铁证"，保留下来绝对是个祸根。

"太平洋战争"爆发后，比利时神甫被迫关闭了"宣德堂"，撤回了他的祖国，任众父亲必须另谋生路，好在当管家时积蓄了一些钱，在德胜门外置下了一所小院，可以安身，如能招些房客，也就足以养家糊口。谁知百业凋敝，房客难招，任众父亲便拿出所余积蓄，购置了制袜机，打算开一家制袜厂，连名片都印好了，在这关键时刻，却又听人说长城北边的粮食便宜，如果从那边倒腾些粮食到北京来，一次就能赚很大一笔钱，于是，和很多中国人一样，在操作复杂、收效较慢的实业和似乎是可以一蹴而就、陡得暴利的投机活动二者之间，任众父亲人性中的弱点占了上风，他不仅卖掉了制袜设备，也卖掉了房屋，带着全家人，直奔长城外的宣化，找到人家给他介绍的，据说是有大量余粮的农户，期盼着能尽快圆他的发财梦；可是，事与愿违，他所面对的，却是粮价直线暴涨与货币极速贬值；这样一来，钱没赚到，全家也就陷在了宣化。任众许多铭心刻骨的童年记忆，便都是在这个空间里的。

笔者父母 60 年代曾在张家口居住，笔者乘火车到张家口去探亲的路上，

▶任众父亲逝于 1983 年，享年 75 岁。他的后半生都在花枝胡同的一所杂居三合院中度过。1949 年以后他的成分定为了城市贫民，这算是红色的成分，使他避免了许多政治冲击波的当头轰击；但他个人履历中的若干黑色、灰色"问题"，又使得他在政治运动中或被无情波及，或自己惶惶不可终日。80 年代后他个人和子女们的生存状况开始陆续好转，他却未及尽情欢享便因病而逝。在天翻地覆、波诡云谲的大时代中，像他这样始终在边缘生存的个体生命是很多很多的。

必定要路过宣化，说实在的，在笔者印象里，60年代的张家口市容实在乏善可陈，一条枯涸多年的河床穿过市区，两边倾倒着一些垃圾，商店门面土里土气，里头货品匮乏，树木很少，更没有花坛，冬天来得特别地早，朔风吹过缺乏色彩的街巷，令人气闷；那时由著名剧作家杨翰笙编剧，拍成了一部电影《北国江南》，里头有个重要情节，就是一个农村青年，他不安心在农村种地，向往城市生活，其所向往的城市，便是张家口；那时我看了这部电影，心中很觉好笑，张家口可有什么值得羡慕的呢？至于宣化，从火车上就能看出，更是等而下之；总之，那一片北国，在那时实在难觅江南景象，甚至连京张铁路火车上，我的印象里，也总是弥漫着一种永难消散的厕所粪溺臊气，到了严冬，那臊气有一种冻结的怪味，会往人衣服的织孔里钻，更令人作呕——造成这种情况，并不一定是列车员懒于清扫，实在是因为那一片北国当时还极端缺水；我觉得《北国江南》明明是过分美化了"大跃进"后的现实生活，可是在"文革"中它却被当做"修正主义大毒草"遭到狠批，当然，狠批它的原因，还不仅是它没有把北国表现得更美好，而是千不该万不该宣扬了"资产阶级人道主义"。

人道主义，究竟是一种只能判定给资产阶级的"破烂货"，还是一种应予肯定的人类共享文明？笔者不拟在这里进行讨论。笔者只想说，在人性的深处，对生存的渴求与对死亡的恐惧，交织出复杂的情愫，凡能对他人的生存与死亡产生出悲悯心的人，便是人道主义者的胚子。

在任众的童年记忆里，死亡记忆犹如酽酽的浓墨，至今带着阴冷的潮气，储留不淡。

任众父亲带着全家，淹蹇在了宣化，在日本人占据的龙烟铁矿的矿山机械厂，谋到了一个保管的职务，这在当地算是一个很不错的饭碗了。当地有五种住房，一种是日本人住的，砖房瓦顶，有回廊，还带花园，叫"日本房子"；一种是为日本人服务的高级职员住的，有结实的石头墙基，叫"石头房子"；再一种是黄泥抹墙、泥土地面，但也有玻璃窗的，叫"玻璃房子"——以上三种房子，在当地老百姓眼里都算是令人羡慕的住所了。另外两种，一种叫"锅房"，其实就是简单的棚子，里头有两排很长的土炕，炕头有一个灶台，支着一口大锅，是矿上劳工的宿舍；还有一种叫"土窑"，就是在土坡上挖一个洞，勉强容

树 与 林 同 在

▶任众的奶奶1944年悲惨地死在与任众合盖的薄被下。任众至今记得奶奶临死那天的傍晚坐在土炕上用一把木梳蘸着自己的唾沫梳头的情景，还记得把头发梳理得整齐光洁的奶奶对下班进屋的父亲说："我要走了……天不亮我就要走了……等鸡一叫我就要走了……"也记得父亲当时不以为然地说："胡说什么呀！"奶奶果然在那夜走了。这生死的玄机，至今任众还没有参透。

▶任众在房山"劳动改造"时，每到冬季，他从家中返回房山时，母亲总要用空玻璃瓶给他装满炒咸菜丝，让他带去佐餐；而任众在从房山再返家中时，又会买些便宜的山柿，用勺子把柿子蜜尽悉刮到洗净的空玻璃瓶中，自己单吃柿子皮，把柿子蜜带回去孝敬母亲。一只玻璃瓶，成为了母子情深的载体与见证。这是任众母亲年轻时的照片。

身。任众父亲相当幸运,分到了一处"玻璃房子",可是,当时他家一共有九口人:父亲母亲以外,还有奶奶,失去父母的一个叔伯哑巴哥哥,任众和他的哥哥、弟弟,以及两个妹妹;虽说那房子确实有一扇玻璃窗,但里头却只有一铺土炕,全家九口人每晚就挤在那并不大的土炕上睡觉,因为被子不够,奶奶和任众每晚合盖一条;全家饭也不够吃,吃不到大米白面,所能买到的粮食只是连壳一起磨出来的高粱面,以及一些掺着很多沙子的小米;更困难的是没有足够的饮用水。任众还记得,有一回家里有了一桶浑黄的水,白天父亲不许随便喝,夜里他们几个孩子就轮流爬到炕下,扒着水桶一顿足喝,天亮起来一看,才发现那桶底卧着一只泡涨的死耗子;入冬,塞外的朔风像刀子般割人肌肤,那日子就更加难熬了,第一个顶不住的是奶奶,一个冬夜的晚上,任众只觉得奶奶在被窝里像蛐蛐抖翅般地瑟索个不停,后来奶奶就叫着父亲的名字说:"哎呀,我不行啦!"父亲在土炕那一头不耐烦地说:"行啦,忍忍吧,天快亮啦!"再后来奶奶不再颤抖了,任众在梦里原来觉得自己挨着一盆火,可那盆火忽然变成了一块冰,猛地醒来,身边的奶奶已然僵挺,惨白的天光从玻璃窗斜射进来,在任众的惊叫声中,全家都醒来了,这才知道,奶奶死了!

死在共盖的一床薄被下的奶奶,本是一个温暖柔软的存在,忽然变成了一具冰冷僵硬的尸体,这给了任众一个强烈的刺激,人为什么会死?死究竟是怎么一回事儿?

死亡很快又袭击了任众的小妹妹,她是得中耳炎而死的。临死前,她躺在土炕上呻吟,嚷饿,那时她眼睛也已经瞎了,人饿,耗子也饿,耗子出洞来,到土炕上咬妹妹的耳朵吃,妹妹发出惨叫,正好任众和哥哥进屋,哥哥便逮住耗子,摔死耗子,安慰妹妹;任众冲出屋子,决心给妹妹找来哪怕是一丁点儿吃的,在离家不远的草丛中,他发现有只耗子在咬一块东西,便冲了过去,耗子跑了,他拾起那块东西,是一块用杂豆面做成的馍,颜色跟猪肝似的,又冷又硬,可是他如获至宝,赶紧拿回家去给妹妹吃,妹妹搁到嘴里咀嚼,竟仿佛吃到了美味佳肴,脸上露出了幸福的微笑!就在那一天过去不久,妹妹也变成了一具僵硬的尸体。又过了不久,叔伯哑巴哥哥也病饿而死了。奶奶、妹妹和哑巴哥哥相继死去以后,土炕不那么拥挤了,任众得以一个人盖一床被子,可

树 与 林 同 在

▶1995年任众重返童年的生存空间龙烟铁矿。废弃的矿石装载场仿佛在期待着详细的追询。

▶任众大儿子生于1967年，父亲的童年往事离他的生命肇始很远，并随着他的长大成人更其遥远。父辈的往事真的如烟，会完全消逝于晚生代的意识中么？将某些重要的往事信息代代递传，是一个民族，乃至整个人类绝不能放弃的课题。

是他常常在被子里恐惧地想，下一个由柔软变得僵硬的，会是炕上的哪一个呢？他对自己悄悄地说，不，不能是我！这种要顽强地活下去的情愫，后来贯穿在了任众的一生中。

在日本占领者和汉奸伪政权的统治下，宣化呈现着极端贫困的景象，死人的事随时随地发生着。刚去宣化时，任众父亲还想让任众和他哥哥上学，但很快就不得不让他们辍学，并把他们送到矿上去当小工（当地称"小卯子工"）。一次上工的路上，路过铁路桥时，任众看到桥下趴着一个死人，那是一个打钎工，死了手里还紧握着一根长长的铁钎，那铁钎是用来在矿脉中钻孔、安放炸药，以便炸出矿石来的必备工具；那死人的脑袋在桥下的硬石上跌得开裂，迸出了白色的脑浆和殷红的鲜血，望去令人心悸。据说，那人是赶去打夜工的过程中，因为桥上没有灯光，失足跌落到桥下的，这本来已经是个悲剧，更其可悲的是，以后的很多天里，任众上工从那桥上经过时，都还看到那具死尸，迸出的脑浆已然变得灰黑，血迹也已变成黑紫，许多小虫子围着那尸体爬动，根本没有人来收埋他。还有一次，工头带着任众等一群童工去一座废弃的炼铁炉下干活，刚走进那片地方，便立刻看到了几具尸体，死得比那跌在桥下的打钎工还要久，全身腐烂、发出恶臭，工头竟若无其事，催着任众他们赶紧抬筐运煤。任众当时九岁，因为营养不良，个头矮小，抬着感到非常吃力，那些大一点的孩子竟一点也不同情他，故意让他在抬筐时处在最吃重的位置上，他力不胜任，跌倒在地，几个大孩子便用脚踢他，疼得他在地上打滚，他们竟还在他身上撒尿取乐，任众只能把身体蜷作一团，扭动着躲避。死的，死得那么惨；活的，活得那么苦；可是，有些活得很苦的人，也还是不能够善待跟自己一样苦的人，这是为什么？

有一天，工头说童工们"磨洋工"，把他们叫到一处，排成一排，挨着个儿，用铁锹把儿揍他们，每人三下；每个童工，都是第一棒揍过来时便滚倒在地，疼得哇哇乱叫，第二棒第三棒揍过后，身上都鼓起红肿的棒痕；这天晚上，任众和几个孩子决定逃跑，他们瞒着家里大人，扒火车离去，也没有具体的目的地；火车有好长一段是下山的路，一直在刹闸，他们扒在火车的挂钩上，面对着山下，车轮跟铁轨摩擦出喷溅的火花，火星子一直进到他们的脸上，烫得生疼；火车在庞家堡停下来，他们跳下车，遇到了一个光屁眼儿的山东男孩，问能不能找

▶ 55 年后，任众重访童年当"小卯子工"的地方。当年这里充满了故事。右侧远处是当年日寇的炮楼，曾有八路军游击队侦察员装扮成卖艺的高跷队扭秧歌到附近侦察，然后伺机消灭掉一些日寇。日寇也曾逮捕过个别八路军战士，将其枭首示众于左侧的屋檐下。左侧的砖房是当年矿上的"劳务系"，任众曾在其右的窗口领取过菲薄的工资。任众父亲怒打日本工头宏球的事件也发生在这个地方，但因该处矿脉已基本采尽等多种原因，到任众重访时该处已成一座弃矿，房屋门窗尽悉被人拆走，只剩下残破的躯壳。秋风萧瑟，山草枯黄，没有故事的废矿仿佛在静候着新故事的开篇……

到活儿干？那男孩不仅说能，还到锅房里给他们拿来了几个热窝头，让他们先吃；在任众的记忆里，那天所得到的窝头竟有自己脑袋那么大，而且美味无比，显然，那是因为当时他自己个头太小，并且实在饿得太久了；男孩把他们带到了锅房里，看到一个黑瘦的男子在用一个蜡烛头吸食鸦片，那便是那里的工头；男孩说不用跟工头打招呼，爬到土炕上睡就是了。第二天，他们在工头监督下运砖，运输的距离大约是三里多路，当中还要爬坡，每运一块砖，给一分钱；任众为了多运，好攒些钱带回家去，便用一根麻绳打成一个圈儿套在脖子上，用那绳圈儿箍住一块木头板，抵在肚子上，每回在木板上搁三块砖；有一天任众把砖运到指定的河滩时，天已经黑了，收砖的人已经走掉了，任众怕运到的砖被别人弄混，便扒开河边的沙土，想把三块砖暂时埋在沙土里，谁知他一下子扒出了一具婴儿的尸体，这是他又一次近距离接触到死掉的生命，令他再一次惊恐莫名。

　　那是一个人若蝼蚁的时空。除了极少数日本鬼子和汉奸，绝大部分人都陷入了极端贫困化的可悲境地，像虫豸一样地苟活，像蚍蜉一样地死去。任众在严冬看到过成群结队的，只靠几片装水泥的纸袋蔽体的劳工，佝偻着走过；炎夏，不仅孩子们经常光着屁眼儿，甚至成年劳工也有因为实在没有衣服穿，一丝不挂地干活的。还曾看到，一个劳工躲避不及，被火车轧断了双腿，悲嚎着"救命！"周围的人们却麻木不仁，听任他血流如注，痛苦地死去……

　　而在任众童年记忆里，嵌得最深悬得最重的，是那具"活骷髅"。那是在一所废弃的锅房里，屋顶已然破漏，窗洞已无遮蔽的草席，铁锅已然揭走，连土炕上的破席片也已被人卷走，可是，在那落满灰尘、结满蛛丝的土炕上，不知为什么有一个工人没有离去，他其实也已经不可能离去了，当任众和童工们路过那座锅房，从敞开的窗洞里看见他时，他撑着徒有皱皮的骨头架子，跪在那土炕上，已经没有了一丝力气，他身上有许多结了痂的伤口，还有若干合不拢、流着脓的伤口，在那些流浓的伤口上，蠕动着许多可怕的蛆虫，还有更多的各色各样的虫子在往他身体上爬，他两眼仿佛两个黑洞，感觉到有人经过锅房时，嘴里便吐出凄惨的呻吟："行行好，给我点吃的吧……"那里是任众他们逃跑归来后，一段时间里上工的必经之地，每天都要经过那所锅房，路过那个窗洞，看到那具奄奄一息的"活骷髅"，真是可怕极了；每天，那"活骷髅"身上的蛆虫都在增加，后来甚至有长长的蜈蚣在他身上游走；终于，有一天任众他们看到，"活骷髅"倾倒了，成为了一具死骷髅……

　　笔者认识任众以后，在交谈中，任众一再提及他童年时代的这个关于"活骷髅"的记忆，那是一个丑陋而恐怖的记忆，怎么也不能从他的大脑里钳出或淡化，他说，这些童年的关于死亡的记忆，尤其是这个关于"活骷髅"的记忆，使他从小就有了一种抗拒死亡、坚持生存的强烈欲求。

　　由于任众多次重复讲述那具"活骷髅"给予他的心灵刺激，以至笔者也仿佛见到过那样一种可怕的情景。笔者觉得，那具"活骷髅"可以作为一个象征，使人铭心刻骨地意识到，那时帝国主义、官僚资本主义和封建主义三座大山，已经把绝大部分中国人压榨到了何等悲惨的地步，似乎是因为中国人数量多，所以在从他们身上榨取血汗时，简直完全不用考虑那一个个的生命是否还需要"二次利用"，对牛马，为了多次从它们身上取得利用价值，还可能不吝草料，牲畜死掉了，还可能及时加以掩埋，那时像宣化地区那样地对待劳工的情况，却在中国成了一种常态，普通人的生命，竟连牲畜不如，甚至于连蝼蚁的生存状态，也比"活骷髅"似的人要强上百倍。

笔者和任众，由此讨论了一系列问题。笔者说，由任众童年的这些回忆，可以悟出，为什么本世纪的中国革命，会以那样暴烈的方式，在"大决战"中，迅即赢得了胜利，而且在那过程里，连闻一多那样的实际上是唯美主义的浪漫诗人，以及像朱自清那样的实际上是搞纯学术的书斋学者，都激昂而坚定地站在了拥护以暴力革命推翻"三座大山"的武装革命集团一边；实在是，其他的任何办法都不足以解决问题了，溃烂的腐肉，只能以锐利的刀锋加以剜除。以暴易暴，摧枯拉朽，倾瀑涤荡，面目一新，1949 年以后，不仅劳苦大众欢欣鼓舞，就是民族资本家，以及"旧知识分子"中的绝大多数成员，都兴奋莫名——最起码，像宣化锅房中那种"活骷髅"的惨景，是迅速绝迹了；人们充满了对新生活的憧憬，所以，几乎乐于接受一切被指明是必要的革命措施，包括针对"旧知识分子"的"思想改造运动"。但是，笔者也注意到，像任众那样的，对旧社会充满恐怖记忆的人，他本是伸开双臂拥抱新政权的，新政权按说也该伸开双臂拥抱他，可是，却在新政权建立仅仅几年以后，他便被推开了，甚至于，一巴掌打过去，使他倒下，很多年不能翻身。如果说，这仅是一个特例，那倒也罢了，问题是，像所谓"胡风反革命集团"，还有"反右运动"中被错划为"右派"的几十万人，其中很多是民族精英，怎么也都遭到了意想不到的劫难呢？到了"文化大革命"时期，打击的重点，放到了那些开国元勋们的身上，像刘少奇惨死时，头发有一尺多长，烧成了骨灰，都不许使用自己的真实姓名，也不许亲属接收骨灰，多亏了一位底层的工人，不是以政治意识，而是以人性中最基本的良知，暗中收藏了他的骨灰，这才得以保留到给他平反昭雪的那一天；这究竟又是怎样的因果？

这样的讨论和思考，是沉重而痛苦的。以革命领袖在夺取政权后出现了一系列失误，来解释上述种种现象，是最省力的办法，但是，省力的办法，往往并不能使人聪明,反会使人更加糊涂。根据资料,我们可以得知,在 1959 年的"庐山会议"最后,当表决"关于彭德怀反党集团的决议"时,彭德怀自己也举了手;"文化大革命"里,刘少奇只写了几次"认罪书",却并没写出抗辩状……这里是不是有一种中国历史进程的宿命因素?而且,很可能,是我们民族人性深处的某些共有因素,导致了种种群体性的狂潮激浪、执意选择,从而演化出无数痛彻肺腑的生死歌哭!

个人在群体里面,特别是在群体的激烈运动里面,犹如大海狂浪中的一粒漂粟,不仅极其渺小,而且极难根据自己意愿把握游动的方向;并且,往往只是由于很小的偶然因素,生存状态便会发生意想不到的变化。1945 年 8 月,日本无条件投降,宣化来了八路军,在东关设立了后防医院。11 月,医院把任众招为了勤务员,当时一起被招进去的少年有好几个,医院领导原以为那地方当过小劳工的全是文盲,没想到任众居然认字,大喜过望!医院正缺个通讯员啊,这少年不是正好可以担当么!于是,便吸收他入伍,任众成为了一名正式的"小八路"。任众穿上了黄布军装,愉快地穿梭在医院的走廊和院落里收发文件信函。倘若任众就那么工作下去,他很可能会入党、提干,后来的生活轨迹,会跟现在所描写的大相径庭,当然,也未必是一帆风顺,"文革"中也许会被打成"死不悔改的走资派"?现在会在某一"干休所"里,坐在包着卡其布的老式沙发上,戴着老干部们特别爱用的那种扁形老花眼镜,耐心地看一张《参考消息》?……但是,任众的父亲,正如当年在一念之差下,把全家拉到宣化,想发"粮食财"一样,又产生出新的念头,想把全家都带出这个留下了太多悲惨记忆的地方,回北京去开创新的生活局面;他甚至揣想,日本投降了,比利时神甫说不定已经又到北京开设了"宣德堂",那回去就更没有谋职之忧了;他要带走全家,当然不能把还只有 11 岁的任众撂在宣化,医院也曾挽留,任众也曾向父亲表明自己留下的愿望,但任众父亲带走全家的念头坚不可改,那一年的年底,任众跟着全家回到了北京。

汉奸政权垮台了,国民党政权接收了北京(当时叫北平);日本军队走了,进驻了美国兵;北京怎么样呢?所出现的局面,使任众一家非常失望;比利时神甫并没有回来重开"宣德堂",这倒还算不上多扫兴的事,任众父亲试图找

树 与 林 同 在

▶ 全家福。各民族的家庭在照相术发明、引进后都一再地拍摄这类纪念照。1950 年，任众全家欢聚
一堂。怀中抱着任众小妹妹的是恰好从东北来探亲的姑姑，因是父亲的姐姐，故当仁不让地居中而
坐，体现出我们这个民族固有的伦理秩序。右二为父亲，左二为母亲。右三哥哥任群，左一大妹
妹，右一任会，剩下的当然便是任众。此像摄于当时北京护国寺的大华照相馆，请注意布景所绘，远
景似为颐和园佛香阁，右侧近景则是文昌阁——显然，还来不及更换为与新局面相匹配的革命符码。

到一份能养家糊口的工作，竟比在宣化时还要困难！当时全家挤住在什刹海附
近一间并不比宣化"玻璃房子"好多少的小平房里，任众父亲暂时只能在街上
摆个小摊，买些炸素丸子、炸豆腐、炸"回头"（一种用面粉炸成的类似麻花
的食品）来卖；哥哥当时送到一家铁工厂当了学徒，任众便在摊上帮父亲卖货，
有一天一位女士买了些炸素丸子，任众看她打开了随身的提包，便把已经用纸
袋装好的丸子给她放进提包里面，谁知这时那女士竟大喊了一声，那令人听了
毛骨悚然的惊呼声，任众至今不能忘怀；女士之所以尖叫，是因为在那一刹那
间，她以为任众是要伸手掏她提包里的东西，这深深伤害了任众的自尊心，对
比于宣化八路军后防医院中相互信任的人际关系，这种人对人的不假思索的猜
疑，令人感到气闷。任众说，他后来一直渴求人与人之间的尊重和信任，并嘱
咐自己绝对不可以做出随便拿取别人东西的事情，都和那天那女人的一声惊叫

▶这张摄于 1980 年初的相片上，增加了任会的孪生儿子，还有任众的大儿子，却少了许多其余的亲属。大转型中的社会，使家族团聚难以"一个都不能少"。

▶1994 年夏。任众与唤作桂叔的退休矿工在烟筒山上的露天戏台前。童年时代，任众和一群贫困无衣的光腚小孩，曾挤在戏台边观看过草台班演出的京剧《凤还巢》。如今这座戏台仿佛恐龙的骨架，令人在悠远的怀想中不禁百感交集。

▶ 新的全家福。父母已逝，长兄如父，因此抱着外孙女儿的哥哥居中。任众每当看到这张照片，不知为何总要联想到日本民歌《北国之春》中的咏叹："棠棣丛丛，朝雾濛濛……家兄酷似老父亲，一对沉默寡言人……"人类中各民族的亲情涌动，自有其相类相似之处。

有关。这是一个非常敏感的心灵，我理解，并且欣赏。但是后来任众被怀疑为"反革命"、"反党反社会主义的右派分子"，所遭遇的群体性惊叫如电闪霹雳，久久不散，他内心该是多么痛苦啊！任众说，他生活过来，实在是非常不容易的；我想，倘若是一个比较不那么敏感的生命，经历过那么多的误解打击而未垮掉已属不易，何况是那么一个感受总是十分细腻的个体生命哩。确实，他不易！

当然，人世间毕竟也有富于同情心的人。炎夏，邻居王婶给了任众五毛钱，让他买块冰来卖冰核儿；任众在家里找出一个小铁轱辘，把两根向日葵秆儿绑成锐角固定在轱辘轴上，再把一个荆条筐搁在那两根向日葵秆所形成的支架上，推到冰窖，用那五毛钱买下一块冰，把冰搁到筐里，再推进胡同，大声叫卖："卖冰核儿吆！好凉快好过瘾吆！"听见他的吆喝声，就会有小孩子从院子里跑出来，买他的冰核儿；怎么从整块的冰上凿下冰核儿来呢？当锻工的舅舅给了他一根小铁镩子，用那铁镩使劲凿那冰块，碎出的冰块就算冰核儿了，按大小不同，从一分钱到五分钱卖出；那些买到冰核儿的孩子马上把到手的冰核儿塞进嘴中，咂着舌头，非常满足；一天下来，除去成本和化掉的损失，任众居然能赚到六七毛钱！而为了把筐里的冰渣儿也都卖净，多挣几分钱，任众自己从来舍不得吃冰核儿，不管天气多热，他都忍着。

冰核儿只能在天气最热的那一阵子卖，终究不是个正经营生。父亲把任众也送到了一家铁工厂去学徒，每天拉风匣，任众干得很卖力，可是掌柜的嫌任众太小，不能派更大的用场，没多久便把他辞退了。在百般无奈的情况下，还是王婶想出了一个办法，她把任众带到了东直门外四爷府 1 号的鲍斯高慈幼院，跟人家说任众是个孤儿，恳求慈幼院收养；因为她是个教徒，而且认得那里头的人，所以，慈幼院就收留了任众。那一年任众 13 岁。

▶北京是个湖城。其内城从西北往南，有一系列互相勾连的湖泊：积水潭、什刹海后海、什刹海前海、北海、宁海、南海。在什刹海前、后海之间，有一座银锭桥。银锭桥前后左右，至今是北京城区最富胡同文化韵味的一片空间。笔者和任众都曾长期在京城这片空间中生存，对之感情尤深。

▶什刹海地区北官房胡同的一个典型的老四合院大门。任众小时曾在此院住过，并曾在夏日从这个大门推着小轱辘车出来，去窖出窖藏冰块，沿着周围胡同叫卖"冰核儿"。当年胡同里各种小贩的叫卖声，如今已在太空中飘逝了多远？

慈幼院的生活勉可温饱，但每天要在教士监督下干很重的体力活——当时慈幼院正在盖房，孤儿们被驱使着和泥、搬砖、运木料；当然，既然是天主教的机构，除了早晚跪诵经文，有时也给他们上课，内容有关于《圣经》的灌输，也有绘画和音乐课；任众六七岁时已在教会小学受到过宗教熏陶，这时他的心性更趋成熟，因此，这一时期他所接受的天主教影响，便深深地浸润到他的灵魂之中，比如天主教的《十诫》，他始终信守不移，他说，在历次政治运动中，他之所以无论面临多么大的压力，绝不按政治指挥棒"检举揭发"别人，就是他牢记《十诫》中"无妄证"（不作伪证）这一条的结果。任众最喜欢做的事一是抄写五线谱，再就是画圣母像，他曾经精心画出了一幅"路德圣母像"，把自己所渴求的人间关爱，都竭力地体现在了那画中圣母的一双眼睛里了，以至

▶任众回忆当年卖"冰核儿"的漫画。

慈幼院的葡萄牙籍院长陈基慈看到以后,大为赞赏,抚着他的头说:"小孩,你很有天才,以后我要把你送到澳门去学习!"那好像也并不是一句虚夸的赞词,因为确实有过那样的例子;倘若任众后来真的被选送到澳门去学习宗教绘画,那他现在该又是另一种存在了;在短短几年里,任众的命运走向就既可能是成为一个"革命老干部",又可能是成为一个天主教绘画师,大时代中小生命的浮游,是多么诡谲多变啊!

但是任众还是只能成为现在的这个任众。人的一生中,似乎每转换一段时空,总会遇到一两个恩人,也总会遇上一两个"克星";在慈幼院里,有个叫顺天的中国教士,他负责监督孤儿们劳动与学习,这是一个从未露出过笑容的人,对孤儿们非常狠毒,而且对任众似乎尤其怀恨在心;有一天,孤儿们被安排在简陋的席棚里上自习课，顺天在搭出的高台上监课，坐在任众前几排的一个孩子，扭回头来跟任众打手势，表示他要借一根针，任众便给自己的针穿上一根线，朝前抛了过去，那根针恰巧落在了借针的小朋友的光头上，并且立在了那里，周围的同学们见状，哄笑起来；这本来算不得多大的一桩事，可是，没等任众定住神，顺天突然从台上冲了下来，像饿鹰扑小鸡般地揪住任众耳朵，把他生拉到了台上，然后便往他脑袋上倾泄了一顿"猴儿钉"（即用中指的弯曲骨节猛力敲打，又称"栗凿"），任众先是哭喊着解释、哀求，后来实在难以忍受，便挣蹦起来，结果掀翻了顺天在台上的那张书桌，跌碎了墨水瓶，这就

▶ 任众在王府井天主教堂圣约瑟雕像下，回忆童年时代在鲍斯高慈幼院悲欣杂糅的生活。

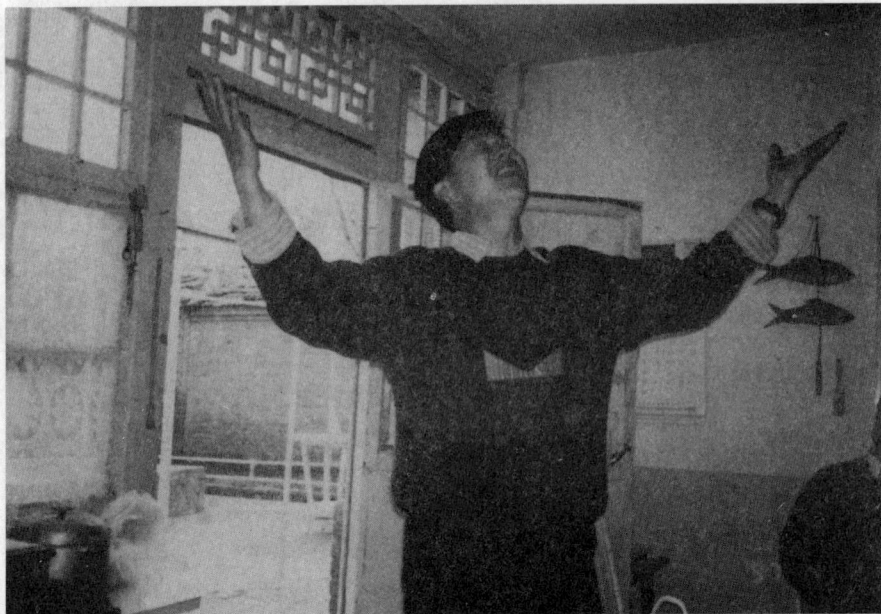

▶任众极其投入地演唱托赛利悲怆小夜曲："往日的爱情已经永远消逝／幸福的回忆像梦一样留在我心里／但是幸福不长久，欢乐变成忧愁……在我心里，只有痛苦／我独自悲伤叹息／时光白白流过……"善于从悲怆的宣泄中化解焦虑，归于平静，养出欣悦，也是一种生存智慧和心理自疗的技巧。

更挨了顺天一顿拳打脚踢，最后顺天把他揪到了院长办公室里，向院长报告他的劣迹，建议将他开除；院长陈基慈却并没有责备任众，还从长袍里掏出一个铜制的十字架来，递到任众手里，安慰他说："孩子，去吧，上帝会给你信心！"为什么洋神甫倒比中国教士仁慈，为什么那中国教士取名顺天却并不能顺应天意给他人以理解与同情，这问题令任众思考了许久。

多年以后的"文革"当中，任众在工地当小工，工地上有个开起重机的司机忽然唱起了一种古怪的歌，别的人以为那不过是干活累了乱哼哼，都没怎么在意，任众却听出了他唱的是什么，便走过去，跟那人和唱起来，那人着实吃了一惊；后来俩人交谈起来，互相问："你怎么会这个？"原来，那工人以前是音乐学院的学生，因为"犯错误"，才改行当工人的，早年音乐学院教学上"路线不对"，教过他巴哈作曲的宗教歌曲，他原以为那拉丁文的歌词在工地上绝不会有人听得懂，所以放肆地唱了出来，万没想到任众这么个小工竟也能唱！

是的，任众能唱，而且比那上过音乐学院的人会的还多，因为在鲍斯高慈幼院时，任众被选进过唱诗班，他的声音非常刚劲，又很甜美，曾在西什库大教堂里举行的瞻礼日弥撒上，当过唱诗班的领唱，又曾在辅仁大学礼堂里，领唱过江文也作曲的赞美歌；回忆起在唱诗班领唱赞美诗，管风琴与人声合唱形成浑厚的轰鸣，在教堂或礼堂的穹顶回旋不止的情景，任众至今仍很动情。

1948 年夏天，王婶收到一封从四爷府 1 号寄来的公函，称鲍斯高慈幼院因故不能再收留任众，让其领回；那时慈幼院的经费也确实越来越紧张，不得不遣散一些学童，但任众总觉得自己的被开除，还是顺天搞的手脚。其实任众的冒充孤儿早已被慈幼院看出，他母亲就几次去看望他，并给他送过东西；既被开除，也就不必再隐瞒，母亲去慈幼院领出了任众。离开慈幼院的那一天，当慈幼院的大门在他身后訇然关闭时，任众觉得，他的童年，也便在那一刻正式宣告结束。

童年记忆，是人生中的一笔不可低估的心灵财富。当下正在中国大陆度过童年的孩子们，不大可能会有任众那般既跌宕起伏，又充满玄机的童年了，就是笔者自己的童年，也没有任众童年那么富有戏剧性。并不是每一个童年生活复杂多变的个体生命都能懂得回忆的重要性，有的人童年时期经历了不少值得一再回味的事，可在以后的生活历程中却不善"朝花夕拾"，从中汲取丰富内心世界的滋养；有的个体生命的童年生活平淡无奇，可是心灵的触觉十分敏感，在以后的生命进程中，常在清夜扪心回味，便能在"复映"出的细小往事里，有所憬悟，有所惊警。

若说个体生命犹如"离离原上草"，那未必是"一岁一枯荣"，其枯荣的周期与频率可能很短很快，也可能很长很慢。但"野火烧不尽，春风吹又生"确实是颠扑不破的客观规律。人生如草真艰难，风刀霜剑严相逼，阳谋阴谋多陷阱，一旦枯萎实难绿；但无论人生有多么艰难，一定要咬紧牙关，坚决挺住，迎候春风，抓住机遇，使遭灾枯萎的生命，在奋斗中重现盎然绿意！

## 当飞机升空的一瞬

1985年3月10日，北京天竺国际机场，飞往日本东京的航班在跑道上滑行，速度逐渐加快，终于，飞机腾空而起，就在飞机升空的那一瞬间，任众心里腾旋出一个浓酽的念头：啊，确确实实，给我平反了！

任众在房山造林大队劳动时，有一段时间住在山上的庄公院里。那是一座废弃的道观，秋天，碧空如洗，满山红叶，在艰苦劳动之余，站在山坡上的屋檐下，瞭望山下农田村落，一时倒也心旷神怡；忽然，他听见耳旁有小鸟的啁啾，扭头寻声查看，原来是从屋檐下的一个圆孔里传出来的，那原是装烟筒的孔道；正凝望间，一只小鸟倏地从孔中飞出，翅毛闪出华丽的金色，令他眼睛一亮；正好屋墙下有块白灰，任众便捡起来，踮起脚，顺手在那小孔下面写了"自由之窦"四个字。这一时兴起、随手写下的四个字，在当晚便遭到大会批判，指斥他是对划为"右派"不满，抗拒改造。当时任众很觉委屈，那不过是应景寻趣罢了，哪有什么深意！但是，当二十多年后，他在飞往日本的飞机上，从舷窗望出去，看到那朵朵白云在飞机下后掠时，忆起当年这桩公案，他承认，在庄公院书写"自由之窦"四个字时，潜意识里，恐怕确实是涌动着一种反抗与向往。

任众这回出国，和许许多多中国人一样，都是因为中国大陆实行了改革开

▶飞机即将升空。生命的尊严和才能的价值有时的确需要类似飞机升空那样的确证。

放政策，他们那个单位，成立了复印机维修站，任众是经理；当时外国投资者在中国设公司，都带来了复印机，一般都是日本货，可是日本复印机还没有大量销到中国，出了毛病也就没有原公司的维修服务，这样一来，任众他们的维修站便显得很重要了，而日本生产复印机的厂家，也觉得大可把他们这个维修站作为一个从提供零配件到推销整机的合作者，故尔邀请他们组团赴日考察。

在宣布任众担任维修站经理的会场上，坐在他身边的人都朝他投去意味深长的目光，有的表示祝贺，有的略露惊讶，有的透着不服，但那前提都是——任众可是一个……啊——任众深知，二十多年前的那场政治运动，给人们留下的印象实在是太深了，有的同事那时还是孩子，因为从小从父母那里听到过有关的叙事，也会对"右派"两个字产生出鄙夷、疏离的情绪；1962 年，组织上曾宣布过给任众"摘帽"，从发放 18 元生活费，变为有了 31 元工资，但政治上的歧视并未消失，被称为"摘帽右派"，到"文革"当中，那就又归到"五敌"里面去了；1979 年，根据中央 55 号文件精神，任众向原系统提出申诉，得到改正，

▶ 在北京房山县周口店地区娄子水村，当年所在的造林大队宿舍旧址前，任众不是想反刍往日的苦难，而是力图细细品味生命突围取胜的那一份自豪与自信。

绝大多数人对任众及其他"右派"的改正，都抱着善意的态度，但改正后再加以"重用"，这却出乎一些人的想象……坐在任众前面的一位老兄，扭回头来，双眼里的神色尤为暧昧，任众忍不住大声说："我早该当经理了！"其实，那只不过是该单位下属的一个科级维修站的经理罢了，任众觉得，就是当个级别更高的经理，自己也一样能胜任……

任众申诉、要求改正时，还在北京民用电器工业公司当油漆工。一位对这类事务负有直接责任的人事干部，在中央55号文件已然下达之后，还对他冷冷地说："你改正不了，你不够条件！"这或许还可以解释为其人思想僵化吧，可是，随之发生的事，却骇人听闻：公安部门送达关于给任众改正的通知后，他不仅没有将其让任众本人过目，而且，居然在一次任众本人根本不在场的会议上，交给一位领导，草草宣读，便算履行完了职责，这恐怕就不仅是对任众个人政治权益的极端蔑视，而带有抵制改革新政的意味了！

那一天，当会场上宣读那份改正决定时，任众正在白兰洗衣机厂的一处屋顶上铺油毡，他全然不知道。下班后他听说了，肺几乎气炸，宣布给他改正的通知，怎么可以不请他本人到场呢？一夜难眠，第二天一上班，他就直奔干部们的办公室，对领导，以及在场的其他人说："我等这一天等了二十年了！你们怎么可以这样做？！……"宣读那改正决定的领导承认自己当时官僚主义，没注意任众当时在不在场，直给他道歉；当然，也就不免问那人事干部，怎么没通知任众到会呢？人事干部诡称派人去通知了他，但这事无论如何说不通，他没到场，便应再设法通知，退一万步说，就算真派人没通知到，也还可以暂不宣读，待再开会时，任众确实在场，那时宣读也未为晚；这样草草宣读，显然是故意捣鬼！屋里的人听到任众的愤怒控诉，都把眼光集中到那瘦脸的人事干部身上，那家伙不吱声，但毫无致歉之意，任众一跺脚，指着那家伙，平生头一回当众大声骂人："你真他妈不是人操的！"任众至今恨他，他说，他永远不能原谅这个人！

带着满腔的爱恨情仇，任众在飞机上百感交集。

笔者曾与任众讨论：人际之间的这些个情感纠葛，其深层的底蕴，究竟是些什么？是否都可以用阶级立场或路线是非来解释？我们都认为，政治性社会性的因素，当然是重要的，而且往往会是许多纠葛的外在形态，但一般来说，在那外在形态深处，有更关键的人性因素。比如说，在"反右"运动中，有的被批判者听了许许多多"重炮猛轰"似的发言，其中有的发言"上纲上线"很高，当时听了很受刺激，但事过境迁，获得改正以后，却都不再斤斤计较，因为那时候的政治符码系统就是那样嘛，几乎所有的"右派"挨批，照例少不了那一套话语，现在那套符码既然不再吃香，何必再坠在心上！但是，对个别人的发言，比如揭发了自己的一项隐私——在宿舍书桌抽屉里，暗藏了一张好莱坞电影明星的大照片——这在当时主持批判会的人来说，甚至会认为是一种避重就轻的"假揭发、真包庇"，揭发者也很可能确实是绞尽脑汁，意在绕过政治问题，找点"生活琐事"来应付一下；谁知偏是这条揭发"叫座"。多年以后，人们已经不记得你是为什么被打成"右派"的了，可还牢牢地记得，你曾在宿舍抽屉里，秘藏过一张好莱坞明星的大照片！当你的"右派"问题被改正以后，人们

▶ "会当凌绝顶，一览众山小"么？1972年，"劳动改造"中的任众在上方山顶并无俯览众山的心情，他凝视着如海的蓝天，幻想自己有一天能"乘桴浮于海"，开创出一个人生的新局面。

不会再跟你提起任何当年批判你的政治话题，可是，却很可能仍肆无忌惮地拿那张好莱坞电影明星的照片跟你开玩笑，因为他们觉得那反正并不是一个政治问题！这样，那位揭发你这项隐私的人，便会令你格外生恨，你对别的当年批判你的人都能原谅，却很难原谅他了！

任众说，倘若是有人揭发了他的隐私，他或许到头来还能原谅；那位人事干部令他生恨，并不是因为这个，甚至于，他认为那位人事干部在给他落实政策的问题上，也还不仅仅是观念上极左，而是在人性的深处，嫉妒他任众的才能，以及看出他任众具有一种潜在的发展可能，所以才那样伤害他，以挫他任众的锐气；任众叹息说，天底下许多有才能的人，看起来是被政治运动毁掉的——那当然也确是悲剧的关键触因——究其实，一些心胸狭隘、灵魂阴暗的家伙，

▶13 年后，任众果然大踏步于海外异邦街头。他不是"乘桴"，而是乘飞机越过海洋，抵达东瀛的。人生如戏幕幕新，只不过有的幕次较冗长罢了。不到剧终莫退场，幕开幕落任由之！

▶1985 年，在日本访问的任众正打着夸张的手势。人在上坡路，心欢意畅体态丰么？

专会借政治运动打击有才能的人，才是最令人愤懑的事！

任众引出的问题，令我的思索变得沉重起来。政治局面终会改变，路线政策更是随时可能调整，个体生命适应起来，有难度，却毕竟还不到"难于上青天"的地步；可是，人性呢？个体生命不仅要面对他人那人性的阴鸷，也要面对自身人性的弱点，而人性的改变，是可能的吗？容易的吗？……

笔者和任众在讨论中得到共识：唯有进一步提升人性中的善美，才能使我们置身的这个世界变得更加光明。并且，应当"从我做起"……

任众告诉我，他在飞往东京的航班上，把许多往事都反刍了一遍。他坦陈心中有恨，但充盈于胸际的，主要还是爱，并且，他所说的爱，还并非单指情爱、友爱，他说，处于核心位置的，是人间之爱……我说，对，这才是最重要的情愫，也正是我一贯所宣称的，"我爱每一片绿叶"；这种人间之爱，其实也便是善，我们自己应当扬升自己内心的善，也企盼世界和人类能不断地增添善……

1968 年，"文革"最混乱的期间，任众大妹妹的一个同学从连云港给任众

▶ 观人需从面面观。1985 年，在日本访问的任众却又有如此深沉的表情体态，是居安思危，还是筹划"新政"？

▶ 1985 年访日期间，任众一行访问了理光公司总部，接待者当场为他们演示了通过摄像机、电脑和喷墨打印机的联合功能，瞬时将现场人像呈现于公司广告中的技术。任众等当时叹为观止。如今这样的技术已然普及并几乎是逐月地更新换代。人类文明进入了高科技蓬勃发展的新阶段。中华腾飞，有待掌握高科技的新一代公民努力！

来信，说她有一个同学叫李学沛，病得不轻，想到北京看病，希望他能尽可能帮助一下；任众大妹妹住在呼和浩特，这位同学在大妹妹来京探亲时，在任众家见过任众。如此而已；一定是那位姓李的在北京实在找不到别的关系，所以才求任众大妹妹的这个同学给他帮忙；任众见信，马上回复，让李学沛来京；李来时，任众到火车站接他，径直把他接到花枝胡同家里；当时任众经历过一次失败的婚姻，自己没有单独的住处，在花枝胡同父母家里，跟弟弟和小妹妹一起生活，屋子很挤，他就在大立柜后面架了块铺板睡；客人来了，他把那个床位让给了客人，自己在门边另支了块铺板睡；第二天，他便请假带李学沛去医院检查；他满心所想的，都是如何帮助这位远方的客人治病，没想到，父亲对他的所作所为，很不满意，一是他事先没有跟父亲很仔细地商量，二是——这更重要——父亲觉得世道大乱，到处狠抓阶级斗争，动辄把人揪出来当反革命，怎么可以把这么一个拐着弯儿介绍来的陌生人，随便接来留在家里住呢？街道上的"革命积极分子"倘若来盘查，麻烦大了！……李学沛经初步检查，确定是身上长了癌，任众父亲当时只知道癌是大症候，并不懂得癌症一般是并无传染性的，以为那病会传染给家里人，更加生气、着急，于是，有一天，当客人自己去医院，还没回来时，父亲就给任众下了命令，让他第二天一定要把客人送走，任众不干，父子冲突起来，任众激动中指责父亲："您太不尽情理了！太混了！"这是他们父子从未有过的激烈冲突，当年任众被打成"右派"，连弟弟都说过令他寒心的话，父亲可是一直是蔼然地劝慰他："孩子，没有过不去的火焰山！车到山前必有路啊！"……现在，为了一个本来并不认识的人，父子却红脸急眼了！……父亲一气之下，退进里屋，倒在床上，不吃不喝，绝食了！家里乱成一团……客人从医院回来，任众陪他吃完饭，把他安排到附近一家小旅馆里，给他预付了三天的房钱，告诉他会每天下班后都来看他，并会尽量帮助他解决困难；然后，他怀着复杂的心情折回家里……父亲仍然卧在床上，闭着双眼，全家人——包括住在院中别屋的哥嫂，都围在床边，劝父亲起来吃饭，父亲一动不动；任众紧靠床前，激动中跪了下去，对父亲说："爸爸，客人我已经安排到旅馆了……我不该跟您冲撞，尤其不该说那个话……我恳求您原谅我……"父亲这才睁开眼，坐了起来，见任众跪在床前，满脸泪痕，也不禁流泪，对他说："我知道你是好心……可是，孩子啊，咱们家遭难实在是不老少了啊……再招惹上什么，实在担待不起了啊……孩子，我原谅你，你起来吧！……"父亲承认了任众的好心，任众也理解了父亲担惊受怕的心情，父子拥抱在了一起，旁边的母亲、哥嫂、弟弟和妹妹，也都哭了……

行善不易，乱世里行善，尤其不易啊，可是，在这个世界上，什么是最值得我们眷念的呢？政治地位？金钱名声？良辰美景？琼浆佳肴？……

任众和笔者达成了共识：善是人性中的光明，也是世界得以被照亮的根源。善给个体生命注入意义，产生信心，也是人际关系中的润滑剂、营养品和心灵桥梁，人在大难中不死，自己善待自己和他人宝贵的善意，往往是关键中的关键……

1970 年秋天，任众的哥哥也遭了难。按说他是一个最本分最不起眼的生命

▶1984 年，任众摄于泰山中天门。八位民工正抬着沉重的条石向上攀登。为什么要在登山游览中拍摄若干这类的镜头？任众说当时并未深想，仿佛自然而然地，镜头就对准了他们；但现在细想，恐怕还是因为，自己人生途程中负重而行的艰辛苦涩，与这些泰山民工们粗夯吃力的工作中的人生况味，有其相通之处吧！愿有更多的照相机镜头，特别是文化人的心灵取景框，能频频对准民间疾苦、底层百相！

存在，从小到铁工厂当学徒，以后一直当普通工人，除了认真干活，从不多言多语，跟谁都不闹矛盾，历次政治运动中，嘴更严，行动更谨小慎微，包括任众被划"右派"这事，即使在家里，他也从来没有过任何表示，既没像父亲那样安慰过任众，也没像弟弟那样埋怨过任众，他真是一个绝对不谈政治的人，所以"文革"前期，也确实没他什么事儿，谁知运动忽然又发展到了"深挖'五一六兵团'"的阶段，他所在的那个工厂，呼啦啦"挖"出了一大堆"五一六分子"，每一个被"挖"出来的，又都被逼着揭发另外的"隐藏得更深的'五一六分子'"，这样"挖"来"挖"去，竟把任众哥哥也"挖"了出来，他被隔离审查，不许回家，每天逼着他交代问题，让他供出"上线"和"下线"，不交代，便挨打；他实在是交代不出来，甚至于连究竟什么是"五一六兵团"也懵懵然（后来证实，根本不存在这么一个组织）；有的人被冤屈地"挖"了出来，又被逼迫，知道对抗也没有用，便干脆胡诌乱咬，心理上倒也松弛了下来——反正将来不会算

▶70年代迄今，许多中国人拍照时喜欢以餐桌上丰盛的菜肴来夺人眼目。这张摄于1996年的任众夫妇婚宴照，构图上亦难脱其俗。这是因为40年前我们曾有过普遍的饥饿回忆，还是因为我们属于一个食文化特别发达的民族的后裔？

数的；任众哥哥却不能如此变通，他万念俱灰，不想活了；一天夜晚，趁看守不严，他从工厂后身的铁丝网下爬了出来，本想回花枝胡同，见见爹娘、老婆和孩子，然后再跳到什刹海里，可是他所在的工厂在北京城南的永定门外，花枝胡同在北城德胜门附近，离得太远，步行到一半路程，已然是深夜了，难道深更半夜跑回花枝胡同去惊扰一群亲人吗？……他犹豫了；这时，他才想起了任众，当时任众搬出了花枝胡同，在棉花胡同一个小杂院里的一间八平米的小屋安身；说实在的，对任众这个弟弟，他一直很不理解，两人长期缺乏交流……但在这人生的暗夜中，既然不忍去花枝胡同，也只好去棉花胡同了！他拖着疲惫的脚步，走到了棉花胡同，任众他们那个小院大门虚掩着，他轻轻推门进去，任众那小屋已熄灯了，他在门边犹豫了片刻，终于鼓起勇气，敲了敲门……门"呀"的一声开了……

对于任氏兄弟来说，这是令他们双方都永难忘怀的一夜。哥哥向任众倾诉

▶重返宣化龙烟铁矿烟筒山。废弃的机械修造厂豁开嘴巴在呼唤着什么？人们啊我们该做的正经事实在还很多、很多！

▶三兄弟：大哥任群（中）、任众（左）和小弟任会。"劫波渡平兄弟在，相逢一笑泯恩仇"？不，他们之间何曾真有过怨仇！血浓于水，情酽过酒。今后的城市独生子女们，将不再懂得什么叫做"手足情深"。

了自己的冤屈，吐露了轻生之意；任众对哥哥说：我们都不懂政治，什么"文革"，什么"五一六兵团"，不去管它，我们清清白白的一个人，从未做过任何伤天害理的事，问心无愧；我们都是工人，用我们的双手，创造了多少财富；我们这样的善良人，有生存的权利，这是任何人不可剥夺的；除非把我们拉去枪毙，只要还有活下去的可能，我们就要保持住我们为人的一份尊严，坚强地挺住；不，不能死！不能自杀！……任众还对哥哥说，他相信，善有善报，是个规律；会有一些例外吗？比如遇罗克，死得真惨，但到头来，也会有那么一天，这世界，这人间，给他还回一个公道！规律如铁，只不过有时体现得慢一点罢了……哥哥听了任众一席话，去掉了死念，眼里涌出了热泪；他在那个黑沉沉的夜晚，才意识到任众这个弟弟原来是块真金，也才意识到，只有至亲骨肉，才可能在人生的关键时刻，相濡以沫，携手共渡难关……任众对哥哥说，你不但不能死，也没必要逃，你要回去，心安理得地坚持你的善良，挺住，直到还你一个清白！……

那天午夜过后，任众蹬着自行车，驮着哥哥，从北城送他回到南城外的工厂大门前，哥哥下了车，犹豫起来；任众对他说，你不要再绕到后面，爬那个铁丝网，你就从这正门进去，万一那些看守你的家伙发现了你，你就说实在憋闷，出去遛了个弯儿……他们能把你怎么样？倘若是爬铁丝网时被抓住，那可就说不清了！……哥哥在他鼓励下，走拢工厂的大门，那铁栅栏门并没有锁，只是从里面插上了插销；哥哥从栅栏空隙伸进手，拔开了插销，打开门，进去，再把插销插上，回过头，望望任众，便消失在黑暗中了……任众当时每天上班的建筑工地，也在永定门外，可是他还是骑自行车返回了北城棉花胡同，在自己那小屋里，他并不能入睡，躺在床上心潮起伏，这是什么样的日子啊！……没有多久，天光泻进窗缝，任众起来简单盥洗了一下，再骑车原路折回，去工地上班……

笔者和任众讨论：能一味地善吗？人家打你右脸，真把左脸转过去，让人家接着打？任众说，不能一概而论，如果是自己伤害了人家，哪怕是无意地伤害，人家对你施行一点报复，那恐怕应该承受；但是，自己并没有伤害人家，甚至于还以善意相待，可是那人却恶意地对待自己，伤害到自己心灵中最敏感的部

位，那就只能以恶报恶！笔者追问：心灵最敏感的部位装着些什么呢？他毫不
犹豫地说——是自尊！1979年改正他的"右派"问题时，那个人事干部所伤
到他的，正是个体生命的那一份尊严。虽然经他抗议，后来在一次他本人在场
的大会上，部门领导重新宣读了市公安局给他改正的那份文件，可是，那个人
事干部依然一副"你的问题改正不了"的冷酷面孔；以后进一步给任众落实政
策，他离开建筑部门，成为一名技术干部，那里的人事部门清理他档案，才发
现他被打成"右派"的"黑材料"还在里头搁着，并未遵照中央指示撤除销毁！
该撤除的不撤除，该放入的却又不放入——1978年，任众作为油漆工，被群众
评为厂级和公司一级的"质量标兵"，公司领导在大会上宣布，这份材料要放
入个人档案；那时刚刚进入改革开放时期，任众历史上的"右派"问题还没有
得到改正，因此他把这件事看成恢复个人名誉的一桩大事，并且也是对他技术
与人缘的一大肯定，是自尊心的一大满足；放入这份材料本是那位人事干部的
工作职责，做起来也不过是举手之劳，可他就是不放！任众问我：对这号家伙，

▶ 人们往往乐于揄扬母爱而忽略父爱。任众在"文革"中婚姻失败，一身兼任父母二职，把大儿子拉扯成人。
请注意照片中父亲的双手如何搂扶着儿子的腰。

难道应该原谅吗？他说：我恨他一辈子！我说，人性中的情愫本来就不单一，爱与恨，是最基本的两种，人应当有爱，也应当有恨，只要恨得恰当，就完全可以恨下去，尤其是私人之恨，恨那严重伤害了自己的人，并在不越出法律之矩、不牵连他人的前提下，对之以牙还牙、以眼还眼，是正常的人性体现，完全可以理直气壮、坚持到底；当然，也可以在某种情况下，把恨转换为原谅、怜悯，不过轻易不必如此；从某种意义上说，合理的恨，也是激活生命力的重要因素；比如，笔者就恨一个诬陷笔者"企图叛逃"的"叭儿狗"，虽然这诬陷未能奏效，丝毫未能影响笔者多次出国访问，但其对笔者的心灵伤害，是难以言喻的，因而是不可原谅的，笔者决心要在法律所允许的范围内，令其付出代价！任众听了以后，叹息说，我们都是心性正常的人啊！他告诉笔者，就在他调离那家公司前夕，那位伤害了他的人事干部有个三岁的独生子，从家里阳台上失足坠地，当场死亡，公司里不少人议论说，此人实在是阴损事做得太多，所以遭了"现世报"；任众平时是最心软的，看到小动物受伤都要怜惜，可是，当别人把那位人事干部幼子夭折的消息传布给他时，他竟蓦地产生出一种快意！冷静下来，反观自己的人性，也不禁骇然——人啊，人啊，你究竟是怎样的一种存在？……

除了爱恨，人性中还有许许多多复杂的东西。任众回忆起，1981年春天，他正在街上匆匆步行，忽然迎面有人大声唤他"任众哥"，驻足定睛一看，似曾相识，却一时想不起是谁……对方跑近前，主动自报家门，这才恍然大悟，是初恋对象温姑娘的弟弟啊！已然长大成人了！温小弟高兴地说："真巧，在这儿遇上了您！您简直一点也没变，还是那么年轻……前些天在姐姐家，我们还提起您呢，我们都猜，您那问题也肯定改正了……"这街头的邂逅，如石入水，在他心池中激起一片浪花；当时他没说更多的话，双方互问了近况，留下了电话号码，也就友好地分手了；但在那以后的好多天里，他心池中的波环总不能平息；他已第二次成家，温姑娘早已是有夫之妇……但人性深处的某些说不清道不明的因素，推动他还是通过温小弟，与温姑娘直接取得了联系，并约她在北海公园旧地重游……是一种窥探欲？是为了享受隐秘行为的快感？是为了展示甚至炫耀自己良好的现状？抑或是为了排泄自己旺盛的情欲？……那一天，他在北海公园东岸大船坞旁的古柳下，等待那激动人心的一刻到来。那约定的

▶1994 年，任众再婚。大儿子在婚礼上向父亲致意。请注意儿子的手臂如何搂定了父亲的肩膀。往昔天真无邪的面容转换成了饱知人事、备极感慨的表情。生命在成熟。那代间相衔的情感纽带，在与父亲脸颊的紧贴中，闪现出多么瑰丽的人性之美啊！

一刻果然如期而至，是她，离得还挺远，他就一眼看出来，正是她在朝自己走来……可是，他却忽然激动不起来了——来者那么眼熟，却又那么眼生；不是一个姑娘，而是一位妇人，近了，近了，是她，正是她本人，头发已然花白，腰身粗了许多，个子却又似乎缩了一截；她径直朝他走了过来，他迎上去，招呼她，跟她握手，她脸上浮着一个客气的微笑，眼角的鱼尾纹和鼻翼边的纹路都没有什么抖动；他问了她一些话，她也问了他一些话，双方都有问必答，却激不出什么火花……她说："这些年你真不容易。"他点头。他也对她说："你们也不容易。"她不置可否。她嫁给任众见过的那位对象后，生下一儿一女，过着北京普通市民的凡俗日子，年复一年，日复一日；她没有主动引出关于当年的回忆，他本想引出，话到嘴边竟倏地感到索然，也就没有出口……他们没有再去琼岛，没去再看那个仙人承露盘，甚至没去近在咫尺的濠濮涧——24 年前，他们俩人在那幽秘的处所，有过多少喁喁私语，多少心弦颤动啊……他们只在东岸柳树下走了走，她看看腕上的表，平静地说，该回家做饭了，于是他们平静地告别；当然，告别时他们互相祝愿，还互相嘱咐今后多联系，但分别以后，任众再没有跟她联系，她也再没跟任众联系。任众问我，是不是不该有这样一次人为的约见？人性究竟是怎么一回事儿？人性深处都涌动着些什么欲望？如何才能使这些混杂而多变的欲望得到满足？我说，弃绝追求，抑灭欲望，是违反人性的；但人性需要驾驭，欲望膨胀，追求过度，恐怕也会酿成个体生命的悲剧；于是我们不禁互相追问：如何驾驭？欲望的追求度应当定在一个什么标准上？……这讨论真是既玄妙又沉重，既有趣又苦涩！

……载着任众他们四人考察团的日本航空公司的航班平稳降落在东京成田机场，见到接机的日本公司的人，大家互换名片，日本人一看唯有任众的名片上印着经理头衔，其余三位的头衔都是副经理，便把任众认作一号贵宾；其实，那三位副经理的行政级别都在处级以上，任众只是一个科级经理，按中国官场的规矩，任众应当走在最后才是；但这回的出国考察，本是任众他们复印机修理站联系成的，业务上任众最熟，所以任众也便当仁不让，主动、积极地与日方对话。考察是成功的，也洽谈成一些合作项目，日方还请他们一行去了新建成不久的迪斯尼乐园。

按说，从日本回来以后，任众在那个公司应有更大的发展，可是，他却在不久以后，与那公司不欢而散。

改革开放以后，为人才的显露提供了比以往要好得多的社会人文环境。过去被埋没的人才，一般来说，可以从三个方面发展：一是从政，有的被冤屈迫害过的人士，原本就是共产党员，或有一定的领导职务，他们改正、平反以后，恢复了党籍，也恢复了一定的职务，有的更越做越大；有的原本不是党员，可是在改革开放的路线感召下，入了党，并凭借着能力与水平，获得了任用；这样，他们就从政治上，或者说是从行政领导的角度，切入了新的历史阶段的社会生活，发出他们的光和热；第二种发展模式，是成为技术骨干，成为一个行业或一个方面杰出的代表性人物，或在社会从计划经济向市场经济转型的过程中，勇于"下海"，成为有成就的企业家；第三种发展模式，则是利用社会民间空间的不断展拓，在民间空间里自由优游，表现为个人生存，个性舒张，自得其乐，自展其才。

任众"右派"问题获得改正时，45岁，正当盛年，发展的余地很大。一改正，

▶1985年任众一行访日时，邀方安排他们到迪斯尼乐园游玩。任众至今还记得在"大宇宙"这个游乐项目中所领受到的强刺激。迪斯尼乐园是一种典型的美国文化，与"麦当劳"快餐、牛仔装等一样，具有张扬欲望、冒险为乐、便捷随意等特点，与中国传统文化的克己复礼、静穆为美、精致繁缛等特点迥异。在20世纪末，中西文化的大碰撞已经波及到中国大陆城乡绝大多数的个体生命，虽反应不一，但想绝对置身于外，已几无可能。此照摄于日本迪斯尼乐园大门内。

他便恢复了所谓的干部待遇，组织上也一度拟为他安排行政职务，如果他积极要求入党，从仕途上发展，也是一条路子；老实说，改革开放的新政，也确实需要一大批与"以阶级斗争为纲"的老路线疏离的，富有实事求是精神和勃勃朝气的新干部；但任众对这样的发展前景了无兴趣，他选择了从技术上发挥才能的路数。一开始，因为他缺乏高学历，长期只是一个最基层的工人，所以不太敢把他当做技术干部任用。在安排工作的关键时刻，了解他的人为他说了话，举出若干例子，说明任众虽然学历不高，很长时间里也总是让他干最苦最累的体力活，但他掌握技术的能力很强，是个技术型的人才，并且具有组织技术性工作的能力。任众自己也坦言，论动手能力，他是强的，却并不是只会傻卖力气，他有巧思，能设计出巧招，确实算得上是个技术型的人才。他说，其实在普通的劳动群众当中，技术型人才是相当不少的，只是没有深造的机会，因此被局限在了狭隘的范围里，不得大展其才。任众举例说，他们在房山劳动时，开山碎石是最艰苦的活计；那些石头真好比钢铁疙瘩，他们用几十斤的大锤，抡圆胳臂玩命猛击，往往是火花迸起三尺高，人心都震麻了，石头还是不碎！后来，他留心观察当地山民怎么碎石，一个身板并不怎么强壮的老乡，用一个看上去毫不起眼的圆锤，那锤把在抡动时还颤颤悠悠的，却把坚硬的石头几锤击得粉碎。这是怎么一回事啊？他上前虚心求教，那老乡告诉他，碎石头，有个窍门："有面打面，没面打线，没面没线打边，打边掉渣，掉渣必又有面或有线，再打面或打线……这样再硬的石头，打起来也锤落开花！"再看老乡的锤，锤头像个驼鸟蛋，锤把是用山上很容易找到的"牛筋子木"做成的，"牛筋子木"是一种灌木，枝条非常柔软却又非常坚韧，那锤头上有个上宽下窄的孔，"牛筋子木"枝条上细下粗，把枝条顺着从那孔里穿进去，箍紧了，立时便可使用，而且，锤头和锤把会越箍越紧，根本不用像使普通大锤那样，随时还得注意锤头是否稳定；这样的锤子抡动起来，锤把弯成圆弧，叫做"悠锤"。后来任众他们学着制造、使用"悠锤"，效果极好。任众他们又曾在河边取河光石盖房，大家干活都很认真，可是那墙刚垒了一半，一阵风过，居然立马倒塌，这是怎么回事呢？村里的人家，不都用这河光石盖房么，怎么风过不塌呢？又去向老乡取经，老乡告诉他们，用河光石盖房，要"有样没样，撅嘴朝上"，只要掌握了这个要领，盖出的墙体就是遇上狂风暴雨，也轻易不会倒塌。听了这些叙述，我对任众说，你这基本上还是"实践出真知"的思路，但是如今世界已进入了高科技迅猛发展的时代，光有些个你说的那种低层次的经验性技术的人，恐怕还不能算作技术人才。任众同意。不过，任众强调说，以他的生活经验，学校教育、专业训练固然重要，可有没有灵气，能不能产生出巧思，也很重要，如果是两个受过同等教育的人拼比，那后面一条就上升为最重要的了！所谓人才，就是能在受教育的过程中，在投入实践的过程中，迸发出巧思妙想，有所发明、有所创造的个体生命。可惜的是，尘世中有很多很多的人才，被埋没，甚至被摧残、戕害了！或者是剥夺了他们受教育的权利，比如遇罗克，在"以阶级斗争为纲"

▶担任维修站经理的任众在办公。他在这个职务上只干了两年。他因追求完美无缺不得便拂袖而去。现在他把笔者随笔集中的一句话抄在了札记本上:"一定要追求美,但切不要追求完美!"不过,对于当时的拂袖而去,他至今无悔。

▶1985 年访日时,任众一行下榻东京赤坂总统饭店。在客房中穿着和服的任众,并没有陷入虚浮的自满之中;但他对嗣后所将遭遇的人性恶,仍缺乏足够的估计。所谓"人际关系",实质上是"人性关系"啊!

的极左路线下，不管他平时学习成绩多么优秀，高考答卷分数多高，甚至他本人在政治上也积极按那时的规范努力，说话、写文章都诚心诚意地进入那时框定的符码系统，但只因为他父母是"右派"，"出身不好"，便一次次地被排拒在大学门外，后来由于他敢于抗争，竟干脆被消灭掉了肉体！或者是大材小用，小材不用，让人才陷在人际网络里，消磨意志，耗散智慧，又或者是用其材而不惜其体，不给他们解决住房、医疗等基本待遇问题……改革开放以后，人才脱颖而出的几率大增，但被忽视、埋没的例子也还很多，原因复杂，不可一概而论，其中有用人体制的问题，有传统文化中消极因素对个性昂扬与创新意识的压抑……而更深层的，还是"遭遇人性恶"！

我问任众：你在那公司维修站干得挺好，听说你不但掌握了关于复印机的种种技术，也显示出了很强的组织能力，并且经济效益也与日俱增，出国访问后，业务上更有极大发展，可偏偏在那以后不久，你却忽然辞职不干了，究竟是怎么一回事儿？"遭遇人性恶"了么？他说，刚开始，觉得是遭遇了腐败，比如，公司一个头头，利用职权给他自己弄了六套住房，这已令人齿冷，没想到此人还把一个"有背景"的女士安排到维修站来，她工作吊儿郎当，上班时间吃零食，迟到早退，交代给她的事，不是拖拖拉拉，就是弄成一团糨糊，批评她，她不是嘻嘻哈哈，就是顶顶撞撞；任众希望维修站秩序井然，人尽其责，她那无所顾忌的做派，渐渐瓦解着正常的工作秩序，也折损着任众的威信；任众自称有个"看人只看小节不看大节"的原则，他所谓"小节"，指的是工作中的表现，尤其是那些体现着认真负责精神的细小行为，所谓"大节"，指的是"有来头"、"有背景"；他曾当众宣布："就是总经理的儿子，来我这儿也得遵守纪律，不能例外！"由于坚持这个"原则"，他与公司头头终于正面冲突，被变相地停职检查。任众在停职中左思右想，联系几年来种种事情，悟出来，他所面对的，其实是对他才能的嫉妒，是那人对公司下属普遍的苛酷，是贪婪，以及因害怕别人揭发而产生出的多疑，还有对上的谄媚心，对下的施虐欲，等等，总之一句话——遭遇到了人性恶，而且有点集大成的味道！……就这样，任众毅然离开了那家公司，离开了白手打出天下的维修站。后来，那个头头贪污公款的罪行东窗事发，老婆跳楼自杀，本人被判12年徒刑，想方设法保外就医，终究还是在公司大多数职工的唾骂中死去。任众此后，也就不再往技术管理干部的路子上去谋求才能的施展，他一度"下海"，试图挖掘出自己在开创实业方面的潜能；曾襄助毕业于中央美术学院的孙新川，设计开发了一种专利名称为"开片石雕"的特殊工艺品……但他的"下海"遨游，并未取得经济上的成功，到最后，经营一家装饰板厂时，甚至还弄得几乎破产。"下海"的失败，也归结为"遭遇人性恶"么？任众说，当然不尽是这个问题，但关键确实也还是这个问题。笔者便问：人性恶是普遍存在的，谁做事情都不免要遭遇，为什么人家遭遇了能够克服、战胜或超越，你就不能呢？该不该反躬自问一下，自己有什么问题呢？特别是自己的人性里，有没有恶？任众想了想说，自己人性里，有恶，比如虚荣心、报复心什么的，但自己出任技术领导和"下海"的失败，基本上的事态，确实

▶ 毕业于中央美术学院的孙氏兄弟。哥哥孙新周（左）毕业于雕塑系，弟弟孙新川毕业于油画系。孙新周发明了开片石雕的工艺并获得了专利，孙新川将其投入批量生产，任众一度帮助他们推销。孙新川后到阿联酋谋求发展，画了一系列受到当地人们欢迎赞赏的巨幅水彩画，例如我们在这里看到的该国七酋长驭马像，居中者为现国王扎依德；这幅水彩画曾广泛刊登于该国报纸，好评如潮。中国美术人才到国外谋求发展的数量相当不少。

是自己人性中美好的一面，遭遇了他人的恶；有的人能克服、战胜、超越所遭遇的人性恶，自己不能，说明自己在人生舞台上，不适宜扮演这些角色，所以他后来赶紧转型。任众说，他的壮年期还是没有虚度，他要感谢改革开放的新时期，这一时期里他的奋斗虽然未能获得名利，甚至也可以说是充满了坎坷，但无论外在的状态还是内心的感受，都不像被打成"右派"那二十年，更不像童年时代，那般狼狈，那般痛苦；他说，1985年在天竺机场，飞机升空那一瞬的美好感觉，始终储留在了他的心中，作为一个生命个体，他的基本价值的被肯定、被尊重，是这个时代所赋予的，是亿万同胞的合力所形成的改革开放的总走向所决定的；而且，进入90年代以后，他终于找到了自己在社会生活中最恰当的位置，那就是在越来越开阔的民间空间里，自由生存，舒展个性，广结善缘，寻求真美。

也正是因为，90年代后，笔者在文学界里边缘化了，自觉地到民间空间里寻芳觅胜，所以才得与任众结识。其实，任众早在1959年，沉沦于穷乡僻壤时，

▶ 从山顶跳入大海……
　 任众自绘

▶ 与熊为盟，在欢悦时拥风起舞……
　 任众自绘

▶仰望苍天

就偷偷在札记本里写下过这样的诗句：

> ……夕阳西下
> 晚霞和蓝天把远处的山巅托出
> 那突起的山头
> 像是一个高大的跳水台
>
> 我幻想山的那边
> 就是壮阔的海洋
> 我爬上山顶
>
> 从山头跳入大海
> 即使不能在自由中生存

就让我在向往自由中死去

……

这样的诗句当然体现出他那时对政治上被打为"右派"、监督劳动处境的极度不满，但其中也有他天性的自然流露。另一首就更加明显：

……

我愿成为一个野人

在丛林 在山丘 在海边

……

我愿与熊为盟在欢悦时拥风起舞……写满这类诗句的札记本，1966 年"文革"爆发后，他把它烧掉了。许多那时写下的诗都不复记忆，偏偏这两首刻在了心上，还能复诵。这或许是一种宿命，人性的宿命。到头来，最适合他这一个体生命的存在方式，是怀抱幻想，成为野人，与熊为盟，拥风起舞。

## 开满半枝莲的小院

　　公元前 227 年，出现过一件惊天动地的大事，两千多年过去，这件事成为了文学艺术，特别是影视创作中的热门题材，那就是当时燕国的太子丹，指使游侠荆轲刺杀秦王，结果功亏一篑，荆轲反被诛杀，燕国在翌年为秦所破，仓皇迁都，太子丹旋被秦王迫燕杀死。燕太子丹虽是个失败的贵族，荆轲亦无非是个甘为知己者而死的侠客，但经司马迁的妙笔渲染，这一段史实却格外令人难忘，尤其是荆轲受命临行前舞剑吟唱的"风萧萧兮易水寒,壮士一去兮不复还"的豪语，至今脍炙人口，流传久远。

　　在北京昌平县，距天安门约二十公里的东北方位，有一个村庄，叫燕丹。这该是两千多年前太子丹的封地吧？可是，现在这个燕丹村，距易水遥遥远远，即使向村里最老的村民打探，也问不出丝毫与燕太子丹相关的野史传说；而且，如今在这个位于平原上的，聚居着五百多户人家的大村里外转悠，你所能看到的，除了一望无际的麦田，还有规模不小的乡镇企业，其中一家中外合资的饮料公司，厂房外观相当洋气；村北还开发出一大片商品房，连带着出现了一条商业街；甚至于，还出现了一座营业性的游泳池……这样的村景，就是在秋风与冬雪中，也不至于引发出悲怆凄凉的联想。两千多年前燕太子丹及其刺客荆轲的爱恨荣辱，实在离现代人的情感世界太远太远。

现在居住在燕丹的，不仅有世代延续下来的农民户，还有若干90年代择居此处的原城区居民，其中有的在村北购买了居民楼式商品房，有的，则在村里购下了农民院——这说明，村里有的农民户或者已经大大减员，或者已然搬迁到城区，成为城区的新市民；这种城乡居民的双向流动，是20世纪末中国大陆的新景观之一。

村子大，村里的道路也就有街有巷，其间分布着些小店铺，显得人气很旺。

那是头年开春，在一条小巷外，围着一群人，议论纷纷；他们都低头在观看什么；一个骑在自行车上，只把一只脚尖支在地上，随时准备蹬车离开的壮汉，正对围观的人们高声解释着什么；人群的眼光，都集中在一只小狗身上，那只小狗卧在春雨过后还没晒干的泥浆中，哆哆嗦嗦；人们在问那壮汉，为什么把这狗扔出家门？壮汉说那狗实在讨厌，老在屋里撒尿，屡教不改，怎么打它骂

▶尽管无法考据燕丹这个地名与两千多年前燕国太子丹的确切关联，我们听到见到这个地名时，总还是难免想起太子丹，想起荆轲、高渐离……并且不由得随之吟出这一类的诗句："十年磨一剑，霜刃未曾试；今日把示君，谁有不平事？"笔者曾问任众："促使你在此地人居的因素中，有没有地名对心灵触动的因素？"他笑而不答。图为任众在燕丹自家小院门前。如今遇有不平事，问君心剑欲拔乎？

它，也不中用，干脆，扔出来不要了，谁愿意要，谁捡走了事！说着，又骂那狗："畜生！我揍死你！"那狗听见骂声，像触了电，全身猛地一耸，马上缩成一团，好像它知道，随着便会有一只大脚踢过来……仔细看那小狗，两个眼球已经凸脱出来，额毛长期没人梳理剪短，反卷的毛发刺向眼球，眼眶边积存着厚厚的眵目糊，整个眼球已无透明感，仿佛是两丸乌黑的鹅卵石，唉，已经是只瞎狗了啊！一位老大娘说："怎么说，这也是条小命儿呀！咋能这么样糟践它啊！"那壮汉撇撇嘴，扭过头，准备蹬车离开，这时，人群中有个人挤到前面，叫住那壮汉，跟他说："您别走，我跟您商量一下；这小狗，我先抱回去养着，先给它洗澡、治眼；我还能训练它，跟院里排水道尿尿；等调养好了，我再给您送回去。怎么样？"那壮汉愣住了，眨巴眨巴眼说："你要，你白拿走！再还给我干什么？"要抱走狗的人问："您当时怎么想起来养它的呢？"壮汉说：

▶任众在燕丹自家小院的居室中。他身后的条幅上题有"交友需带三分侠气，做人要留一点素心"字样。三分侠气似太少，一点素心难测量。笔者在与任众的交往中，对他这类比较形而上的追求固然欣赏，但对他能恪守为自己制定的种种具体如微的形而下"守则"，更觉"有种"，如他严格要求自己，绝不隔着面前的人呼唤另外的人。点滴积累的文明习惯，比大而化之的文明宣言更能造就文明的生灵。

▶1996 年，任众自绘了一组"生活系列"，分赠亲朋好友，展示其在燕丹村自得其乐的生活况味。这是其据以复制的"自留母本"。

生活系列之（三）

校友取乐

任众

96.3.25

春神

生活系列之（四）

96.4.22

树 与 林 同 在

▶任众最得意的"近作"是这幅自况漫画。

"嗨，眼下不是时髦养个宠物什么的嘛……谁知道养起来这么啰唆！"周围有的人听他这么说都笑了；要抱狗的人说："我自己已经养了两只狗了，再养一只也成，可是，我希望您也能有我的那种体会：要善待一切生灵；善待了它们，自己活着的感觉也就不一样了……心里头有什么烦恼，能消得更快！……这狗我调理好了，还给您的时候，您试试！……"那壮汉不解，冷笑两声说："老他妈的赚不着钱，心头能不烦吗？就他妈的这狗，能让我黄金万两？我不要了不要了！你要你快捡走！……"说着，蹬上车，头也不回，一溜烟出了村。

要狗的人，用两只手轻轻兜起那条狗的肚子，抱在怀中；人们一边散开，一边议论；跟那壮汉说不该糟践小命儿的老大娘，啧啧赞叹说："任老师，您又积德啦！"

把弃狗抱去抚养的人，正是任众。

1994 年任众 60 岁，他退休了。退休后，他用多年积蓄，在燕丹买下了一个小农民院的居住权，在那里安了家。那个小院买来时只有四间破旧的北房，墙垣半塌；他花了一年时间，基本上不靠别人帮忙，自己耐心而又细心地慢慢拾掇，先将北房收拾得似模似样，又修整了院墙院门，还在院中加盖了三间东房、三小间南房……几十年来他不知盖过多少房屋，油漆过多少椽子梁柱，安装过多少门窗玻璃，练就了一身好手艺，特别是，他每每能在遇到难题时，迸发出巧思妙计，事半功倍地解决问题；现在是为自己营造一个隐居的处所，自然更加兴致勃勃，从容不迫；隔三差五也会有亲友来帮忙，一见他那小院几日没到，却又有令人眼睛一亮之处，都不禁拊掌竖指称奇……

村里认得任众的人，都管他叫任老师。"文革"以前，陌生人如相称，必用"同志"这个字眼。"文革"中大体上沿用，但因为揪出的"牛鬼蛇神"实在太多，还有个出身的问题，"红五类"出身的怎么好称呼"黑五类"出身的"同志"？所以陌生人过话，有时不得不慎重行事，或以柔和的表情代替称呼，或以一声"嘿"引领，然后直接说出要说的话来。"文革"结束后，"同志"的称呼一度不那么香了，时兴管陌生人叫"师傅"。到了八九十年代，陌生人之间打招呼，"同志"和"师傅"的叫法都式微了，"先生"、"女士"、"小姐"的称谓满天飞，但又出来一个"老师"的叫法，不过叫时一定要先问明姓氏，然后连姓一起叫"×老师"；如比较熟识了，则更是"×老师"长"×老师"短地亲亲热热地叫下去；这"老师"的称谓并非只施之于当教师的，也不局限于知识分子，也并不一定是年纪轻的对年纪大的才叫"老师"，总之，中国大陆近几十年民间交往中称谓的微妙变化，实在值得研究、体味。任众能被村里一些村民们自觉地以"老师"相称，他感到自豪、欣慰。

任众把那小狗抱进一条小巷，还没走拢自家门前，他那小院里的两只狗就已经冲到铁门边，一边欢快地吠着，一边立起身子，用脚爪刨门；任众唤着它们的名字："毛毛！欢欢！别急，我给你们带来了一个小伙伴！"任众用钥匙打开铁门，进了小院，毛毛和欢欢围着他身子吠着、跳着、嗅着、呼哧着……

任众给那新来的小狗洗了澡，把它长疯了的额毛细心地捋齐、剪短，用一根又一根的医用棉花棍，蘸着眼药水，小心翼翼地给它洗眼睛，去掉了所有的眵目糊，洗掉它眼球上的污垢……但那小狗外凸的眼球依然没有视力；小狗懂事地依偎在任众的臂弯里，均匀地呼吸着，表现出极大的满足；毛毛和欢欢也安静地蹲趴在任众身边，这时任众向毛毛和欢欢宣布说："小兄弟们，你们有了一个小妹妹！"毛毛是只立起来有一米多高的卷毛塌耳狗；欢欢是只背毛有明显中缝的马耳他哈叭狗；新来的小妹妹个头比欢欢还小，给它取个什么名字呢？任众想了想，便管它叫怜怜。

怜怜在任众精心呵护、调教下，很快学会在指定的地点拉屎撒尿，并且多多少少恢复了一点视力，起码，它能感觉到阳光和灯光了。

可是，当有一天任众又给它洗澡时，才发现它不但怀了孕，而且很快就要生产了！任众赶忙给它准备了一个特别的小窝。在霜降那天，怜怜在窝里生下了三只小狗崽，两只黑的，一只白的；三只小狗身上乳毛未干，便挤在它肚子底下吃奶。第二天任众有事进城，忙了一天，很晚才回来，结果发现那只小白狗崽死了，可是怜怜还是不停地伸出舌头给那死去的孩子舔毛……任众处理了那只死去的狗崽，把怜怜母子的小窝挪到更温暖的地方。几天过去，任众注意观察，发现怜怜总是把两只小黑狗拱出窝来，任众以为是因为它视力有问题，所以出这样的错，便一次次把两只狗崽拾回窝去，几次以后，才恍然大悟——怜怜是故意在督促狗崽子学习走路，以及到窝外拉屎撒尿！……小狗能独立行动了，任众把它们送给了朋友，怜怜忧郁了很多天，甚至于绝食。这只盲狗的母性，令任众感动了很久。后来，歌友队里一位大夫，陪任众抱着怜怜去动物医院，给它做了绝育手术。

任众进城时，遇到以往打过交道的人，问他近况，他说搬农村住了，有的就以为他是"谦虚"，说："在郊区买小别墅啦？是紫玉山庄还是王府花园呀？"他道明实情，有的就摇头叹息："你怎么混成了这么个样儿啦？"

是的，按世俗的价值标准，任众的现状不说是沉沦吧，也够窝囊的，至少，是壮志未酬。

在锦绣年华时，他曾梦想成为一名电影演员；也确实一度接近了那事业的门槛，但到头来是梦想被突降的灾难击得粉碎！

在经历了二十年磨难后，遇上了改革开放的好世道，他也曾当上一个部门的经理，展示过自己熟悉新科技的能力与经营管理方面的水平，还曾组团到日本考察，见过世面，上过台盘；可是却未能在那基础上进一步发展，后来辗转

▶任众在燕丹居所的亲密伴侣毛毛（左）和欢欢。任众每月退休金的四分之一用于供应它们的需求。宠物不是"物"，是活泼泼的生命。呵护宠物不是"玩物丧志"，而是通过呵护小生命达到对大自然的亲和与敬畏。你可以不养宠物，却不可以失却对自然界小生命的关爱。

▶任众和盲犬怜怜。怜怜看不清他的面容动作，却事事与他配合默契。盲目不盲心，生命之花便永远鲜丽。

于几个单位，终究还是吃不顺"皇粮"，在迈向仕途和取得官方认可的技术职称方面，都浅尝则止、无所收获。

新的世道，也给有野心、有才干的人提供了以往想都不敢想的发展空间——以个体身份到市场经济中恣意翱翔，发财致富，成为所谓的"大款"、"款爷"；任众在退休前也曾投身"商海"，集资办厂，宵衣旰食，殚精竭虑，全力拼搏，以求发达，但遇人不淑，选项不妥，对吃拿压卡穷于对策，对左邻右舍不擅迎合，结果血本无归，不了了之。

任众从青春期，一直到现在，包括处境最艰辛的而立、不惑之年和壮年时期，一息尚存，便坚持在札记本上写些诗，写些散文，写些小说；也不光是自娱，他有持续的文学梦，若断若续，如痴如醉，即使是在"以阶级斗争为纲"的那些日子里，甚至在"文革"期间——动辄会查抄任何私人物品，无论是日记、札记还是书信，摘出片语只字都可能招致灭顶之灾——任众一方面往往不得不撕毁、烧掉某些东西，一方面却又忍不住偷偷再写下些什么……他也曾向报刊投稿，"文革"前，《北京日报》曾发表过他一篇几百字的民间故事；"文革"后，一家非省会的市级地方文艺刊物发表了他的一个万把字的短篇小说和几则寓言；近年来，他在《科技潮》杂志和《科技日报》上发表了关于遇罗文、遇罗勉兄弟发明水刀的文章；但这样一些文章，这样的发表量，当然离文坛名场还有十万八千里之遥。

任众早年在鲍斯高慈幼院学过一点意大利美声演唱技巧，至今他在一般人群里唱歌时，那浑厚如蜜、圆润如绒的歌喉总是引出人们的赞叹；但真跟专业的歌唱家相比，他的发声技巧里存在的问题就很多了，如舌根咬字和脑后音驾驭欠佳，等等。任众也从小爱绘画，即使在戴着"右派"帽子、监督劳动当中，他也曾画过一些钢笔画和铅笔画，从残存的一些画幅来看，虽有些灵气，却实在缺乏专业训练。乐器中他最擅口琴，但这种乐器已然没落，即使是真正的口琴家，在乐坛中也极度地边缘化了。任众在音乐、美术方面，属于业余爱好者罢了，不可能再有大的发展。

日月如梭，时光如流，尘世中多少有才能的人，因为这样那样的缘故，花甲之年过后，仍未能功成名就，但衡量个体生命的价值，除了世俗那一名二利

刘 心 武 文 存 5

▶为爱犬洗浴是任众退休生活中身心俱
畅的节目之一。一个生命，因你无偿
提供的服务而变得更清洁更美丽，你
自己的生命因而也便增添了光彩。

▶在城市家庭音乐生活越来越钢琴化亦即贵族化、高雅化的潮流中，口琴这种平民化、通俗化的乐器已不再流
行。但仍有一些市民像任众一样，对承载着太多悲欢忆念的口琴情有独钟。任众不仅常常同歌友们一起合奏
口琴，还在燕丹村教授新一代村民吹奏口琴。

215

树 与 林 同 在

▶每逢元旦和春节，任众常自绘一些贺卡馈赠亲友。这些贺卡可能绘制得十分幼稚、粗糙，却使受主们感到格外亲切与有趣。

笔者也曾接触过几位书法家和美术家，其中个别人曾对笔者说："现在我的东西（指写的字画的画）可不轻易送人，不过送你没有问题！……"言外之意，是其片纸点墨皆值钱，存得越久越升值。他的"东西"行情看涨是事实，但我并未向他求索，也未对他的"东西"表达过激赏钦慕，怎么送我就"没有问题"呢？我并不想要来挂起欣赏，更不想要来藏起等待升值，甚至觉得他若真的给了我他的"东西"，我很不好处理，这不都是"问题"吗？！

我宁愿接受任众这种不含任何功利因素的简陋贺卡，也不想接受"含金量"很大的出自名家手下的"东西"——尤其是以"恩赐"的姿态赋予我"唾余"，那我心理上的"问题"可能会膨起得很大很重。

▶ 任众一再涂抹过这样的歌颂螃蟹的图画。笔者对此曾很不以为然。螃蟹一般都用以比喻"横行乡里"的恶人啊。但不同的个体生命对同一事物的意义联想与情感寄托往往会有很大的差异,只能听任其自主表达。

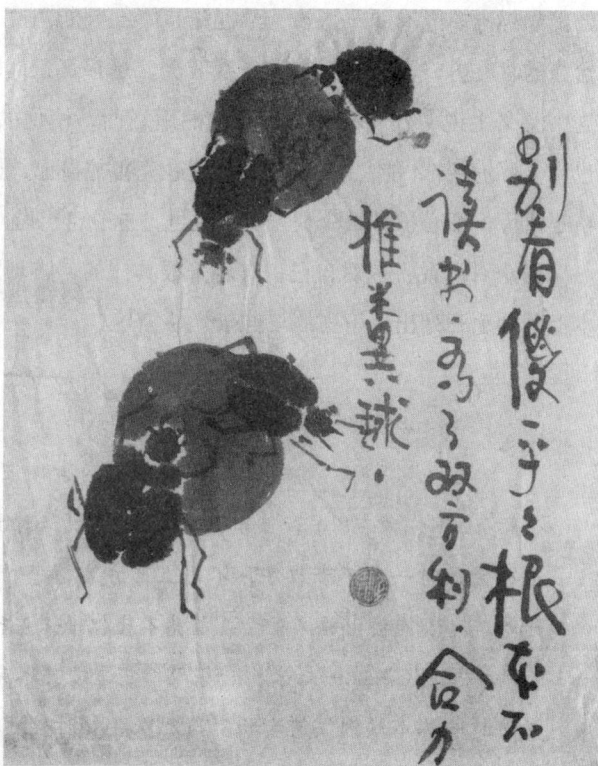

▶任众赞赏螃蟹的"硬",又肯定
"屎壳郎"的"傻"与"合力谋
利",都令笔者感到匪夷所思。

▶任众这些年来一再在图画中重
复着他与爱犬(先是毛毛和欢
欢,后来又加上怜怜)在一起
的题材。

的简陋标准，还有更高层次、蕴涵更丰厚的判断角度——你是否找到了自己最恰当的存在方式，是否维持了自我尊严，是否真正体验到了善与爱的快乐。从这个意义上说，任众在燕丹所开创的新局面，使他的生命获得了充实的意义。也许，他的全部才能，到头来应当体现在完善他自己；他把自己当做一件艺术品，精心雕琢，细心擦拭，令别人赏心悦目，也令自己心旷神怡。

任众对我说，他对自己，有若干很具体的"雕塑"手段。比如，他在札记本上明确地开列出了下列的"自律"：

　　* 站如松，坐如钟，卧如弓，行如风。

　　* 与人交谈时，不跷"二郎腿"，不两脚移来动去，不抠鼻子、搓手指头，不左顾右盼，不抢话茬儿；在对方说话时要尽量看着对方眼睛；自己说话时一定不带脏字，不用土话方言，坚持只说文明普通话；说话时绝对不能喷出唾沫星子，尤其不能把唾沫星子溅到对方身上。

　　* 吃饭不浪费一粒米、一根菜叶；这顿吃不完的，下顿一定吃掉；任何时候都不倾倒任何食物。与别人共餐时注意自己的吃相，不越过自己跟前的菜盘搛菜，咀嚼和喝汤时不吧唧嘴。

　　* 不吸烟。不打麻将。不独自饮酒；与亲友饮酒也要适量；不劝酒，不拼酒。

　　* 不随地吐痰、啐口水、擤鼻涕。扔垃圾一定要准确地扔进垃圾桶内。在可以冲水的厕所方便后，一定要冲水。

　　* 不乱开玩笑。倘若发觉自己的言行有哪怕只是无意地令人不快了，要主动道歉。

　　* 乘坐公共电汽车，尽量不坐座位。倘若车里座位很空，可以坐，但只要有老弱病残上车，一定主动让座；对非老弱病残但急迫想坐的人，也主动让坐。

　　* 遇到有人问路，要负责到底；甚至可以送那人一程乃至一直送达目的地。

　　* 遇到在街头乞讨的残疾人，一定要给他们钱。遇到演奏乐器或

卖唱的人，也一定要给钱。

*勤洗澡，每天早晚刷牙，必要时每餐以后都刷一次牙；衣衫永保整洁，勤洗勤换，绝不能让人为自己身上的汗味和口臭而皱眉；到进屋脱鞋的人家做客，一定不能让自己的袜子和脚发出难闻的气味。

*穿到身上的衣服，该扣的扣子要扣上，该拉上的拉链要拉上。

*不围观打架斗殴和车祸。但路见不平，要见义勇为。要扶弱济小。看到有人虐待小动物要劝阻。遇到有人私卖野生动物，要尽量买下来送到有关部门或予以放生。

……

一开始，看到任众札记本上的这些琐屑的"自律"条款，我颇觉可乐；但跟他处久了，发现他果然——照此行事，又不由得肃然起敬。

这几年里，在燕丹，任众形成了自己独特的生活规律。

每周星期二，任众的哥哥必从城里来燕丹与他欢聚。这是享受亲情的美好时刻。在任众的青年和壮年时期，因为任众的遭受政治打击，以及哥哥成家后疲于维持一家的生计，哥俩很少有闲坐谈心的时候；"文革"中哥哥在遭受突然打击时几乎撒手人寰，是任众在关键时刻给了他顽强生活的勇气，不过那时期他们毕竟也还是不可能有很多时间促膝深谈。现在哥俩都退休了，世道又别是一番风景，他们终于有了充裕的时间，可以从容地在那燕丹小院里，春天一起采摘嫩香椿芽，夏日里对坐在葡萄架下，秋风里共同收获硕大的石榴果，冬雪天围炉涮锅对饮"二锅头"……闲适愉快地喁喁怀旧、娓娓交心。

在以往"以阶级斗争为纲"的日子里，亲情已被视为多余甚至危险之物，讲究所谓"亲不亲，阶级分"，后来更发展到"亲不亲，路线分"，而频仍的阶级斗争与诡谲的路线斗争，使"阶级敌人"的数量不断地增加，"犯路线错误"的人更是层出不穷，城市居民中，几乎家家都会有亲友出这样那样的"问题"，弄得人人自危，亲情浇漓。90年代后，市场经济大踏步迈进，人们的物质生活水平普遍有了提升，精神世界也更趋丰富，但毋庸讳言，世俗那金钱挂帅的价值标准，也使一部分人见钱才开眼，六亲概不认。所以，能看重亲情，细细地

▶雪后初霁，任众在燕丹小院中与自己堆出的雪人一起咧嘴畅笑。个体生命的童年是短暂的，但童心却可以，并且应当与生命共始终。

品味亲情，在当今也属不易。

任众父母分别在80年代初和90年代初谢世。父母谢世后，更显得"长兄如父"，任众的哥哥把北京的大弟弟任众，还有小弟弟和小妹妹，以及定居呼和浩特的大妹妹，几家人的感情关系维系得非常好。小弟弟小时得了小儿麻痹症，双腿萎缩，因自身身体条件差，再加上受任众连累，没能上成大学，但后来自学成才，学就了一手刻图章的好手艺，收入渐丰，与任众芥蒂尽释、和好如初。小弟弟因身体所限，小妹妹因尚未退休还得上班，所以每周星期二都不可能到燕丹与任众欢聚，这样，哥哥的按期必至，便尤觉珍贵。

在燕丹小院，任氏哥俩常常促膝小酌，咀嚼往事。想当年，在宣化烟筒山，日本监工宏球把哥哥打得头破血流，父亲见状，忽作狮子吼，冲上去用铁锨猛拍那厮；一贯平和谦恭的父亲一霎时变成了这样，倒让宏球吃了一惊，不禁愣住；父亲又夺过宏球脖子上系的手巾，将其撕开，用来给哥哥包扎伤口；其他工友原本忍气吞声，见有人带头反抗，都怒目圆睁地围了过来；宏球不想吃眼前亏，厌了下来；父亲揪着宏球，带着哥哥，往矿上"劳务系"去"讲理"，许多工友尾随；那时日本鬼子在战场上已然败局难扭，父亲的这一回"率众闹事"，竟使矿上主事的日本人训斥了宏球，并赢得了宏球的一声虽然勉强，却也大挫锐气的道歉，一时使矿上工友们略解闷气。这件事，任众哥俩曾几次与外人道及，因为从中似乎可以透出些抗日的气息，但深究起来，其实父亲当年之所以热血沸腾，主要恐怕还是出于惜子之心。哥俩还回忆起，父亲给比利时神甫当管家时，他们同在教会小学上学，一天放学后，哥哥在马路边摔了一跤，摔破了嘴，那时只有六岁的任众，竟懂得雇上一辆黄包车，把哥哥护送回家，令母亲大为惊诧，也大为赞叹。这件事，他们可是尽量不对外人道，因为外人听了，不会有什么感动，而且必定会问：啊，你们家那时那么阔呀？……是的，任众家也短暂地小康过，一个家庭的演变轨迹，一个人的生活途程，原是可能非常曲折复杂的啊……但家族成员间，确实，会存在着一些超越浮沉荣辱的恒定情感，这是多余的赘物，还是心灵的宴飨？……

任众感谢命运的赐予。他能够在花甲之年以后，细细地品味亲情的宴飨。他那小院中的两株大石榴，最早是母亲用两粒石榴籽，不抱什么希望，玩笑似的埋在城里家门前的泥土里，过后竟奇迹般地蹿出芽儿，并一天天、一年年，长成小树的；母亲故去后，为怀念母亲，他从城里，把那两株已然比人还高的石榴树，细心地连根刨出，再用平板三轮车，骑一段，推一段，连续奋斗了八个多小时，从朝霞沐身到夕阳染衣，才移至燕丹院中重栽的。现在石榴树已有两米多高，每年秋天结出满树的石榴，望见那些殷红的石榴，他就仿佛又看到了母亲璨然的笑容。

在任众童年的记忆里，宣化的生活是最阴暗的；但也有唯一的亮点——父亲每年都要在家门前种大片的波斯菊，那些高耸的花簇，盛夏开出粉白绛紫的花朵，在微风中摇曳的波斯菊，曾给苦难中的心灵，带来过许多朦胧的希望……在燕丹的小院里，前几年任众每年都要播种大片的波斯菊，以怀念那些难忘的岁月，只是由于波斯菊不耐风雨，一场狂风急雨袭过，波斯菊便倒伏在地，难以复原；这样，近两年任众便改种了半枝莲；半枝莲俗名"死不了"，匍地而生，无须施肥，甚耐干旱，也不怕暴风骤雨，随便掐下一截，插土即活；"死不了"

▶请把你的手，搭在亲人的肩膀上，特别是在那艰难岁月中。妹夫胡宝水（中）和任众（左）、任会两兄弟。时在任众的朋友遇罗克被无辜枪杀之后不久。

▶当年任会因为双腿有残，又受到任众"右派问题"的牵连，尽管考分颇高，却被所有大学拒之门外，一时苦闷中曾对任众喊出过刺伤其心的话语。事过37年后，任会（右）的孪生子（中）双双考进大学，他不禁喜上眉梢。兄弟侄儿欢聚一堂，赞世道之进步，品亲情之甘甜。

的针状叶丰腴青翠，开出的花朵有单瓣的有复瓣的，色彩多种多样，深红浅红，鹅黄赭黄，蔚蓝黛紫，甚至一花多色，煞是爱人。任众在开满半枝莲的小院里信步，心中往往不禁旋出万千感慨：我也是一株"死不了"啊！历尽风刀霜剑，我不仅心灵依然焕发着青春的朝气，甚至于身体也惊人地结实健硕……我要好好享受生活！

　　每周星期四，任众定时进城，到北海公园参加歌友队活动。那是他尽情享受友情的时间。当然，真正的朋友，不在多，更不在新，往往是，日久见人心，老友更珍贵。任众在十三中的同窗赵大同，那时他们不仅同座，而且同在晁老师组织的技巧队里当顶梁柱；当时同学们管任众叫"任大块儿"，管赵大同叫"赵大块儿"，任众说，论"块儿"即大胸肌，赵大同要比他更胜一筹。赵大同性格憨厚，当年政治上十分要强，任众还记得，1953 年 3 月 5 日，学校广播里转播中央人民广播电台新闻，忽然传出哀乐，心眼比较灵活的任众马上对赵大同脱口而出："哎呀，斯大林逝世了！"赵大同万没想到任众竟说出如此"反动"的话语来，立即用力往他肩膀上打了一拳；然而紧跟着广播里果然沉痛宣布：斯大林逝世……刹那间，赵大同竟不能相信，因为他一贯以为像斯大林那样的无产阶级革命领袖是绝不会死的；但他又不能不相信，因为电台的广播是不容置疑的；由于无限热爱斯大林，他顿时哭得像个小孩子……这样一个淳朴的生命，是理应有一个比较好的命运的吧！赵大同读完高中，顺利地考进了农业机械化学院，毕业后分配在相关部门，他埋头干好本职工作，与世无争，娶妻生子，平稳地度过了社会生活中的风风雨雨；到退休年龄，他还没评上高级技术职称，却也心平气和，按时退休；退休后，赶上市场经济大潮，两口子的退休金加起来也没多少，手头十分拮据，于是他便每天傍晚到街头，架上个煤气罐的灶台，用一只高压锅制作爆玉米花，现爆现卖给路人；有的人觉得赵大同这是"丢份儿"，任众问起赵大同，赵大同嘿嘿地笑，憨憨地说："我用劳动换报酬，有什么丢份儿的？……只是，我这是无照经营，有时候遇上市容管理人员什么的，他们罚我的款，一罚就是五十元……他们罚，我就给，谁让我无照呢！……"后来，赵大同两口子起了个执照，在一家大商场租了一个摊位，卖些个小百货……对于任众来说，赵大同的可贵，不在他能奉献多少良言益语，而是几十

▶燕丹小院的波斯菊，寄托着任众对慈父的忆念。

▶母亲不经意栽活的两株石榴，移植到燕丹小院后生长得高大健壮，每到盛夏硕果累累。

年如一日，无论在什么情况下，他都自自然然地与自己保持着恒定的联系；任众落难时，只要回城，他总是要来花枝胡同任众家中看望，他从不问任众的"案情"，只是嘱咐任众要好好保住一副强健的体魄；后来任众获得平反，情况好转，还出国考察，经济状况也好过了他，他也还是常来走动，并且也从不问任众的"公务"，只是和任众一起愉快地回忆当年"练块儿"的情景……任众落户燕丹以后，他每月至少要来小院一次；两个老朋友相聚，以赵大同带来的自制爆米花为小菜，把酒话旧，体味历久弥醇的友情，真是人间一大乐事！……

　　每星期六，尤其是星期六的晚间，是任众最私密的，最不愿意被人打扰的一段时间。隔着太平洋，在离大西洋很近的美国东海岸，在一座举办过奥运会的城市郊外，在那段时间里，会有一位美籍华裔女士，给任众挂来越洋电话。那时美国那边，正是星期六的清晨。那女士，现在已是任众的妻子。任众曾经历过两次不成功的婚姻。他本来已无意再结连理，但是，一个偶然的机缘，在

▶ 丝瓜架下逢旧雨，哀乐平生叙友情。桌上无酒，手中无烟，来者无虚礼，留者无俗套。当年北京十三中的"赵大块儿"（左）与"任大块儿"那穿越时代烟尘的稳固联系，证明着"朋友"二字的分量，在这经历着巨大转型的攘攘人世上，仍然沉甸甸并拒绝贬值。

▶有缘万里来相会。在任众的小院里，歌友们和任众以及他那来自美国东部的妻子享受着阳光与欢笑。猜猜看，万里探亲来燕丹的是哪一位？

▶美国妻子已在美东某处的宅院中，为任众种下了满钵鲜花。花若解语花也唤：良人何时到美东？

树 与 林 同 在

▶中西文化的差异，体现在各个领域，这些差异
往往由无数个微小的细节汇聚而成。这两张照
片一为中国广东西樵山园林建筑，一为瑞典斯
德哥尔摩街景，二者的文化蕴味全然不同。

▶任众在年逾花甲后，还有勇气从一种文化环境
转换到另一种文化环境中，去开辟新的生存和
发展局面，令笔者感佩。笔者祝愿他能将身受
的两种以上的文化尽可能地和谐地融汇于生命的
最后旅程中。

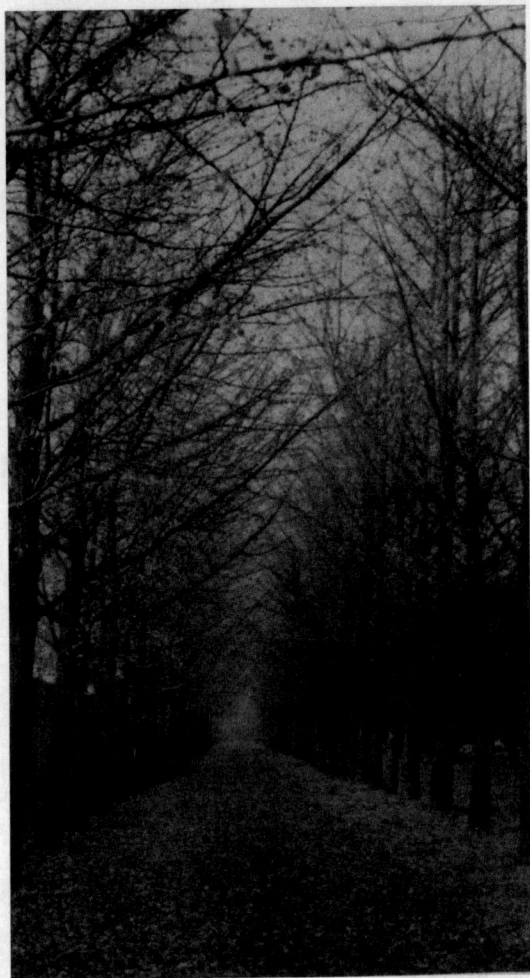

▶林由树成
树在林中
爱树即护林
养林请惜树

美国从事药学研究的这位女士，竟对他一见倾心，连续两年利用假期，飞渡重洋，来到燕丹小院，追求任众；任众起初并不动心，往往是一边干活，一边跟那女士闲聊；那女士一边主动给他打下手，一边向他表达爱意；也有过一次失败婚姻的女士坦言，她爱任众历尽艰辛却身心俱健的男子汉气概，以及任众的多才多艺、乐观活泼；尤其是，任众给她一种可依靠、可共度余生的安全感，她庆幸自己终于觅到了意中人！……他们是 1996 年在北京登记结婚的。每星期六晚上，妻子总要在越洋电话里跟他情话绵绵，并敦促他快些办理移民申请。任众确实在办理移民申请。不过，他和妻子已经商定，这燕丹的小院要永久保留……

亲情、友情、爱情，现在任众是诸情俱备，情满心怀。任众说，他更看重的，是人间温情。他在燕丹村里，声名渐著。村民们都把他视为一个善人、能人。任众以自己娴熟的油漆工、玻璃工的手艺，热心地给村里许多人家无偿服务。任众自己进修过一段英语，村干部知道他有个美国妻子，将来会到美国居住，便来求他给自己孩子辅导英语，任众答应了；谁知那孩子基础非常差，又很贪玩儿，任众辅导起来，十分吃力；但任众终于以真诚和耐心，以及"趣味教学法"，赢得了孩子的信任，使孩子的英语成绩大大提升，以至现在找他辅导孩子的家长越来越多……逢年过节，孩子们的家长，左邻右舍，还有得到过任众这样那样帮助的村民，亲热地呼唤着"任老师"，给他送来许多的礼物，推卸不掉，他便收下，心里暖洋洋的……

在任众那开满半枝莲的小院里，笔者和任众漫步谈心。我问他，既然这燕丹小院的生活已经使你刻满创伤的心灵得到大大的慰藉和补偿，人生到此可谓已功德圆满，你又怎么舍得弃它而走，远渡重洋，以年过花甲之身心，到异国他乡重新跋涉呢？任众挺起依然饱满坚实的胸膛，用依然浑厚雄壮的嗓音回答我说："确实，也曾犹豫过；但最后我还是野心不死——我总觉得，我还是可以在生命的最后阶段，像焰火一样，爆发出最终的，也是最灿烂的亮光来！"

望着仿佛还在壮年的任众，我愣住了。

## 休止符

　　我们哼唱了一首平凡的人生之歌。人生如树。树在林中。林在何处？没有一株株具体的树，林便只是一个抽象的概念。假如有人说，他爱森林，那么，检验他是否真爱的唯一标准，便是看他能不能珍爱每一株具体的树。我们常爱吟诵这句古诗："病树前头万木春"，可是我们过去往往只从一个方面去体味那诗中的哲理：个别树木的病萎无碍于整个森林的繁茂——那也很可能是诗人所欲强调的意思——但经历了过多的忽视生命个体，甚至动辄把活生生的人才打成"牛鬼蛇神"，加以戕害，那样的时间段以后，我们应当憬悟，对病树的无动于衷，乃至幸灾乐祸，弄得人为的病树越来越多，那森林的面貌，也很难保持一派勃勃生机。爱护每一株树吧！给每一株树以尊严，以发展的机会，以鼓励与支持，尽量让每一株树，都能享其天年，尽其才，展其能，惟其如此，我们民族之林，方能蓊翳润润、永葆保青翠繁茂！

　　笔者在写作这本书的过程中，适逢长江、松花江、嫩江发生几十年甚至是百年不遇的特大洪水，抗洪抢险获得全面胜利后，人们痛定思痛，都意识到了滥伐乱砍森林的祸害，一时间保护森林植被的呼声高涨。这是良知的黄钟大吕，宁不动心？自然界的树木不可滥伐乱砍，大地的植被不可轻亵剔除，人呢？我们民族中那一个个活生生的成员呢？你可能会说，那里面有贪官污吏，有奸商

树 与 林 同 在

▶古柏上的树瘤
　人脸上的皱纹
　在交相映照中，默诉着沧桑岁月中的生死歌哭

▶本书为谁而写？
　为芸芸众生中，那些愿对自我命运作回顾、体味、省思的读者而写；这种回顾、体味、省思，往往需要从别人的例子中，获得参照，本书就力图提供一个参照。
　当然，写这本书的原动力，是传主任众内心的一种倾诉激情，与笔者一贯坚持的"我爱每一片绿叶"信念的契合；从这个意义上说，这本书是我们为慰藉自己的心灵而写的。

▶人，有时需要把自己的思绪提升到俯视大地的高度……
心，有时需要弥散出对人类生存总状态的大悲悯……
当你真正懂得悲欣交集的意味时，灵魂才能够拍翅飞升……

骗子，有盗贼流氓，有贩毒走私的家伙，有嫖客恶妓……难道对他们也不该鞭笞挞伐，量刑治罪？正如有的病树不仅本身已然失却价值，而且会以病毒传染其他树木，因而必须尽快剜除烧毁一样，对我们民族中的败类，以及形形色色的犯罪分子，当然不能姑息，一定要根据相关法律，按照法定程序，分别进行必要的处理。但是，我还是要说，不要搞运动，不要简单粗暴，不要大轰大嗡，不要动辄"一刀切"，不要再"扩大化"，不要再"误伤"，不要抛开法律感情用事，不要随意类推、轻率定案，更不能搞逼、供、信，不能侮辱犯罪嫌疑人的人格，就是已经定罪的犯人，也一样要把他们当人对待，以所谓"牛鬼蛇神"来对待任何一个人的事情，应当在我们中华大地上绝迹！我们对人的处理，一定要慎重！因为我们过去实在有过太多太多这方面的沉痛教训！但愿今后遭到"冤假错案"冤屈的人不至于成千上万，以至于非得为他们的平反、改正成立专门的"落实政策办公室"。

树 与 林 同 在

　　人生如歌。歌中多少滋味！让我们唱一首动情的歌：树在林中，林在树中，树与林同在，林与树共存！我爱每一棵健康的树，我爱每一片绿叶；我爱由一棵棵树木汇成的森林，我爱由亿万绿叶谱成的交响！

　　实际上，我们民族所面对的最大课题，我以为还不是如何对待病树，而是如何人尽其才的问题。有多少富有才能的人士，还埋没在攘攘人世中，不得脱颖而出啊！这本书，正是献给尘世中那些才能未得施展的，或未得充分施展的人们的。倘若他们当中哪怕是只有几个人，从这本书里，多多少少获得了一些启发，一些慰藉，那就是笔者最大的快乐了！

　　我们的生命之歌，都还没有唱完。在这里画上的，不是乐曲的终止句，而仅仅是一个休止符……

1998 年 9 月 30 日写毕于绿叶居

## 《树与林同在》2006 年版后记

这本书 1999 年春天问世后，未能畅销，却引出了一系列很特殊的反响。

书里写到的任众，在一定的社会圈子里，成为了名人。不少读了这本书的人士，特别去往北京北海公园的五龙亭，去听聚集在那里的歌友唱歌，一睹任众的风采，拿着自已买的书，请任众签名。这现象一直延续到这个第二版问世之前，估计随着第二版的发行，会有更多读者喜欢上任众这条汉子——尽管他已经年过七十了。

书里最后写到，任众计划到美国，去和他第三任妻子团聚，从此翻开在异国他乡定居的人生新篇章。现在要告诉大家的是，他改变了想法，又一次好说好散，留在了北京燕丹村。我曾问任众：是不是因为这本书的出版，导致了你们的离异？他说不是，并详细告诉了我他的心路历程和具体情况。总体而言，他发现自己这棵树不可能把根拔掉，移栽到别处了，而已经移栽他乡并成活得很好的那棵树，也不可能再一次移栽，到头来，只能是各自把根深扎到已经栽进的土地，让岁月的风，吹拂生命的枝叶，隔着太平洋，互送祝福。

人有人的命运，书有书的命运。当 1999 年这本书面世的时候，我真的希望它能发行得更多一些，那绝不是从经济效益出发，而是因为，这本书里实在是饱含着血泪，浓缩着感悟，我写得非常认真，出版社也编印制作得非常精心，真希望能有更多的人，来买这本书，读这本书。这本书也不仅是写任众，它实际上由三条线索组成，第一条线索是写任众的命运，任众和我在一个共同的空间里——清朝的涛贝勒府、后来的辅仁中学，再后来的北京十三中学——生活过，虽然我们并没在同一时间段里相遇，任众后来与遇罗克一家成为邻居，而我和遇罗克又在同一时间段里，在同一空间——北京六十五中——生活过，只是不同届不同班，没有来往，于是书里延伸出另外另条线索：遇罗克一家的故事，还有我在"文革"中的遭遇，书里关于"文革"中"红卫兵"的形成过程，我提供了亲自目击感受的第一手资料，光是这一部分，这本书也应该受到重视啊。但是，这本书尽管在一定的社会圈子里受到欢迎，却只印行了一万册，没能发行得更多。

可是，这本书也有它的特殊效应。遇罗克的弟弟遇罗文，受到这本书的启发，写出了《我家》，在海内外都赢得了读者。遇罗文现在已定居美国。

"墙内开花墙外香"。这本书出版后，很快引起了法国方面一些人士的看重。1999年前后，担任法国驻北京大使馆文化专员的戴鹤白（Roger Darrobers）读到它，非常感动，决定翻译。大家知道，中文书翻译为西文书，篇幅一般会涨出四分之一甚至三分之一，这本书里又附有大量图片，法译本如果出来，会非常厚，成本会很高，是否会有法国读者买它读它，风险很大。但是，巴黎一家小出版社还是决定出版《树与林同在》的法译本。戴鹤白那时候白天上班，晚上回到家里，每天翻译一两页，细水长流，持之以恒，终于译完，又从头修正、润色，使一个完整的法译本，在2002年于巴黎由安博兰女士的"中国蓝"出版社推出。法译本出来后，法国影响最大的报纸《世界报》《解放报》和几个杂志都刊登出了评介文章，除了介绍书的内容，指出读它可以通过几个独立生命的故事，了解中国半个多世纪来的社会变迁外，还特别指出译笔的精彩，认为是把中文转化为了异常优美的法文，读起来非常舒服，这当然是我最大的运气，能遇到戴鹤白这样的知音，这样优秀的中译法的翻译家。戴鹤白在翻译了《树与林同在》后，又接连翻译了我的四个作品：《护城河边的灰姑娘》《尘与汗》《人面鱼》《蓝夜叉》，创造了西方国家在短时间里以一个语种密集翻译出版同一个中国作家作品的新纪录。2004年春天我应邀去参加法国举办的"中国文化年"当中的

"巴黎图书沙龙"活动，现场签售自己的五本书（其中《如意》和《老舍之死》是另两位译者译的，那时《蓝夜叉》还没出版），《树与林同在》和描写外地民工的北京艰难生存的《尘与汗》售出得最多。

我和戴鹤白缘分不浅。但是任众与他的缘分似乎更深。戴鹤白是带着感情翻译这本书的。译完全书以后，他才见到任众，一见如故。他同情任众，理解任众，2004年秋天，他和安博兰邀请任众到法国访问，邀请一本书的作者访问，是司空见惯的事，邀请一本纪实性作品里写到的人物访问，这在翻译界和出版界是不多见的，更何况任众只是中国的一个无地位无名分的小人物。我为任众高兴。任众到了巴黎，戴鹤白给他安排了住处，请他到自己家里就餐，那时戴鹤白已经结束了驻北京使馆的工作，到巴黎第十大学任教，工作非常忙碌，家里又有四个还很小的孩子，家务事也必须与妻子分担，但是戴鹤白一有空闲，就陪任众畅游巴黎。也许，是戴鹤白通过翻译这本书，深切地感受到任众在青年和中年所遭受到的无辜摧残与坎坷遭际，觉得通过请他晚年到巴黎一游，能多少给他一些补偿和慰藉吧。

任众现在安静地生活在燕丹村。我比任众小八岁，但也渐入老年，也越来越喜欢安静。对别人无所求，对自己不苛刻，让生命之树在茂盛的民族之林里，成为一道朴素的风景。这本书在初版七年后，终于能够再版，我感到欣慰，我期盼它能获得更多的读者，但也不抱过多的奢望。一切事物都有缘分在内，而缘分是强求不来的。

我们都是一棵树。树与林同在。让我们的枝叶互相披拂，在岁月的风雨中，互相传递善意与和解、理解与宽容。

2006年2月21日温榆斋

刘心武文存

05

# 无尽的长廊

正当人生的中途。

忽一日，我发觉自己正行走在高高的石阶上。这石阶的每一级都向两边无限伸延。回头朝下望，不见来处。仰头朝上望，却有尽头。尽头处，是一派灰蓝的天空。不知攀登了几时，心中已不存希望，竟倏忽已登至最后一级。只见一座莫可名状的建筑，如一巨不可估的舞台景片，从平躺的状态，缓缓在我面前立起。立定后，我面前恰是一扇大门。

我左手托住右肘，右手托住下巴，凝视着那扇门，寻思着。这既然只是景片式的东西，穿过门去，该便是空旷无际的平台，以及仰视天涯的天空吧？

我推门而入。刚迈进去，门便訇然在我身后关闭。

眼前竟是一条无尽的长廊。

这长廊的出奇处只在它的不见尽头。或者说它的尽头凝聚为一点，犹如我们在从透视法完成的林荫道图画中所见的那样，常识告诉我们，在那斜交的路边的汇聚点后，意味着不可估量的延续。

眼前的长廊单调而肃穆。廊边每隔一定间距便有一扇同样大小的门，两两相对。

我不知不觉地朝前面走去。我望着那些门，门上没有号码，也没有特别的标志。门里是一个个的房间吗？是带卫生间的客房？办公室？教室？抑或是别的什么场所？

好奇心促使我就近推开了一扇门。

一开头，我简直不明白来到了什么地方。

好一阵，我才能理解自己的处境。

我立在一个类似巨大的鸡蛋壳似的物体之中。那简直就是一只被均匀地放大了千万倍的鸡蛋壳。奇怪的是里面并无蛋清和蛋黄。环顾良久，也不见任何孔洞。我是怎么进来的呢？恍惚记得我是推开一扇门闯进来的。可那扇门现在何处呢？

我渐渐从惶惑转为欣喜。

那"鸡蛋壳"的内壁如珍珠般光润莹白，绝无一纤尘垢，使我浸泡于纯洁的氛围中。我试着走动，奇怪，在它的曲面上行走，竟然如履平地，乃至于我走到与原先站立处相对的"顶部"时，只觉得那里倒成为了"底部"。

多么美妙的所在啊！我不禁手舞之，足蹈之。这里不仅纯洁，而且宁静。隔绝了尘世的纷扰，弥漫着温馨的气息。不仅令人百忧俱释，而且足以延年益寿。命运予我何厚，使我独享如此圣洁的境界！

我伫立环视。啊呀，怎么搞的？我忽然发现，自己刚才的行走舞蹈，竟在那银白闪亮的"地面"上留下了灰黑的脚印。我抬起脚检视着自己的鞋底，我的鞋底不是很干净的么？怎么会留下如此丑陋污秽的印迹？

我惶急。这"鸡蛋壳"内是不折不扣的纯洁世界。它的其余优点概由纯洁派生。我爱纯洁！我要维护它！

我跪下，掏出手帕，倒退着，用心地揩去那些玷污纯洁世界的脚印。脚印一个接一个地被我揩净了。我心中充满大欢喜。

但当我站起身来喘息时，惊讶地发现，在我身后，竟又留下一条膝盖蹭出的污迹！

我的裤子是干净的呀！我用手掌去摩挲裤子，举到眼前审视，掌心一点尘垢也没有呀！

我朝身下望去，凡我脚跟移动处，都留下了灰黑的印迹。原来这世界太纯洁了，每一移动，都必定使它受污。

我由欣喜而惶急，由惶急而悲苦。

我爱纯洁，但我不能如石像般凝立不动。

"鸡蛋壳"里实在太美了，美到没有任何缺陷，任何瑕疵。但是……

想来想去，我还是要出去。我应该出去。我必得出去。

从哪里出去呢？

没有出口。没有门。没有孔洞。

必须用身体撞破它！

想到这里，我不寒而栗。难道这刚才我还不惜跪着擦拭它的纯洁世界，现在竟要再由我来毁坏它吗？

我知道犹豫下去是危险的。我两眼一闭，双拳紧攥，猛地向后拱起臀部拼命一撞。

我听见一种悲剧性的破裂声。

睁开眼，爬起来。我回到了那条长廊上。

现在长廊的两头都汇聚为一个点。

我是从哪里来的？我该往哪里去？

我总得朝前走。

哪边是前，哪边是后呢？

我作出一个抉择。

我相信我面对的便是前方。

一扇扇门从我身旁移过。

难道每扇门里面都是一只"鸡蛋壳"吗？

我总不能再也不推开任何一扇门。

哪怕再进入一个"鸡蛋壳"里面去。

人总得行动。也就是总得冒险。

人总得准备着面临完全出乎意料的处境。

我在一扇门前驻足。

我果敢地推开了门。

我惊住了。

原来门里是我的家。

不是我现在的家。是我十几年前的家。确切地说,是我未结婚时住的那间单身宿舍。

一切都如同当年一样。连那只后来分明摔碎了的瓷茶缸,也依然完好地立在凌乱的书桌上。

更令我惊异的是屋里有人。

他一见我进去,便从椅子上站立起来,迎着我说:"对不起,我见门没锁着,就自己进来坐着了。我等你好久了!"

我心里热乎乎的。我需要除我以外的人。哪怕一个。哪怕敌人。

而他,我们本是熟识的。他比我年轻六岁,我记得。他叫什么来着?名字是无关宏旨的。反正我记起了他。姑且把他叫做小王吧。

我给他倒水。用那只也是后来分明炸掉了瓶胆的热水瓶。我发现我用的茶杯上印着"最高指示"。我的书桌上扔着些也印着"最高指示"的小报。窗外传来高音喇叭的声音。是些又陌生又熟悉的音响。

我突然有些害怕。一系列场景闪过我的心头。难道我必得从这个时辰起,再依次重新经历一遍吗?

可是小王的神情足以安定我的心。他双眼里充满了信赖。那是在任何地方任何时间都万分宝贵的。当年他是这样地来找过我吗?有过这样的眼神吗?怎么有关的记忆竟模模糊糊?

小王握着那只印有"斗私批修"字样的水杯,对我倾诉着。奇怪的是我听不清他的话语,却透彻地理解着他的内心。

我那间宿舍的一整面墙壁移动起来,原来那竟是一本精装的巨书,它自动在我面前打开了,小王不知什么时候已站在巨书一侧,手中的水杯不知去向,而换成了一根教鞭。他正指示着一页,对我解说着。

书页上只是些由黑色线条组成的最简单的图画。我辨认出来,开头,那一页上画着一个人的被极度丑化了的头像,脖子上还画了一条绞索,下面是他的名字,被打上了个黑×。小王的双唇激动地开合着,手中的教鞭敲着那一页书,

于是那黑色的线条自动调整着，那人的形象恢复至正常状态，绞索分解为一些
小鸟，在那人头上盘旋飞翔，而黑×舒展着身躯，变为了一本画出来的打开
的书……

掀开了新的一页。画着炉灶，以及安放在上面的大铁锅和高达五层的竹制
蒸笼。我没听清小王的任何一句话，但我懂得了他的全部意思。他同情那位被
罚为烧火工的"黑帮"，他本是被造反组织派定整理有关那人的"黑材料"及
监管那人的"专案组"人员，但他越去"内查外调"越认为那受审者是一位好
人，他决定背叛本组织的法规，而暗中给予那位"黑帮"以保护和慰藉。"黑帮"
被驱使烧火蒸馒头，自己却不准吃馒头，蒸好的馒头最后要逐一清点，倘有缺
个便会立即增添一场武斗。可是小王他……

不用我回想这一切了。眼前的巨书上的炉灶仍是黑线条画出来的，蒸笼却
变为了真的，热气腾腾，还飘散出馒头的香气。小王将蒸笼从画上端下来，搁
到了我的书桌上。蒸笼打开了，许多只手伸了过来，奇怪的是并不见身躯面目，
只是伸过来许多只手，严格来说不仅是手，而是手臂，套着绿袖管的手臂，当
中箍着大红的袖章，这些手将馒头抓开，并且响起一片严峻的点数声："一，二，
三……二十五，二十六，二十七……"馒头抓空了，那些手也便消失了。于是蒸
笼中只剩下垫布，湿漉漉、冒热气的垫布。垫布上粘留着一些馒头皮。小王仔
仔细细地将那些残留的馒头皮揭下来，装进一只粗瓷碗中……

小王端定那只碗，对我说："给他，给他送去……"

我喉头被什么东西堵住了。鼻子酸酸的。

我本能地嘱咐着他："你可小心点，别让人看见啊！"

小王端着碗出去了。

我伫立在屋中，心中莫可名状。

那面墙壁仍是一册巨书。仍翻至那一页。炉灶空了。端出来的蒸笼仍搁在
我的书桌上，热气未消。

我想起了"鸡蛋壳"。对比之下，我还是喜欢这里。尽管窗外传来阵阵令
人揪心的声响。

我忽然想查一查，我藏起来的东西还有没有。

我急步迈拢床边，掀开第一层床褥，先用手在最下层床褥上摩挲着，我体察到一种触觉上的快感，于是手指颤动着，急不可耐地撕开褥面，于是，我便取出了一张发黄的歌片。

它还在。

躲过了"破四旧"、查抄、"灵魂深处爆发革命"……它还在！

从少年时代起便珍藏的歌片。

我把它贴到脸颊上。冰凉。

我凝视着五线谱和谱线上的音符。

五线谱松弛了。音符发蔫了。

我的歌曲病重了！它会不会已经死去？

我想流泪。可流不了。

我感觉门外有令我必得警惕的脚步声。

我手忙脚乱地重新藏好我的歌曲。

我走到门边，我想把门关紧，不想我却相反地一下子走出了门去。

门外是无尽的长廊。

我该重新推门进去吗？回到那个时代？那间单身宿舍？

真可惜那张歌片。但我不想再去里面。万一我进去了不能很快地出来呢？

我在怅惘的心情中继续朝前走去。

我想这一切也实在平淡无奇。关于我住过的那间单身宿舍，我那一段生活，以及那个时候的小王，还有那位一度只能以馒头皮"打牙祭"的"黑帮"。

我渴望着一种全新的体验。

我注视着一扇扇的门。

现在我知道，每扇门外表一样，里面可并不一定相同。

我下一步是推开哪一扇门呢？左边的，还是右边的？眼前这扇，还是前面那扇？

不到推开，你总不能预料出会遇上什么。

就推开这扇吧。

我推门迈了进去。

是一个小镇。

说不清是北方，还是南方。总之可以判断出是一个中国的小镇。

说不清是现实，还是几十年前。但大体上可以判定不是清朝或更久远的年代。

陈旧，屋子都建造很久了，有的已经歪斜，但连成一片的斜屋由于有向这边斜有向那边斜的，因而形成了一种奇妙的平衡。

一种烂熟的文明。从某些屋脊和屋檐的造型上，从某些残有的木雕、砖雕饰件上，还在显示出一种悠然久远和历尽沧桑的意味。

路面是泥泞的。一条河沟从镇边流过。水是灰黑色的。水上漂着菜叶、鸡毛及某些难以辨认的杂物，还泛着一溜白沫。但有村姑在河沟边的大树下悠闲自在地洗衣、淘米。

突然一个人站到了我身旁。

是个中年人。大腹便便。他红光满面，正用牙签剔着牙。他好像认识我。我认识他吗？我不能确定。

"哪阵风把你吹到我们这儿来了呀？"他笑容可掬地招呼着我。

"啊……我是偶然走到这儿来的……"

"难得啊！到我家去聚聚吧！"

"那……那怎么好意思呢？"

"有什么不好意思？请！请！"

他朝前方指着。在镇边上，有座两层的砖楼，周遭围着一圈砖墙。原来他住在那儿。那一定是镇上最好的住所。

我仍推让着："不了不了，我怎么好耽误您的工夫呢？"

他却热情地拉着我："请都请不到啊！谁耽误谁的工夫呢？怕是您觉着我耽误您的工夫了吧？"

"哪里哪里……"我本能地说，"我没关系……我无所谓……"

"那就请吧！"他再次朝前指。

那座住宅自己以不紧不慢的速度移到了我们面前。院门洞开着。

他引我进入了院内。

原来已然宾客盈门。

他将我介绍给大家。也不知他介绍了些什么。那些纷纷对我点头微笑的人或老或少，或胖或瘦，他一一介绍给了我，也搞不清都是些什么人。

我仔细观察。那是一个四四方方的院落。两层砖楼也是四四方方的。主人和建造者似乎还不懂得曲线的美，建筑物上竟然找不到任何有弧度的地方。终于发现了一种装饰，是些大而粗糙的菱形图案。总算在正方形之外还知道有一种菱形可供娱目。我想到了镇上那些东倒西歪的旧屋。那些女儿墙。那些快要朽掉的精致到繁复地步的木雕装饰。这位主人和他所聘请的房屋设计、建造者为什么不能就近取材，从那些旧屋上获得美的启迪和变化的灵感？

大家被引进一楼的客堂。几张大圆桌。排满了大盘小盘，大碗小碗，各种复杂的味道扑向每个人的鼻孔。

一阵混乱的谦让之后，大家总算都已坐定。

各种叹为观止的菜肴陆续端上来，撤下去一种，很快便有另一种被补充上来。色是无限丰富，香是无比浓烈，味是无法形容。但我很怀疑它们的营养价值——几乎百分之百的原材料都被全然改变了它们本来的素质。筷子在我眼前闪成了栅栏式的光影。酒杯的撞击声使我想起了编钟编磬的合鸣。还有种种亲热得怕人的敬酒声。还好，没有人来纠缠我。我胃口不错，吃得不少。我惊叹在这僻远的小镇上，也可以见到如此丰盛的筵席。这是一种我应以什么样的感情来评价的文明？

我想方便一下。

我走到院子里，没有找到厕所。

我拐到厨房里去，向正忙着操作的大师傅打听。

我见到的景象不便形容，使我深信孔夫子那"君子远庖厨"的立论无比正确，那实在不仅是为了保持"恻隐之心"，还有"眼不见为净"的意义。

我忍住厌恶之心去大师傅指出的所在。

更不便形容。

我宁愿憋住。我退了出来。

我逃到院心，这才吸进一口气去。

主人忽然出现在我身边。他亲昵地拍打着我的肩膀："你怎么逃席啦？这可不够朋友呀！菜还没上到一半咧！"

我不客气地把他的厨房和厕所批评了一番。

他一点也不生气。他对我解释说："你不知道，我们这儿缺水啊！"

我说："镇边不就有条河吗？"

他笑了："那河的水能喝吗？"

可也是。

"那你用的水从哪儿来呢？"

"从井里打水的。让人给挑来的。"

"井远吗？"

"不算远。一里以外吧！"

"你为什么不在院里打口井呢？"

"我怕那辘轳的响动声。"

"那就安个压水机。"

"我也受不了压水机的声儿。"

"那就搞一套自来水设备。"

"我也受不了水龙头的水砸到桶底的声儿。"

"从一里外挑水，多麻烦啊！"

"反正有人挑。"他打了个饱嗝，拉住我胳膊说，"进屋去吧，去吧，接着吃香的喝辣的！"

"我不想吃了。"我挣脱他说，"我想在这儿站站。"

"这儿怎么能站？"他关切地说，"这儿风沙可大哩！"

果不其然。刮来一阵风。是小旋子风。风倒不算讨厌。讨厌的是随风卷来一阵黄沙尘，不小心吸进嘴里一点，牙齿间即刻咯咯地响。

"这儿怎么刮这种风呢？"我埋怨地问。

主人没有回答。但面对我们的那堵墙自动裂开了，向两边退去。

于是我看到渐渐移近我的山。光秃秃的山。简直没有一棵可以称为是树是植物。连草也不多。

"这山上原来总有树吧？"我问。

"那当然。都砍啦！"

"砍成了这样！为什么不再种树呢？"

"怎么不种？年年种一点。可种上没几天就让羊给啃了。"

"怪不得起风沙。"

"不怕。"主人坚持要我进屋，"进屋去就好了。把窗户、门关严实了，不怕。就是落上了沙土，我让人给擦了就是。"

"你这人真怪！"我再一次挣脱他，质问他说，"你既然这么有钱，能请这么多人大吃大喝，你为什么不花钱把你周围的环境改造改造呢？毕竟你这院子上头的天空也连着外头的天空，外头的自然条件恶劣，你自己的这块小天地也舒服不到哪儿去啊！"

他咧着嘴只是笑。他拍着我肩膀说："你老兄真会挑眼，不就是今天挑的水不够使，厨房跟厕所冲洗不净吗？那有什么不得了的？我让人赶紧挑水去就是了嘛！"

我还是不能谅解他："你这么注重吃喝，可这么不重视给水排水，真让人纳闷！"

他听不懂我的话："给水排水？什么玩意儿？"

我不再理他，我从那裂开的围墙中走出了院去。

我生怕他来拽我，但他没拽。我回头一望，围墙已重新合拢。我发现围墙一角有个泄水孔，泄水孔下面是一条明沟，明沟通向不远的一个池子，显然，从厨房和厕所出来的污水粪便都汇聚在那个池子里，基本上是靠阳光蒸发加以消除，而阳光永远不及晒干那个池子，那池子便时时发出着一阵阵的恶臭。我看见了成团的苍蝇，以及它们那更为不雅的后代。

想到那丰盛的筵宴距离这个池子顶多只有二十米远，我心里阵阵恶心。

我快步朝前走去。没有别的目的，只为了远离那个地界。

我想找一棵树，寻个树荫，坐下歇歇。

我发现镇上唯一的大树就是河沟边的那株。

一半已然枯萎。另一半倒还枝繁叶茂。

我倚着树坐在一块石头上。

我听见一声沉重的、出自肺腑的叹息。

似乎是大树在叹息。

我转身搂着大树。我感觉到大树的体温。

原来树木也是渴望着爱的。

忽然听到一种悠长的吆喝声。

我转过身来，啊，是货郎担。

我的心怦怦地跳着。有那种拙扑的泥人吗？有那种碎布缝制的变形虎吗？有那种色彩泼辣的糖公鸡吗？……

货郎微笑着走拢我身前，放下他的挑子。

有石膏制品。不伦不类、非中非西的女孩头像，涂着大红、宝蓝的颜色。

有塑料制品，毫不变形、力求模仿原样的小狮子，却给喷上了翠绿粉黄的颜色。

有不知用什么东西画成的供人悬壁的图画。上头是土不土洋不洋的风景。画技之拙劣，达到连一点可取之处也没有的地步。

我问他："你们这里原来不是有好多美丽的土制工艺品吗？"

他或许是没听懂我的话，或许是不想回答我的问题，只是望着我傻笑。

我站起身，叹口气，对他摆摆手，走开了。

我心里难过。

忽然我眼前一亮。

迎面来了个熟人。是小王。

他乡遇故知。惊呼热中肠。

"小王你怎么在这儿？"我惊叫着。

小王却并不惊奇我的出现。他微皱着眉头，把我拉到路边，知心地、小声地跟我商议说："我想进京去找他，你说，他能记得我吗？"我立即知道他说的是谁。"他一辈子也忘不了你！"我鼓励他说，"你当然该去找他！"那个曾被当做"黑帮"的人如今已经成了一个重要的领导干部。不是官复原职,而是连升了三级。

"如果你不放心,你就端一碗馒头皮去。"我给他出主意。

"瞧你说的!"他杵了我一拳。

不知怎么搞的,正好有辆公共汽车开了过来。原来我们正站在一个长途汽车的站牌下。

"你先上吧!"小王推着我。

我迈上了汽车。背后车门猛地一关,我心想还有人上车怎么就急着关门。急切中我习惯性地闭上双眼,腰背猛向前躲。待我睁开眼睛想给售票员提意见时,却发现我根本不是在长途汽车上。

我又回到了那条长廊里。

长廊非常洁净。

我需要方便一下。长廊中尽管只有我一个人,却无论如何不能随地方便。哪一扇门里有可供方便之处呢?

人经常被这类琐碎而不雅的事所累。

说起来都难为情。尽管人一生中解决这个问题所花费的时间加起来也相当可观。

不行。得快。

我立即推开一扇门。

真是吉人自有天相。那是一个卫生间!

我解决了问题。但是,糟糕,恭桶泄水把手有问题。只好暂且把盖子整个盖上。

洗完了手,我走出了卫生间,进了套房。恰好服务员开门来送开水。

我向她反映恭桶泄水不畅的问题。

她无动于衷。她说:"你先别用了。下午来人修理。"

她眉毛拿镊子拔过,嘴唇涂得红红的,耳垂上是两个心形耳坠。不过从她的话音里听得出一股土气。要把这股土气褪掉,至少还得一年。

我出了套房，是一条走廊。

不是那无尽的长廊。这条铺着织绒地毯的走廊是有尽头的。尽头是个售品部。

我本想进售品部转转，但门口挂的一个小牌子使我知趣地止住了脚步。

转身遇上了一位女士。

"你也住在这儿？"她问我。

"我偶然住进了这儿。"我不知该如何向她解释。

该女士胖胖的。徐娘半老，风韵犹存。她说她是来参加一个什么什么研究会的。那是一种绝对冷僻的学问。

"这地方真糟糕，"她对我说，"恭桶总是漏水，澡盆没有皮塞，有时候晚上九点来钟热水就断供应了……"

我不想附和。我们有那么多伟大的成就，一些小小的缺点何必耿耿于怀呢？

我想起了才离开不久的那个小镇。生在福中该知福。

女士却仍在执拗地问我："你说这种情况该不该改变？"

我忍不住同她辩驳起来："你也太吹毛求疵了。九个指头和一个指头嘛……不要求全责备。"

"九个指头和一个指头？……"女士的脸色忽然很难看，并有些局促不安。她用下巴指指窗外，引我观看，深沉地说："你看，又一座雄伟的大厦拔地而起，我也为之骄傲。可是你看它的侧面，那一排废弃的工棚总没拆去，还有那些剩余的建筑材料，还有那些更不像样子的渣土，你知道这些东西同新楼并存多久了吗？整整一年了！而有关部门竟能心平气和地容忍它们继续存在下去！"

我心里也感到遗憾，可没吱声。值得为这类事动感情吗？这类事能端上议事桌吗？

"归根结底，这并不妨碍我们进步……"我试图说服她，"这毕竟只是一个指头……"

那女士交叉在腹部的双手一抖。我这才发现她是戴着一双黑手套的。她迟疑了一下，终于鼓足勇气把双手移到胸前，她一边脱着手套一边痛心地对我说："完美也许并不值得追求，但整体和谐的观念一定要有。我们穷惯了，得过且过，结果形成了一种穷凑合的心态。一个指头占去了双手的十分之一，缺掉它哪里还有美啊！你说这不妨碍进步，什么是进步？从深刻的意义上说，进步应该就是创造美！"说着她已脱完手套，并将她的双手伸到我的眼前，于是我看见……她只有九根手指，她右手的无名指，不知为什么失去了一大半！

她的一双手在我注视下越变越大，终于如同一堵墙似的立在我的面前，尽管她那其余的九根手指都洁白秀美，但那残缺的一根却触目惊心地破坏着整体的和谐。我听见一种仿佛在空阔的大厅中回响的声音："该有十根完整的手指头！该有！该有！该有！"

我不忍再望那残缺的部位，我捂住了双眼。

移开捂眼的手掌后，我发现我又回到了无尽的长廊中。

我一边朝前走一边想，我总该推开一扇能把我引到更有趣的境界中去的门才是。

有这么多的门，这么多种可能性，这么丰富的机会。

我选择哪一个机会呢？

所有的门都是一个模样。没有号码，没有标志。

于是只好听凭运气。

我在一扇门前停住脚步。

我缓缓地推开它。

"欢迎你来参加我们的游戏！"

我发现我来到了一间不大的房间。房间的一边是一排坐着的人。中国人外国人都有。外国人不仅有白人还有黑人。都是成年人。

房间的另一边是一个面孔很熟悉的同胞。他正在主持着一种令我惊异的游戏。

"欢迎你参加！请你就坐！"他指挥着我。

我觉得他实在很像相声大王侯宝林。

我在那排座位中的空位子里坐下。见身旁是位金发碧眼灰白胡须的外国男子，便小声用英语向他打听："那位指挥我们的先生，是侯宝林吗？"

外国男子偏过头想回答我，却被侯宝林模样的同胞制止了："不要交谈！注意！大家都要全神贯注！请下一位过来！"

走过去一位苗条的栗发女士。

侯宝林模样的同胞指着墙上的一大幅世界地图命令她："穿过去！"

我瞪大眼睛看着眼前的场面。可怎么穿过去呢？

只见那女士微闭双眼，做气功似的运了一阵气，便贴墙而立，然后她渐渐变成一个瘪的平面人物，居然从那贴在墙上的地图后面，一点一点地穿了过去。穿越完毕，她变得更瘪了，简直就是一个彩色的纸人，而侯宝林模样的主持者也就轻轻揭下她来，叠到一旁的纸人堆上去。原来已经有许多人进了这间屋子，参加了这个游戏，并且变成了纸人，已积成了一厚摞。

我心里怦怦直跳。难道过一会儿，我也会经过那张世界地图的背面，变成一个纸人吗？多么不可思议的事情！

又有几个人在指挥下穿过了那张地图的背面，变成了彩色的纸人。

真奇怪。这是一种什么游戏呢？让游戏者变成纸人儿，这不形同谋杀吗？为什么一个个都并不反抗，而是听命去参加这古怪万分的游戏呢？

一位老人走向了地图。他满头白发，皮肤微黑。他也运了气，也贴墙站立，也渐渐变瘪，然而当他穿过那幅地图时，地图被拱得咔嚓咔嚓地响，显然他分外地费劲。有几秒钟那地图眼看就要被他身上的什么地方挤破了，他终于停顿了下来。

侯宝林模样的主持者忽然双眼噙满了泪水。他出乎所有人的意料，上前一把扯下了地图，于是我看见地图后的老人除了心脏部位外，已近乎一个纸人。

"你赢了！"侯宝林模样的主持者大声地喊着。

他一挥手，所有的纸人忽然都复活了，老人也恢复了原状，复活的人们立即手拉手地围成了一个圆圈，绕着老头跳起舞来。

我一时不能同他们的情绪共鸣。我仍然不懂这是一种什么游戏。

我主动退出了那间屋子，回到无尽的长廊中。

我在无尽的长廊中踽踽独行。我低头思索着。这究竟、究竟意味着什么？……还并没有轮到我。倘若轮到我，会是怎样的一种情况？我是变成一个纸人呢，还是同那老头子一样赢得胜利？

我断定那主持人并不是侯宝林。侯宝林是幽默大师。但那人一点也不幽默。他严肃得要命。可谁能断定侯宝林就没有严肃得如同哲学家的另一面呢？

不知不觉地，我在长廊中走了好长一段路。

许多扇门我都错过去了。

我总还得推开一扇什么门才是。

我选中了一扇。

这扇门看上去同别的门毫无区别。但它竟极为厚重，好不容易才将它推开，刚迈进去，背后就传来沉闷的关闭声。

眼前一片黑暗。

这是什么地方？是间屋子？电灯在什么地方？开关在哪里？

我听见自己的脚步声传出一种古怪的回响。这仿佛是间空旷的大厅。不，冷飕飕的，像个巨大的山洞。

也许是一个有趣的溶洞？往前走，倒有亮光处，也许我眼前便会呈现出姿态奇特的钟乳石，以及地下暗河。

前面确有亮光。

亮光渐近。我看出我所置身其中的并非天然洞穴。竟是一个巨大的人工洞穴。两边是巨大的石块砌成的墙壁，头上是高高的也由石头砌成的圆拱顶。

原来这人工洞穴里并不止我一个人。我看见一群人聚在前面。难道这是个地下防空洞？哪里来的飞机对我们进行了空袭？

不对头。我走近人群，发现他们的穿着打扮是地地道道的古代人。有点像西安的兵马俑坑中的那些俑人，不过他们都是活生生的人。他们围聚在一个大青花瓷缸周围。瓷缸中燃着一只巨大的蜡烛。

我看见一条魁梧的汉子跳到了安放瓷缸的石台上，激昂地对大家说："我们都被殉葬了。"

人们发出一片怨愤的呼喊。我的心被那悲怆的宣布声和沸扬的怨恨声凝住了。好一阵我的心才得以恢复跳动。我低头望望自己，我也是同他们一般的古代衣衫。我在望见自己衣衫的一瞬完全忘记了我的过去，或者说完全忘记了古代以后的包括我自己在内的当代存在。我也成为了被古代帝王活活殉葬在墓穴中的一个牺牲者。

我们都是这座巨大而宏伟的坟墓的修造者。当我们以为我们终于因竣工得以喘一口气时，我们却已被封在了牢牢关闭的墓穴中。

那头一位跳到石台上的大汉继续激昂地对大家说："我们不能在这里头等死！我们得想办法逃出去！"

"对啊！我们不能等死！"人群狂躁地呼应着。我也在其中。我那因极度的愤慨和强烈的求生欲而变得滚烫的心几乎要蹦出冒火的喉咙。

"我们要立刻动手！来啊，让我们到那边去挖洞！"立在石台上的汉子成为了天然的领袖。他右臂一挥，跳下石台朝一个方向跑去，人群即刻跟着他拥去。我只怕落在后面，拼命地朝前挤。

"不要慌！"忽然，又是一个声音。大部分跑动的人本能地止住了脚步。我也驻足回头望。

是一个瘦高个儿，鼻下两撇八字胡。他两眼如亮星，闪闪地盯住我们。只听他沉稳地说："要想出去，像这么蛮干是不行的。这墓穴里的空气有限。久了，养人的气吸完了，大家都得死掉。所以不能大叫大嚷，不能盲目行动。大家都要节约吸气。要先弄明白从哪里着手，才能打开一个出口。"

"那现在我们怎么办？"我和许多人一齐问他。

"走啊！"那边的领袖用尽气力呼唤着，"怎么不动了？快过来挖啊！不动手挖，怎么出得去？"

"不要一齐去乱挖。"眼前的这位领袖却告诫我们说，"大家先靠着墙壁坐下来，静一静。先由我带领三五位兄弟去探明最恰当的部位，然后再轮班去干。这样把握才大啊！"

我和许多人立刻被他征服了。他似乎掌握着更多的真理。我和身边的一些人依照他的吩咐靠着墙坐了下来。

那前边的一群却发出了越来越严厉的指责："你们怎么回事！坐等我们去给你们卖力吗？""你们怎么没出息到坐着等死的地步？""岂有此理！""可恨可恨！"

接着双方人群的交融地带竟发生了逾越动口界限的动手事件。大概是由无意冲撞引起的。喊声、拍击声、杂沓的脚步声……

终于形成了两个对立的党派。

一个是 A 党。主张以激昂的情绪立即开始挖洞。该党的理论是：既然并不能确定哪儿是墓穴的出口，因此无论从哪里挖起都是一样的。只要肯努力，大家一齐动手，挖洞不止，哪怕是恰好挖在这坟墓最厚的部位，总可以挖开的。坚决反对怠工。反对观望。反对妖言惑众。

一个是 B 党。主张以冷静的态度面对现实。该党的理论是：盲目挖掘不是可能而是必将导致更悲惨的毁灭。这坟墓总有它的机关，它的暗门，至少总有它的薄弱点，先搞调查研究，弄明从哪里入手合适，再组织人力合理开掘，方能保证得救。坚决反对蛮干。反对浪费空气和人力。反对蛊惑人心。

我一时不知参加哪个党好。像我这样的人总也有三分之一左右。我有时跑去同 A 党的战士挖掘一阵。他们不怕什么"浪费空气"，一边挖掘还一边唱着豪勇的战歌。同他们在一起，我就相信他们必定是解放我们全体的救星。而且也并不能判定他们是蛮干。他们也想出了许多巧妙的方法，使挖掘速度不断提高。当他们感觉到朝某个方向突进有可能越挖越错时，他们也及时地改换方向。并且他们那种神采飞扬、忘我奋进的精神状态，也常使我生出这样的想法：挖出去，人不终于也会死掉的么？就算是到地面上"寿终正寝"，又究竟有多大的乐趣呢？即使他们挖不出去，在掘进的奋斗中死掉，不也快活吗？不也等于度过了有意义的后半生吗？

我有时也跑去同 B 党的党员们待在一起。他们多数人仍在倚墙养神。少数智者抽出去组成了一个调查研究的班子。那班子在领袖领导下似乎总是已经接近于确定好一个最佳的开启墓穴方案。那方案听起来真是激动人心，并不要等太大的工夫便能巧妙地使大家重见天日。但方案毕竟总未最后敲定。也派出几个小组搞过几次试验性行动。也不能说没有收获，不过都不足以使方案确立。B 党令人感动之处在于他们总是不断声言，一旦他们科学地开启了墓穴，他们将首先请 A 党的成员们和无党无派人士走出去，他们将一起排在最后。

大家都感到空气变得污浊起来。体弱的人最先感到呼吸困难。不过这墓穴修得实在很大，因此供人生存的氧气短时间内尚不至于耗尽。双方都发现了搁置陪葬品的侧穴。金银珠宝被视作废物。各类食品被迅速地由专门的机构掌管起来。A党所掌握的食品中以易腐烂的水果、点心为多，稍能持久一点的是各类粮食的种子。B党所掌握的食品中以瓶装酒为多。这使B党处于明显的优势。因为这墓穴中几乎挖不到水源。酒便是唯一的饮料。而酒是不怕长久搁置的。越搁得久反倒越香越醇。A党和B党各自成立了专门的委员会，定期会晤，交换食品。A党的劣势使党员们对B党无比嫉恨，而B党的党员们尽管有较多的酒喝，却开始在弥散开的醉意中普遍变得消沉，两党不时发生一些小的冲突，大多是由于双方中的激进分子在相遇时相骂或碰撞所引起。不过由于两党领袖的明智，这类冲突始终没有酿成墓穴中的一场内战。

有一天我从睡梦中醒来，忽然听见了一阵悠扬的乐声。这令我无比惊奇。我循着声音寻去。一些人同我一样，也怀着好奇的心情朝乐声传出处寻去，当然绝大多数都是无党无派人士，其中只有少数几个A党和B党派出的侦察员。

原来那乐声出自一个原先不为人知的隐秘的侧室。有一些人不知怎么偶然触动了机关，竟使那侧室显露了出来。那侧室是墓主安放他的爱妃棺椁的地方。这位爱妃所占据的侧室中竟有那么多想不到的随葬品，真令人叹为观止。有全套的细乐乐器。现在它们各自都有了演奏者。正是这个喜出望外的乐队奏出了令人心荡神驰的音乐。还有不知多少箱绣金描银的衣服。它们已被打开。并且有许多人换上了从中取出的衣服。男人穿上了女子的衣服，显得十分古怪，但由于那些衣服质量非常之好，穿上的人都显露出温暖舒适的表情。除此之外是无数的金银财宝和古玩字画。它们被特意一一展示了出来。由于这侧室中还有许多的蜡烛，并且被极为奢侈地四处点燃，所以让人一瞥之中已觉得珠光闪烁、美轮美奂。这些还都不算回事儿。挤在前面的人告诉我，侧室中有无数只坛子，有的装着满坛的果脯，有的装着满坛的肉干，有的装着满坛的美酒……

在墓室当中，那妃子的棺椁旁，一排蜡烛照出了一位眉目清秀的男子的面容，他挥手让乐队暂停演奏，然后郑重地宣布："我们，第三党，C党，今天正式成立。我们的主张是：人生几何？对酒当歌！反正我们大家的天年所剩也不多了，为什么要拼死拼活，耗费心思去打开这个墓穴？况且即使我们终于打开了它，走了出去，那上面的世界，难道就比这里好吗？想想我们的过去吧！任是深山更深处，也应无计避征徭！我们不想干涉 A 党和 B 党的内政，他们尽可以继续他们的努力，但这个侧室是属于我们 C 党的，希望他们也不要来干涉我们！他们就是把墓穴打开了，他们出去他们的，我们还要留在这里！"

他的演讲获得了一片掌声和欢呼声。在一片"C 党万岁！"的口号声中，乐队重新奏起乐来。

"你不参加 C 党吗？"我身边的一位瘦弱老人问我。看来，他是被打动了。是啊，对于他来说，时日实在已经不多。

"我不。"我告诉他，"无论如何我还是想到上面去。"

"上面就那么好吗？"老人痛苦地盘算着，既是问我，也是问他自己，"到上面去图的是个什么呢？"

"阳光。天空。云朵。风。还是小鸟。"我诚心诚意地告诉他，"还有那种无边无际的感觉。"

突然我们周围的人群骚动起来。

A 党的突击队赶来了。他们向侧室里的 C 党发出了最后通牒："这里面的财富属于全体殉葬人。限你们三个时辰内退出这里，以待大家均分。"

侧室里一片抗议声，伴随着跺脚。

B 党的外交使团赶来了。他们向侧室里的 C 党发出了紧急呼吁："侧室里的财物可以由你们 C 党暂时代管。但所有财物应在三党四方——包括无党无派一方——组成的委员会统一监督下加以分配。鉴于你们对发现此侧室有特殊贡献，在分配时可以酌情增加你们 C 党的配额……"

尽管 B 党不同于 A 党，他们还是承认 C 党并主张对之优待的，侧室里的 C 党分子仍是一派詈骂声和跺脚声。

在混乱之中，我有点不知所措。我暗自祈祷着，希望万万不要发生大规模的冲突。

忽然我感到有人倒在了我的身上，我本能地抱住了他。原来是那个问过我话的老人。他的身体变得非常僵硬。我俯下头去试他的鼻息，他竟已断气！

"有人死了！"我痛心地呼喊起来，"大家不要吵啊！死人了！"

那老人显然同我一样，是无党无派人士，我们的食物和饮料原来只靠 A 党和 B 党救济，是墓室中得到补养最差的人。我早料到最先挺不下去的人将出在我们当中，果不其然。我的惊叫声使所有的人都肃静下来。那老人毕竟是我们当中的头一个逝世者。几个人帮助我把老人平放在地面上。人们很快在他周围聚成一圈。A、B、C 三党的党魁都被请到了前面，三个人暂时撇下他们的分歧，并肩带领众人向那逝者致哀。

一片欷歔之声。

大家这时的心绪也许最为接近，甚而融为了一体。那万恶的墓主将我们殉葬，就是为了让我们这墓室里活生生的人因断氧断水断粮断阳光断生趣而如同这老人般地死去。这是一个促使大家同仇敌忾的信号。一些人哭出了声来。我恸哭着，以致一阵晕眩，不能自禁地向下倒去。眼前是一片飞散的金星，耳边轰轰然有如雷电交加。我失去了知觉。莫非我即将成为古墓中的第二个牺牲者？混混沌沌地不知有多么久了。我醒过来。啊呀，我是在无尽的长廊上。

我回忆起了一切。首先是意识到了我本是一个当代人。我已度过了幼年、童年、少年和青年时代。我所度过的岁月里已不存在殉葬的事。然而我也回忆起了墓室中的一切。恍若一梦。但分明又并不是梦。我得救了，他们呢？无论是 A 党的，还是 B 党的，乃至于 C 党的，还有那些无党无派的，我该都引以为亲人。我不能撇下他们不管。

我的心猛然因快乐而发紧。

我从眼前这扇门里出来的吧？只要我把这扇门打开，不就可以把他们统统从那黑暗阴冷的墓室中解救出来吗？

这是多么惬意的一件事！在这无尽的长廊中，我将不再感到寂寞。而且这长廊中有那么多的门，我们大家可以各选一扇，谁也不再妨碍着谁。

还迟疑什么？拉开门，大声喊："亲人们，出来吧！"我不就成为世上最值得自豪和最感到幸福的人了吗？

我挺直腰，奋力将那扇门拉开。

我懵了。

门是拉开了，但呈现于我眼前的完全是未曾预料到的景象。

"先生，请进！欢迎您搭乘我们这次航班。"

一位容光焕发的空中小姐笑吟吟地望着我。

"我想我是走错地方了。"我想退回去。我要找的不是这个地方。

"请您把登机卡递给我。"空中小姐笑得甜。

我不明白我手中何以真的捏着一张长长的卡片。难道那就是登机卡吗？

"我走错了！"我决意退回去。我要退回无尽的长廊中，然后我要一扇门一扇门地寻找，直到找着那个墓室。否则我的灵魂将不得安宁。

我退回去了。可门外不是无尽的长廊，而是有尽的候机厅。

"先生，您找什么？"门外的一位身穿漂亮制服的小伙子彬彬有礼地问我。

"我找墓室！"我不喜欢这个现代化的候机厅，不喜欢这个小伙子，不喜欢他那身蔚蓝色的笔挺的制服，我简直是怒气冲冲地对他嚷。

他并不生气。他捏住我手中那张卡片，望了一望，便耐心地安慰我说："先生，您没有走错。是从这里登机。您是该从这里登机。"

我只好又扭身朝门里走去。我又回到了机舱口。在空中小姐甜蜜的微笑引领下，我神使鬼差般地被安排到靠舷窗的一个座位上。

难道墓室中的种种经历，真是一场虚无缥缈的噩梦？

旅客们陆续到齐了。响起了悦耳的叮咚声。接着是广播员亲昵的说明声。先用中文、再用英文，最后用法文重复说明了三遍。她提醒大家系好安全带，并且不要吸烟。飞机看样子就要起飞了。

我以前也曾搭乘过飞机。不过尚未搭乘过今天这样的宽体客机。这是波音747，还是道格拉斯公司的一种什么新型号的飞机？亮闪闪的合金材料，蔚蓝色的人造海绵和麦穗黄的灯芯绒，构成了机体和座椅的主要部件，所有衍射出的光线都是柔和的，整个机舱里弥漫着梦幻型香水的气息。人类竟能造出这么美好的事物，并能使之升到高高的天际，缩短着彼此间的距离，这真令人惊异。但人类竟也造出过带殉葬者的巨大墓穴，做出那样残忍的事情来，岂不更令人惊诧。

"咦，你也去巴黎？"忽然有人走过来招呼我。

"我去巴黎？"说实在的，我完全没有料到我会飞往巴黎。

走过来的是小王。他的座位刚好就在我的身边。

"我简直认不出你来了！"我来回打量着坐在我身边的小王。他几乎变成了另外一个人。他曾是一个猥琐的学生。在经历过一番运动之后，他被送到农村插队去了。他好不容易从只有十多户人家的村落调到了那个小镇上。他在那小镇上好不容易当了个代课的小学教师。当他在那小镇上同我邂逅时，他甚至还没有十足的勇气进京城来试试他的运气。可是现在他面色红润，头发理得十分帅气，身上不消说是西服革履。

"你可打扮得真漂亮！"我忍不住又对他说。

他微微一笑："不就穿了一身西装吗？你也一样嘛！"

我也一样？我这才俯首望望自己的穿戴，乖乖，我什么时候也用"红都服装店"的出国套服武装了起来？

"你去巴黎？"我问小王，"什么公干？"

飞机已经升到空中。小王似乎在回答我，可我并没有听见。我心里可是一秒一秒地明白过来。

那位吃过小王悄悄送去的馒头皮的首长，此刻坐在前舱。我们坐的只是经济舱。前舱的位子要宽一些，票价也高一些。小王已经成了他的秘书。他很器重小王，这是完全可以理解的。小王努力地为他工作。这也完全可以理解。首长为提拔小王真是不遗余力。他首先通过小王所在那个省的老战友，把小王借调到了省里的报社，当一名记者。他又敦促报社的领导，把小王转了正。不出半年，他更写亲笔信褒扬推荐，使小王入了党。一个月以前他将小王调进了北京，当他的秘书。小王的户口问题眼下尚未解决，但他已带着小王出国访问。

小王真有运气。他毋庸在无尽的长廊中瞎碰瞎撞。他稳稳地迈进了一扇大放光明的门里。

飞机开始了夜间飞行。放映电影的屏幕翻出来了。开始映出一部美国人拍的以苏联为背景的故事片《高尔基公园》。

小王突然站了起来。

"你去哪儿？"我问他。

"到前舱去看看。他不爱看电影，也许他已经睡着了。我担心他没把毛毯盖好。他腿有毛病。打鬼子时候伤过。前些年又给斗伤过。我去给他盖腿。"

说着去了。

我很感动。

我也取出一床毛毯盖到腿上。

我把座椅靠背调至最仰角度，舒舒服服地看起《高尔基公园》来。我隐隐感到关于墓室中的那些事情，确确实实只是一场噩梦。人不必为噩梦而给灵魂缒上重负。

我这才冷静地自问："我真是要到巴黎去么？我去干什么？"

我迷迷糊糊地睡着了。

当我醒来时，我两眼还迷糊着，心里便飘出这样的想法：我一定又回到了那无尽的长廊中。唉，我毕竟与巴黎无缘！

我揉揉眼睛，面对现实。

啊，我还在飞机上。

小王将一杯果汁递给我，笑着说："你怎么睡得这么沉？刚才飞机在沙加机场逗留，我推你，你也不醒。现在马上就要在巴黎降落了！"

这么说我毕竟能到巴黎。

飞机果然降落在戴高乐国际机场。

刚一穿过活动通道，进入机场大厅，我便同小王走散了。他一定是忙着照顾首长去了。法国方面一定有专门的人员在迎接他们。我夹杂在各色旅客中登上了自动行走道。行走道忽然悬在空中，由透明的有机玻璃筒引向机场的另一部分。下了自动行走道后，面对着众多的出口处我茫然不知所措。我该从哪儿出去呢？再说，我究竟有没有护照？办没办好进入法国国境的签证呢？我来巴黎，究竟是有公务在身，还仅仅是个人旅游呢？……

当我这么想的时候，不知怎么搞的我已经置身在机场外面。马上有一位妇女快步迎上来同我打招呼，她握住我的手说："欢迎您！您可来了！我们都等着您呢！"

她是个地道的西洋人，可中国话怎么说得这么好？

她太面熟了。啊，我知道，我知道她是谁！

"您是蒙娜·丽莎吧？"我惊叫起来。

"对。"她脸上保持着达·芬奇笔下那永恒的微笑，承认这一点。不过她甩甩头发，解释说："为了适应当代生活，我不得不换上了这身新的服装。"

她穿得极入时。地道的巴黎时装。也许是皮尔·卡丹的最新设计。

她请我坐上她开来的小轿车。

"我先带你在巴黎转转！"

"谢谢！真是多谢！"

小轿车在巴黎城转来转去。

我不时欢叫起来："啊！埃菲尔铁塔！""嗬！凯旋门！""呀！这就是香榭丽舍大街吧？""这肯定是协和广场吧？""唷！巴黎圣母院！""那边是不是蒙马特尔高地？那有几个圆顶子的乳白色教堂该就是圣心大教堂吧？""你别说！我猜出来了——这是马德兰大教堂！……'伤残军人疗养院！拿破仑墓不就在这里面吗？""啊，四色郁金香——这花圃后面就是你的住处，罗浮宫吧？"

蒙娜·丽莎的语音如同她那微笑一样，有一种形容不出的空灵感。她说："你怎么好像来过似的——对，我当然是住在罗浮宫里。今天罗浮宫不开放，所以我能跑出来陪你。"

"我确实是头一回来。不过，对你们法国，我神游已久啰！"

"我们法国？"她摇摇头，"你怎么忘了我是意大利人？我只不过是长期侨居在法国罢了。"

"你们意大利我也是向往已久……"

"是啊，你们中国知识分子，似乎对西方知道得不少，特别是自文艺复兴到上个世纪的文化，你们简直人人都说得出一大堆人物和作品的名字……对了，今晚我在王子饭店开酒会欢迎你，你都想见到哪些早已熟悉的法国名人？我已经约请了巴尔扎克、雨果、大仲马、小仲马、乔治·桑、夏多勃里昂、梅里美、左拉、司汤达、罗曼·罗兰、法郎士、普鲁斯特……"

我几乎要晕死在车里。王子饭店？酒会？为了欢迎我？我算什么东西？

我耳朵里响着一个接一个炸雷。别把我给羞死！

"不，不，这……这……"我脸色一定非常难看。

"啊，你还不满意吗？"蒙娜·丽莎误会了，她竟用抱歉的口气对我说，"我知道你们中国一大批中、青年知识分子对萨特最感兴趣，可是萨特，你是知道他那怪脾气的，连诺贝尔文学奖他都拒绝，这样的酒会他是肯定不会参加的，即使是我出面邀请……至于罗伯·格利耶，马格丽特·杜拉，米歇尔·布托……我知道这几年在你们那儿也很知名，可是鉴于他们都还在世，我是不便同他们来往的……"

我心中一惊。难道我也是谢世之人？怎么她能同我交往？不过看看窗外，确是生龙活虎的巴黎，俯首望望自己，确是红活鲜实的一条生命，也就释然。她讲的只是文豪，并不包括我们凡人在内——对凡人来说，恰恰是活着的她才交往。一定是这么个道理！

能亲自集中一睹伟人们的风采，当然是桩诱人的盛事。不过我这人实在怯场，上不得台盘的。想来想去，我还是恳求蒙娜·丽莎："我实在是不配同这些伟大的人物见面的，你定把我带去，我甚至会羞愧得自杀！晚上还是换个别的活动吧……"

蒙娜·丽莎叹息道："你真是个典型的中国知识分子！要知道人是生来平等的，谁也用不着怕见谁，谁也用不着对谁感到羞愧……"

我承认她的话一针见血。我告诉她："我的确是个地道的传统型的中国知识分子。我的心理压力不仅来自个人的自觉形秽，还来自群体的无形抑制——倘若我晚上真去参加了你安排的那个酒会，回国以后——甚至不等到我回去，便会迎头遇上这样的指责：你怎么这样狂妄？你怎么敢大摇大摆地同伟人们平起平坐？谁批准你的？你算什么东西？就是有这样的酒会，怎会能就轮到你？简直是没有羞耻！……你懂得我心中的悲苦吗？我是万万不到你那个王子饭店的酒会去的！"

"好吧，那么我们另外商议一个安排。眼下我们先参观凡尔赛宫。"

车停了。我们下了车。前面便是宏伟华丽的凡尔赛宫。

"你怎么走不动路？"蒙娜·丽莎扬起眉毛问我。

我只觉得步履艰难。我常有这种感觉。不过这时尤为严重。一定是蒙娜·丽莎那个开酒会的想法给吓出来的。我低头望去，只见我两只脚踝上各系着一条金光灿烂的锁链，锁链终端各挂着一只金球，一只金球上铸着"谦谦君子"四个字，另一只金球上铸着"非礼勿视"四个字。

怪不得。

我为什么要活得这么难受？我的双脚为什么要受这两个金球的拖累？我究竟妨碍了谁？损害了谁？我为什么不能在不妨碍不损害他人和群体的前提下自由自在地活动？

我勃发出一种事后自己也感到惊讶的狂怒。我弯下腰去用手抓扯，又连踢带跳地想摆脱那两只金球。蒙娜·丽莎吃惊地问我："你这是一种什么样的舞蹈？难道西方的霹雳舞也传到中国去了吗？这是它在中国的一个变种？"

她仿佛看不见我脚踝上所拴系的金球。

说来也怪，我一番暴怒的反抗之后，那两条锁链和两个金球先是慢慢失去重量，后来变为了全息摄影式的有形无实的东西，最后终于湮灭。

我透出一口气来，对蒙娜·丽莎庄严地宣布："我又决定参加你晚上在王子饭店安排的酒会了。而且你无妨再多通知些人来，老的，比如伏尔泰、孟德斯鸠、卢梭……小的，比如巴比塞、艾吕雅、马尔罗……"

蒙娜·丽莎耸耸肩膀说："你是怎么搞的？你不自觉形秽了吗？不怕人家说你狂妄了吗？"

我激昂地说："我的心态完全改变了！我怕什么？我谁也不怕！巴尔扎克有什么了不起？保皇党！反动派！雨果有什么了不起？资产阶级人道主义！充满虚伪性！左拉更糟糕！自然主义！罗曼·罗兰？和平主义者！普鲁斯特？现代派！搞什么意识流！腐朽没落！……我怕他们干什么？我们比他们强！"

蒙娜·丽莎仰头笑了起来："啊呀呀，尊敬的先生，您不觉得您现在的这种心态，正是前面那种心态的倒影吗？或者说，它们只不过是一张扑克牌的两面罢了！"

我一愣。不过我仍坚持："王子饭店。酒会。我要去。"

蒙娜·丽莎柔声对我说："无论你自觉形秽或是居高临下，都不会使酒会有好结果的。你还是应该自然地同他们相处。"

忽然猛地响起了警笛声。待我明白过来时，我们竟已被冲过来的法国警察所包围。

"你被捕了！"一位戴圆筒帽的警察一把揪住我，厉声宣布，并举起一张逮捕证给我看。

"为什么？！岂有此理！"我狂怒地抗议。

"你还好意思问为什么？！你盗窃了法国国宝——达·芬奇笔下的蒙娜·丽莎！"警察脖子上青筋直跳，他竟比我还气愤。

蒙娜·丽莎挺身站到警察面前，剖白说："他是无罪的，是我自己从卢浮宫走出来的。"她的神色也变得严厉起来，甚至消失了她那本应永恒的微笑，她教训警察说："我是意大利人，我是意大利的国宝，祖国的人民早就召唤我回罗马去，我是一直打算动身回去的。你们不要这么蛮横地对待我的中国朋友，眼下中国正在开放，拼命地了解西方，最近几年我的复制像中国印得最多，我有义务为他们的来访者尽一点力……你们放掉他，我自己回卢浮宫就是！"

警察还是揪住我不放，甚至要给我戴上手铐。我抗拒说："我是不会逃跑的。我可以到有关的部门把情况说清楚。不过我对你们的粗暴无礼坚持提出抗议，你们早晚得给我赔礼道歉！"

"那么你先上车吧！"警察推推搡搡地把我推进了警车。

我刚迈进警车的门，便发现自己实际上是回到了无尽的长廊里。

老实说这一回我并不感到惊讶。在警察推我的一刹，我就预料到会是这样，或者毋宁说我就祈盼着会这样。

我在无尽的长廊中缓缓前行。不断从胸中徐徐呼出淤积的气来。

走了好长好长一段，我才推开了一扇门。

原来推开门不一定就意味着进入，也可以视为从地道的走出。

我发现门外是美丽的山野。

天空碧蓝碧蓝。我从未见过蓝得那么动人的天空。

地上是一阕绿色交响乐。不同的树木有不同的绿色。地面上的野草也各有不同的绿色。淡绿、浓绿、鲜绿、暗绿、嫩绿、墨绿、油绿、碧绿、灰绿、青绿、绿中泛黄，绿中带红，绿蓝相同，绿褐相叠，绿得像烟，绿得如云，绿得朦胧，绿得泼辣……我真痛恨自己语汇的贫乏，竟不能传达出那山野中的绿色交响乐的韵味之万一。

并没有什么红色黄色的花朵点缀其间。只是绿，绿得令人心醉。

我穿过草坪，进入树林，走出树林，来到河边，平平常常的小河弯，弯曲处的静水里长满闪亮的绿萍，连水也是绿的，不过绿得与植物不同，仿佛一首迂缓的绿色乐曲，轻柔地、温馨地演奏着……

始信最令人惊叹的艺术品，还是大自然本身。

河对岸也是绿的。近处的草坡绿得让人想去打滚，稍远的森林绿得催人作诗，而远处的几叠山影，从绿如翡翠到绿得淡若轻纱，更唤起心中无尽的良知与爱……

可是出现了一个不和谐的音符。有个姑娘出现在小河边。她衣衫不整，辫发蓬松。她瞪眼望着河水。双手痛苦地绞在胸前。

我走过去轻轻地招呼她。

她不理我，她的门牙几乎要把下唇咬破。

她为什么如此悲苦？

我凑拢她身边，谨慎地问："姑娘，你莫非想寻短见？"

她扭头望了我一眼，喃喃地说："我活着有什么意思啊！"

"怎么会没有意思？谁欺侮你了吗？"我关切地问。

她用双手蒙住脸，痛苦地摇着头。

一只小鸟飞了过来，叽叽喳喳地在我头上绕着圈子，用翅膀的扇动指示我向小河里看。

于是我发现小河变为了一张银幕。立即映出了一系列的场面。影片是无声的，但我看懂了全部的内容。

原来这位姑娘是想成为一个知名的青年女作家。她现在是一个制药厂的工人。她已经通过了业余大学中文系的各科考试，取得了一张文凭。她每天晚上都要熬夜写到深夜。可是她的每篇投稿都被退了回来。她痛苦。她失望。她同厂里的领导和同事们搞坏了关系。有人在她背后指指戳戳，甚至说她是精神病。她已经有一个月赌气没有去上班。她要出一个名给他们看看，但她今天却又收到了一份退稿，里面只夹着一张铅印的退稿信……

我明白了。我觉得应该同她谈谈心。

"姑娘，你有追求，你奋斗，这是好的，但是，你应当不怕失败，不怕挫折……"

"陈词滥调！"她愤愤然地转向我，发泄似的说，"为什么我就得失败失败再失败？我都快30岁了，我该成功了！"

"其实，说穿了，成功除了努力精进，还得有机遇；对待机遇，我们只能耐心……"

"我够有耐心的了！你不知道我已经付出了多么大的牺牲？！"

"可是人也得做好这样的思想准备：一生一世没有成名成家的机遇。从概率论的角度考察，一个姑娘成为一位知名女作家的几率，实在是很低很低的……"

"你这样的话我不要听！"她喊叫起来，"我已经没有退路！难道让我再回车间去，同那些婆婆妈妈的家庭妇女式的同事们待在一起？！"

"婆婆妈妈的？家庭妇女式的？……"

"就是那么一群人！庸俗！小市民！没文化！没境界！我跟她们没有共同语言！"

"你怎么能这么轻率地就把她们的存在价值否定掉！"

"她们就是没价值嘛！你知道她们成天干什么吗？在车间里，就是给中药丸包蜡壳，丝毫现代化的气息也没有！工休的时候，她们就议论油盐柴米，一点文艺细胞也没有！"

"你的想法真是非常古怪。凭什么非要求她们这样的人具有文艺细胞不可呢？"

"我跟她们没一句可说的！"

"可是我觉得你既然想成为一个最有价值的作家，你就该懂得，不是世上的普通人有义务来为作家服务，陪作家聊天，喝咖啡，吃点心……而是相反，作家倒有义务去寻找跟她们交流的共同语言，理解她们，爱她们，为她们服务……"

"那么你去跟她们包蜡壳儿去！去跟她们促膝谈心去！"她跺脚，她喊叫。

跟她再谈下去将是痛苦的。我叹了一口气，与其是对她，不如是对自己，沉吟地说："生活还有所谓事业以外的意义和乐趣，比如同绿色的大自然拥抱……"

她却仍想同我抬杠，我听见她以不屑的语气说："我是在这儿生在这儿长的，这儿有什么稀奇！这儿不是桂林，不是黄山，不是苏州园林，不是青岛海滨，你看对面的山，上头连座宝塔都没有！"

"可是并不是只有建造了宝塔的山才美啊。"我离开她，缓缓向树林里走去。我看出来她那痛苦尽管是真实的，但她目前并无真正的轻生企图。她不会的。我走了一段，扭过头去看她，她也离开河边，朝另一个方向的树林走去了。人各有志。也许她终于会脱颖而出？……

我环顾着周围的一切。忽然所有的树木都手拉手地缓缓起步舞动，而每一棵小草也都悠然快乐地摆动着它们的身躯。这一切最后都渐渐浓缩成一片，聚结为一张歌片，飞到了我的手中。啊，这正是我曾珍藏在单身宿舍中而一直以为不可失而复得的那张歌片，它不但变得崭新，而且放射出莹亮的绿光……

我耳边回响着那亲切的曲调，我嘴里唱着那使我灵魂更纯净的歌。我把歌片放在了贴胸的口袋里。我周围一切暂时成为一片空白，而面前是那扇我来到这里时推开过的门。我愉快地拉开门，回到无尽的长廊。我信心百倍地走我人生的路。

我又推开一扇门。

一股发霉的气味朝我扑来。

是一个老式的茶馆。所有的东西都陈旧到近乎腐朽的地步。总有几十年没有营业了。一张张开榫的方桌甚至于长出了蘑菇。

可茶馆中还站着两个人。居然是两个活人。他们穿着长袍大褂，戴着瓜皮帽，面对面地站着。不是呆立，而是充满动作。也不是哑然，而是不断地在那里拉拉扯扯、吵吵嚷嚷。

他们在打架么？不是，我看了几秒就明白了一切。

他们一定是从喝完茶站起来开始，便在那里抢着付账。到我迈进茶馆时居然还没终止。

一个拦住另一个，红头涨脸地喊："我来我来我来……"

另一个冲破阻拦，摇头晃脑地叫："那怎么行那怎么行……"

一个就拽住他，更起劲地喊："不行不行不行……"

另一个就推开他，更大声地叫："我来我来我来……"

以下还有一些更为复杂的动作和相互交叠的争叫，直至恰好复原到最初的部位，于是再从头开始。

他们已经这样活了多少年？看他们的神情，仍旧沉浸在一种自我满足的高度快感中。

我走过去，从旁对他们说："你们就算了吧！浪费了多少时间！实在都不愿意受请，那你们就一家付一半茶钱，不好吗？"

两个人似乎听不见我的话，甚至感觉不到我的存在，还在那里拉拉扯扯、哇哩哇啦。

我不再管他们。我在这古老的茶馆中走来走去。我想如果北京人民艺术剧院再把老舍先生的名剧《茶馆》搬上银幕，不如就干脆到这里来拍……不过，王掌柜的那家茶馆好像不是这个字号，我看见这个茶馆的高墙上挂着一块布满霉点的横匾："面子居。"

是呀。茶馆大概已经倒闭很久很久了，可是两个茶客还在那里争脸面。

奇怪，柜台上怎么有一台锃光发亮的录音机？这东西不该出现在这已经废弃的旧茶馆中啊！

咦，录音机里居然还有录音带。

我按下了放音键。

陆续传出以各种声调各种情感说出、喊出或骂出的话语，有苍老的声音，也有洪亮的声音，有男子的声音，也有妇人的声音，有单人和多人的不同声音，甚至也有童稚的声音：

"请您赏脸！"

"连祖宗脸上也有光！"

"您给脸！"

"还是您的面子大啊！"

"要不是您的面子……"

"真有脸面！"

"够面子！"

"您连这点面子也不给？"

"您得让我脸上过得去啊！"

"别扫人面子行不行？"

"顾点脸面吧！"

"别那么不顾脸面！"

"你这人怎么给脸不要脸！"

"你瞧，是不是？上脸了……"

"蹬鼻子上脸，你倒狂了！"

"你有脸皮没脸皮！"

"人要脸，树要皮……"

"我这人可真是脸皮儿薄……"

"我个不得老一老面皮……"

"没皮没脸！"

"脸皮真够厚的！"

"脸皮比城墙拐弯还厚！"

"天下头一个没脸皮的！"

"天下头一个厚脸皮的！"

"要脸不要脸？"

"不要脸！"

"真不要脸！"

"臭不要脸！"

"连祖宗八辈的脸面都丢尽了！"

我听不下去了。慌忙按了下停止键。

那两位茶客仍在那里继续他们旷日持久的争面子活动。

我不能再在这个地方待下去。我夺门而出。

门外并不是无尽的长廊。

我面前是一个西洋咖啡馆。

整个咖啡馆是暗红和黄铜的色调。洁净、幽雅。墙壁上吊着些绿色的盆栽植物，屋顶上垂下或密聚或分散的乳黄色灯球。不知道立体声喇叭安在了哪里，只听到淡淡地飘出小提琴协奏曲的乐音。

咖啡馆里人不多。车厢座大体上坐满了，但当中的圆桌大多空着。柜台前的高脚凳上坐着两三个人。还有一个人倚在柜台那儿喝一杯香槟酒。

那人一见我便高声地招呼："老兄，你也来了！"

是个同胞，并且说不好普通话，语音里乡土气很重。

我走了过去。

我仔细地望着他。啊，想起来了。他是那个小镇上的重要人物。他什么时候请我在他家吃席来着？他怎么跑到这个地方来了？

"您来点什么？"柜台的店员招呼着我。

"我也来杯香槟吧！"

"我来请你，我来请你……"同胞立刻去掏他西装内兜里的钱包。

"不用，不用……"我本能地阻拦着他。

"还是我来，还是我来……"他力争着。

我忽然感到恶心。

我不再争。由他付了钱。

他没给够钱。店员跟他说话他听不懂。我忙补上一张纸币，摆摆手告诉店员不用找回余额。

"你怎么还给？"他问我。

"他说你没给够。"我不禁问他，"你怎么来这儿了？你连外国话都听不懂。"

"我是随团来的。翻译小李他妈的不知跑哪儿去了。"

"你声音小点。人家这儿是不兴大声嚷嚷的。"

"我说话生来嗓门儿大！"他呵呵地笑得更欢。他的西服不合身，绷得太紧，他那条领带是艳红底子绣金龙的，望去触目惊心。他还掏出一根牙签放肆地剔着牙缝，并且不断把剔出的肉渣儿啐到地毯上去。

我瞥了一眼柜台里的店员。人家的眼光里蓄满了厌恶，不过脸上还算平静。我轻声对这位同胞说："还是喝酒吧！"

"也还就是这香槟酒有点儿酒味，"他端起酒杯呷了一口，评论说，"别的酒全是他妈的马尿！"

我问："你是参加一个什么团来的？"

他告诉我是一个化学工业方面的考察团。他大概连初中化学课程也没学过。他竟成了这个考察团的一名成员！

他凑拢我身边，满脸油笑，这回他是压低了嗓门跟我说话，我听他连续问了我三个问题：

"红灯区走过了吧？"

"脱衣舞悄悄去看过了吧？"

"打算买个什么大件儿带回去？"

我理解他，以及同他有着相同心理的人。我含含糊糊地嗯哈着。

他看看手表，说了声："我得走了。后会有期！"便从旋转门那里消失。

我倚在柜台上喝香槟。我还忘不了前头去过的那个废弃的中国茶馆。

这咖啡馆当然比那茶馆好。不过，我仍然感到郁闷。

我觉得这里也未免太幽静了。

我观察不声不响和喁喁细语的顾客们。

我忽然发现他们的眼睛都变得很大很大。这使他们的模样显得十分古怪。但我意识到这是为了使我能逐一细查他们的眼仁。

我一个个地查看过去。几乎每个人的一对眼仁里，都只浮现着他自己的面影。甚至于一对明显是情人的中年男女，他们相对而坐，细语绵绵，他们各自的眼仁里还是只有他们自己。唯一的例外是一对搂抱在一角的青年恋人。他们各自的眼仁里呈现着对方的面影。

我真怕自己的眼仁里也只有一对自己的面影。

我想找一面镜子照照。我环顾着。这时咖啡馆的整个一面墙变成了一面镜子，我立到它面前紧张地望过去。镜子里先照出了我的全身，然后如同电影中的变焦距镜头一样，渐渐放大为我的半身、大半身、整个面部、上半边脸和一双充满整堵墙的眼睛。

我的两个眼仁里是两扇门。

好在是两扇没有装锁的门。同无尽的长廊里的那些门一模一样。我知道我该走进去。我选择了右边的那一扇。我便又回到了无尽的长廊中。刚回到长廊，没等驻足，我便立刻推开我刚走出来的那扇门对面的门，闯了进去。

是一个剧场的前厅。正响着预示开幕的钟声。

我快步走入演出厅，似乎已经客满，但我看不见其他观众的面目身形，只看出有许多双手在座位上鼓掌。

还没有开幕，掌声为何而起？难道是为了欢迎我吗？

我在一道光束的引领下找到了我的座位。五排1号，最好的座位。我刚落座，掌声便停息了。竟真是为我而鼓。这么说，戏也是专为我而演了。

我看不清旁边座位上是谁。似乎并没有人，空着。但又分明有一只手从旁递给了我一张说明书。

说明书上写着许多字。但我只看得出四个大字构成的剧名：

## 灵 魂 深 处

我想还是直接看戏的好。我把说明书折叠起来放进了衣袋。

在一阵交响乐队演奏的序曲过后，幕徐徐开启了。

舞台装置非常奇特。

好比有一只直径同舞台长度相等的巨大空心圆球，将它横剖为均等的两个半球，再把上半部的那个半球竖剖为均等的两份，将那靠后的一份固定在舞台上。

固定在舞台上的那个四分之一的球壳能够忽而透明，忽而半透明，忽而不透明。总之，妙极了。

难道已经开始第一幕了吗?

没有人物出现。也没有其他任何具体的东西出现。但那舞台上所装置的四分之一的球壳上,仿佛有着一股股云气,在悲怆的音乐声中浮动着、搅扭着,浓淡相吞相吐,稀稠相分相融……

我心中有种莫可名状的感觉。

作为背景的球壳上的云气渐渐隐去,呈现出一派颇为匀净的蛋青色。

这时随着音乐出现了一对芭蕾舞演员。男的穿着全黑的紧身服装,女的穿着银色的衣裙,跳起了双人舞。这是第二幕吗?奇怪的是交响乐伴奏渐渐变成了京剧曲牌。芭蕾舞仍在继续跳。却又增添了一个新的人物。是舞动着长长水袖的京剧青衣登上了舞台。芭蕾舞男演员似乎面临着空前的难题:应当选择哪一个舞伴?从服装气质上看,无疑应坚持同那银装的女演员继续跳脚尖舞,而从京剧的音乐伴奏这个角度出发,则他与那青衣互相配合倒更适宜。他也果然与青衣合作了一段,使用了许多京剧小生和武生的步法身段。但银装女演员又不时来勾引他,形成许多次短暂的双人芭蕾舞。

忽然传来阵阵雷声。作为背景的球壳上闪动着电光。

三个舞蹈演员都隐去了。音乐也全停歇。

接下去是一幕哑剧。

一下子出现了许多的人物。不,还有动物和会活动的东西。他们同时表演着。或自顾自,或成对嬉闹争斗,或构成一组,弄得我眼花缭乱。

我注意到其中有个打扮成粉红色的角色,一会儿像个男人,一会儿像个女人,他(或她)手里紧搂着一只吊着老式铜锁的小木箱,仿佛害怕别人会抢走那里面的什么宝贝,其实别人根本没有那个企图,仅仅是偶然走近了他(或她),他(或她)便惊跳到一边去将那小木箱搂得更紧……

还有一对总在那里互相推搡的白衣人。他们既不像柔道比赛那样真摔真打,又不同于装样子练气功,看得出他们双方总憋着气,互不相害,但谁也下不了决心挑起真正的决斗……

令人吃惊的是还有一只灰狼,它能立着行走,每当立行时,它便披上一件色彩斑斓的斗篷……

十多片有儿童那么大的绿叶，排列组合地翩翩舞动，神态也真像无邪的孩子……

最古怪的是有一座会走动的宝塔，不多不少十三层，塔尖几乎顶到作为背景的球壳那向前伸出部分，它每一走动，各层塔檐上的小铃铛便叮咚作响……

还有一个黏黏糊糊的说不清是什么的不规则的圆球，它一会儿朝这边滚，一会儿朝那边滚，台上所有其他的人和物都躲避着它……

剧场里响起一片耳语声，其中还夹杂着憋回去的窃笑。

我脸上发烧。喉咙里仿佛堵着什么东西。心像被针尖点刺着。脊背上沁出了冷汗。

可是我愿意继续观看下去。

渐渐传出从远到近、从疏到密、从缓到急、从小到大的击鼓声。舞台全黑了。漆黑漆黑。

随着鼓声的增强增快，舞台上出现了几种不同的光束，它们不像是用顶灯或侧灯打出来的，而是具有独立性的看不出来源的光束，色彩都不是一个字可以概括得了的，全是些中间过度性的色调。随着鼓声，它们先是独自舞动，随后便互相搏击起来，那搏击也很像拥抱，激烈时常衍射出刺目的光团。在鼓声光影中，我的心怦怦怦跳得好凶！这肯定又是一幕。忽然舞台上雪亮雪亮。那四分之一球壳构成的背景完全变作透明。透明得让人不禁为之微微颤抖。

传出一阵无伴奏混声大合唱的音响。庄严。肃穆。

我想这或许便是终曲。

但背景又从透明变成了半透明，呈现出一派弥散开的淡绿色，最后透明度降低到最小程度，渐渐成为幽绿，又转为幽蓝，再转为幽紫……

无伴奏混声大合唱越来越虚无缥缈，终至消散。

在幽紫的背景上出现一些闪动的光点。望去如深邃的星空。发出一种巨钟敲击过后所产生的那么一种嗡嗡的余音，仿佛在无比巨大的空间里回荡不已……

又出现了一些莫可名状的东西。不是人，甚至也不是物，不是光束也不是光点，但分明有生命，有情感，有无尽的意味，要形容，只能说是一抽象的曲线，它们痛苦地扭动着，或者是快乐地弹跳着，总之它们的每一跃动转绕都使我忍不住要淌下热泪。

忽然出现了一个巨大的黝黑的阴影。原来那是一把巨大的剪刀。

大剪刀开始去剪那一直作为背景的四分之一的球壳。

发出一种令人不忍闻的声响。

我看见周围的观众都用两只手捂住了脸。更精确地说，由于我始终看不见那些观众的面目身躯，只能看见他们的双手，所以我是判断出来他们那两只举起并拢的手掌是在捂住他们的眼睛。

我坚持睁大眼睛望着舞台。

被大剪刀剪破的缺口，渗出殷红殷红的液体。

我也不忍再看。我也用双手捂住了我的脸。

寂静。

我想象着舞台上的场面。殷红殷红的浓血，该已淌满舞台了吧？

我把指缝缓缓松开。

我发现那四分之一的球壳已经瘫倒。大剪刀已经消失。台面上的确充满红光。但后景更为深远，不可测其尽头。呈现出一派淡碧的境界。无数长翅膀的东西从那深远处朝前飞来。不一定是鸟。也不是有着人身的天使。是些只能意会不可言传的翱翔之物。

我周围的每一双手都情不自禁地鼓着掌。

我也情不自禁地鼓起了掌。

大幕徐徐关闭。灯光渐渐大亮。

我惊讶地发现观众厅中并没有别的人。只有我一个人坐在五排1号的座位上。

我坐在那里发愣。

《灵魂深处》。它究竟在说明什么？

我从口袋里掏出说明书来。奇怪。竟只是一张对折的白纸。原来它并不说明什么。

我站起来走出空空的演出厅。走出空空的休息厅。我拉开门，回到无尽的长廊上。

我一边低头往前走，一边沉思着。

我又走进了一扇门里。是一个客厅。

"你真准时！"小王迎上来同我握手。

我同他约定了吗？我想不起来。

"坐吧坐吧。"小王把我安排到舒服的转角沙发上，给我倒来一杯热茶。

"碧螺春。"他笑笑说，"产量很少的。每年只出十几斤。"

我呷了口茶，沁入心脾。我对他说："刚看了出好戏。真是好极了。意料不到地好。"

他在我对面坐下来，点燃一根烟，问："什么戏？你还是不吸烟吗？"

"不吸。"我急切地告诉他，"叫《灵魂深处》。要是咱俩一块儿看就好了。这出戏简直没法子用嘴讲出来。只有一起看过，才好讨论。不过我还是可以试着给你讲一些主要的印象……"

"灵魂深处？"小王微笑着吐出一串烟圈，完了说，"我不信谁能把灵魂深处说清楚。比如我，我的灵魂深处究竟是什么？连我自己也不清楚。"

"你约我来有什么事？"我问他。

"也没什么事，"他跷着二郎腿，轻松地说，"老头子住院了，我正好多办点私事。"

老头子？谁？我一时没有明白。

但我一接触小王的眼神，也就洞悉了一切。

他的变化真大啊。他调来当秘书以后，就住在这位首长家里。首长和首长夫人简直把他当做亲生儿子。他户口也转来了，就上在首长家的户口本上。首长最小的女儿，一个胖胖的戴眼镜的大学生，分明爱上了他。首长夫妇也有意把他招赘为女婿。他呢？他开始似乎对那姑娘也有情，但随着他视野的展拓和他个人聪敏才智的发挥，他有了更高的追求。他从什么时候背地后称那首长为"老头子"的？好像是从那次谈话之后——首长听到了许多反映，不得不劝告他说："你以我的名义私自用车的次数不可太多，到底影响不好，而且你知道部里的情况也很复杂，有人惯于把小文章做大……"当时他不得不微微点头，但事后他气得摔碎了一个茶杯，他自己对自己吼道："我要享受我能得到的一切！我可不像老头子那么懦弱！"他大概很少回首往事，纷至沓来、享受不尽的人和物，情和景，实在是太多了，以至就算我提醒他一下，比如引他回忆起那个充满烂泥的小镇，那条发黑的河沟，那棵枯死了一半的大树，那个没有泥塑大阿福却有石膏洋姑娘的货郎担，那个长途汽车站，那一次他同我商议时的心态和表情……他恐怕也顾不得去回味和反省，他的所有大脑细胞都在为尽情享受眼前的一切和奔向更高的目标而紧张地工作……

"怎么样，陪我逛一趟吧……我有事同你商量！"

他带我坐上了首长那辆专用的小轿车。丰田皇冠型。司机早被他收服。他扔了一包"万宝路"牌香烟给司机，说了声："老地方！"

小轿车把我们带到了一个园林式的宾馆里。我还从未到过类似的地方。建筑是西洋式的，园林却是中国式的。难得的是拾掇得干干净净。金鱼池里绝无纸片枯叶，甬路上每块镶嵌的石子都光润无比。

小王把我带进一间餐厅。餐桌面对着落地大玻璃窗。窗外太湖石堆砌的假山上泻下银色的瀑布。

服务员开始给我们上菜。高脚酒杯是手工雕花玻璃的。

"这恐怕是招待国宾的规格……"我有点惶恐，"我们这么样合适么？"

"没有什么不合适的，"小王笑着说，"哪有那么多的国宾来住？你不要大惊小怪……这就是我们一些人的日常生活。"

我还是有点畏畏缩缩。

"你别那么窝囊。这不是贪赃枉法。"小王举杯向我敬酒，"祝你也成为我这样的强者！……这叫做有路子，有办法。懂吗？一切都合乎手续的。享受完了我付款。当然，是特殊优惠价格。"

酒很美。菜味道未必有多么好，但极精致。

"你究竟要跟我商量什么？"我问。

"你得告诉我该怎么办——她昨天居然提出来，要跟我结婚！"

"谁？首长的女儿吗？"

"她？"他摇摇头，极坦率地告诉我，"她可是个真正的新女性。自然，我跟她睡了。她肚子里闹腾起来了。她就悄悄进医院刮了。她只要我能在她想跟我睡的时候再跟她睡。她说她不在乎我跟不跟她结婚。她也绝不阻拦我跟别人结婚。她追求的是真正的爱情。当然啦，她这些个想法和劲头都很时髦。她挺可爱。像一只能给人暖脚的小猫。我要跟你商量的事可不牵扯到她。"

我吃了一惊。"那你说的是谁呢？"

他说出了一个时下红得发紫的歌星的名字。

"你爱她吗？"

"一点也不爱。"

"那你是怎么跟她发生关系的？"

"我需要享受一下名人。"他越坦率，我越受不了，可我又不能不听他说，"就是那么回事儿。我把她带到这儿玩，她高兴透了。她原来比我更土。别看她那么有名，没有我她可无缘来这儿享受。自然，我也把她睡了。这个傻瓜，她竟以为我真爱她。昨天她提出来要我娶她。真是白唱了那么多的歌儿！我连搂着她睡的时候，也根本不爱她那个身体。我只是得到一个大大的满足——千千万万歌迷崇拜的一颗明星，现在乖乖地缩在我的怀抱里！"

我哑然。

"你提个建议我听听——怎样甩掉她最合算？"

"这类事我可一点也不懂……你不是最有办法的人吗？你一定已经有了几种设想……"

"一点不错。我有几种设想。第一种，明明白白地告诉她，我并不爱她，根本不可能娶她，跟她'拜拜'，这是'快刀斩乱麻'；第二种，敷衍着她，不给她明确答复，但又让她抱着幻想，然后，突然在某一天宣布我同别人结婚，这是'缓兵计'；第三种，爽性同她立即结婚，但只是作为一个过渡阶段，一旦有了真正能与之长久结婚的目标，就毫不犹豫地同她离婚，这当然是下策，算'暗度陈仓'吧……"

我咽喉里发堵，胸口发闷。我勉勉强强地说："也许，也许还是那第一种办法比较好吧……"

他点点头："比较人道一点，是吗？"

突然响起了电话铃声。

他走过去接电话："哪一位？"

不知是哪一位，总之小王的神情极其厌烦，我听见他倨傲地对那头的人说："……知道。我知道。现在我不想解释。我有我的道理。我没有变。我还是我。我就是我。可以。不过今天晚上不行。好的。好的。我们可以把一切都说说清楚。越清楚越好。……"

我实在不愿意再同他在这样一个地方待下去。

我用眼睛找门。

这间华美的餐厅有好几扇门。

从哪扇门能够回到无尽的长廊里去？

我从座位上溜开。

我走到选中的一扇门前。我拉开门走了出去。

门外却是一个展览厅。我一点思想准备也没有。我无心在这当口看什么展览。可是一位穿布拉吉的姑娘，手中拿着一根指示棒，显然是个解说员，微笑着迎了上来，她打个手势说："请往前站！"

她把一只展览橱中的东西指给我看，用一种朗诵的腔调开始了她的解说："人类早就开始思考这样一个问题：难道男女间的爱情，仅仅是为了传宗接代？不，爱情，包括性爱，自有它超出繁衍后代的崇高意义……而试管婴儿的出现，给人类将爱情与生殖分离展现了灿烂的曙光！……"

原来那展览橱中是有关试管婴儿的种种图片和导致成功的实验器皿……并且还有第一代试管婴儿健康成长的录像……

我知其然不知其所以然。并且不明白她有什么必要那样热心地引导我参观。

"请到下一个展室！"

我只好朝下一个展室走去。各个展室间并无门扇，只有宽敞的门洞。

第二个展室一望而知体现着更进步的阶段。一些电子仪器闪闪烁烁地工作着。一个漂亮健壮的婴儿坐在一个特制的摇篮里向我点头微笑，可笑完却又揭下他的面罩，露出回路复杂的印刷电路板，把我给吓了一跳……

这个展室中的讲解员是个风姿袅娜的少妇，她穿着一身绝对独特的服装，耳垂上是两个似有若无的激光耳坠。

她用指示棒指点着种种令我费解的东西，用轻松随便的语气解释说："时代又前进了三十年……实践证明，试管育婴的方法不仅落后，而且所培育出的后代往往质量参差不齐。人类成功地把微电子技术应用到繁衍后代上，第六代和第七代电子技术逐步完善了人造人的技术，这种技术的优点在于可以根据需要造就出不经过渐进发育就直接成人的新的一代，并且一劳永逸地解决了基础教育时的问题……但人类坦率地承认，他们至今尚不能在复制自己的同时，把各异的个性编制成软件输入组装成的个体，因而带来了普遍存在的虚同化和单调感，这也有可能导致新的危机……"

我听起来费力，很希望她再继续讲解下去，没想到她却莞尔一笑，揭下面罩，露出里面的印刷电路板，又再把面罩推上，笑容更为可掬地对我一鞠躬说："请继续向下参观……"

因为有了点经验，这回我倒没有吃惊。我也对她微微一鞠躬，向下一个展室走去。

第三个展室简直就是个正在紧张工作的实验室。也许各种电脑都制作得更富于人情味了，看不见一些红绿白黄的光点闪烁，也没有那种让人惴惴不安的蜂音。但有许多我看不明白的器材与物品。来讲解的是个秀美的少年。我问："您也是印刷电路板的产物吗？"

"什么？"他似乎有些生气，"您说什么？您不要开我的玩笑！"他耐心地给我讲解起来："人类在飞快地进步。就像当年飞机的出现使飞艇工作萎缩以至消失一样，用人工培育的活细胞繁衍后代的新工艺已在近三十年内完全取代了以微电子技术复制人类的旧工艺。这是一场体系性的革命。它的理论基础早在半个世纪前就已提出，那是对脱氧核糖核酸和染色体机制研究的划时代突破……如今我们可以不必通过精、卵子结合的原始办法去繁衍后代，我们能够直接复制出活细胞，组合成质量优良的新人种，这样我们就不仅能够科学地确定男女的比例，还能在制作过程中就确定好彼此的分工，用钢琴家的活细胞培育出新的活细胞以组合成新的优秀钢琴家，用建筑师的活细胞培育出新的活细胞以组合成新的优秀建筑师，如此等等。人类因而从来没有像现在这般优秀过。当然，毋庸讳言，人类仍有尚未摆脱的苦恼——对于那些在组合过程中因事故而造成的残疾人、丑人和傻子，究竟应当怎么对待，就既是一个严峻的道德问题，也是一个麻烦的法律问题；尽管这种失误几万次中只会出现一次……"

"那么，您也是用人造活细胞制作出的一个人了？"我问他。

"当然。"他彬彬有礼地指点着方向，"请到下一个展室继续参观！"

下一个展室仿佛是个会议室，并且正在开会。他们发言的方式很特殊，不是用嘴说，而是用一种特殊的工具往会议室中心的地毯上放射出全息摄影式的活动影像。因此争论尽管十分激烈，却并无喧哗之声。

一个穿着朴素、不施脂粉的姑娘来到我面前，她真是天生丽质，她梳着一根油光黑亮的大辫子，这似乎早已过时的发型在这样一种环境中倒显示着一种绝对的新潮。

"欢迎您！"她用亲密的语调告诉我，"争论不休是人类不可磨灭的天性，并应当是始终推动人类进步的力源。您也来参加这场持续了三十多年的争论吗？所争论的问题是：爱情的位置。爱情的位置究竟在哪里？难道将爱情同繁衍后代彻底分开，是人道的吗？如果性爱并不导致怀孕，也便等于扼杀了人类作为母亲和父亲的乐趣。由此派生出的问题还有很多。比如，预先就知道所产生出来的是男是女，是哪一种职业的人才，岂不也就扼杀了猜测和期待的乐趣，以及奋斗竞争的精神？……您有什么样的高见呢？"

我不知所措。我从不曾遇到过这样的问题。

"那么，您或者继续往下参观？"她指示着我。

我走入下一个展室。

这里展出的东西我是那么熟悉。我在此以前从不知道这些事物竟会被如此地维护和珍视。

一位活泼的少妇走过来向我问好。我几乎以为她就是我邻居中的一员。

可她不是。她一开口便是："人类几乎经历了整整一个世纪的摸索……"那么，我对于她来说应是个不折不扣的古人。

她一边带我参观一边讲解着："人类在科学技术前面的种种发明，大大地提高了人类本身的素质。人类越来越坚信使他们本身得到延续和发展的杠杆是爱。而情爱又是爱的分支中最主要的一支。情爱越纯真，越应当与繁衍后代相结合。现在我们来看人类所发现的最理想也是最科学的复制人的方式……请看，这套房间所体现出的情调如何？有个古语恰如其分地道出了它的魅力，那就是——'家'。这是妇女生殖器官，叫子宫，我们知道，在微电子技术复制时代和活细胞组合时代，它常被省略掉；这是男子的生殖器官……不消说它一度也是常被省略掉的；请看这一组录像，这样的表情叫快乐，这样的表情叫幸福，这是母女之乐，这是父子情深，而这一切里面，都渗透着一个字眼：爱情！……您明白了吗？"

"我明白！"我欣悦地告诉她，并且问，"展览到此结束了吧？"

"结束？"她扬起眉毛告诫我，"这样的展览是永远不会结束的！"

我感到困惑。她却以为我是疲惫了。她指指一扇侧门说："您要不要先休息一下？"

我一瞥就知道那扇门是通往无尽的长廊的。

我便通过那扇门回到了长廊中。


是我的眼睛发生了错觉吗？

长廊似乎已到尽头！并且就在前面不远的地方。

我兴奋地跑了过去。

不是尽头。可长廊毕竟有了变化。它不再是一条直筒子。它发生了弯曲。我沿着那弧线又跑了一段，看看到头了，却又弯向了远处。

并且不是规则的弯曲。有一段它一会儿朝左弯一会儿朝右弯，突然弯直，又突然一个大弯儿……

我跑得热汗淋漓。

我停住脚喘息。

我想：我不该因为有了弯曲就光这么在廊子里跑。我还没推开这弯曲部分的任何一扇门哩！也许，在这一段的门里会有更加意想不到的奇遇。

于是我随手推开了身边的一扇门。

啊呀，不好！我掉下去了！

是深不可测的峡谷。我正以自由落体速度向黑幽幽的谷底坠落。我会粉身碎骨吧？！

真没想到我会在这么个时候这么个地方以这种方式结束掉我的生命。

我发出一声长长的叹息。

就在我刚叹息完的时候，我已落到了底，奇怪的是我只不过是被重重地蹾了一下，后果仅仅是全身透过一阵酸楚而已。

惊魂甫定，我睁眼细看周围。

确是一个高高的峡谷。

也许是因我的坠入，峡谷颤抖着。忽然一边那尖耸入云的石山吹啦吹啦地裂开了，裂至两半以后，从里面露出来一只奇大无比的茶壶———点不错，尽管我坐在地上仰视它就如同仰视一座摩天楼那般脖颈酸痛，我还是能确认它是一把地地道道的圆筒肚带壶嘴的白瓷茶壶，我甚至感受到了它里面热茶的温度和香气。

哎呀，巨大的茶壶的壶嘴开始倾斜，我赶紧站起来逃跑，我可不愿意被滚烫的茶水构成的瀑布烫死！

可从那巨大茶壶壶嘴里倒出来的是一些驼鸟！一点不错，是驼鸟！它们那退化的双翅勉勉强强地张开着，使它们得以滑翔到地面上，而它们一到地面，便一个接一个地把脑袋插入到沙土中去。

正惊奇中，另一边那巍峨挺立的石山也噼噼啪啪地开裂了，从里面迸射出无数各形各色的花朵，落到近处全都有脸盆那么大，这大概就是所谓"天花烂漫"吧？不过那无数大花所散发出的气息很像放坏了的腊肉的哈喇味儿，我一边左躲右闪，以防被过大的花朵砸着，一边不禁用手捂住鼻子，我是最怕那样一种气味的。

对峙的两山崩溃后，露出了一条大河。奇怪的是河里行走的船只都是巨大的墨水瓶形状，并且那类似烟囱的瓶口部分都露出高高歪斜的桅杆，恰似插入其中的蘸水钢笔。天际飘过整匹整匹的锦缎，在气流中摆荡不定，但仍可以辨认出那些锦缎上用金线和银线绣出的种种字样，那些类似广告和口号的句子令

树 与 林 同 在

我目瞪口呆：

"我爷爷跟梅兰芳一起跳过迪斯科！"

"我家脸盆里养了一条抹香鲸！"

"你明天会长出第三条腿！"

"十三陵的石骆驼被证实是最大的黄金走私贩！"

"最佳的长寿之道是从第十五层楼的阳台往下跳！"

……

我可受不了这些，我转身跑开，我发现前面是一座丘陵，仿佛是座白石头或白泥土构成的丘陵，我跑拢跟前就朝上登，刚登几步就滑倒了，那丘陵像抹了油似的，并且散发出一种我们所熟悉的气味，待我磕磕绊绊爬到顶部，在一个耸起并扭曲的突出物下坐定喘息时，我才终于意识到，这丘陵分明是一只巨大的包子。它是哪种风味的包子呢？天津"狗不理"？还是无锡蟹黄汤包？我很饿，该不该就地趴下啃几口，并挖掘一个坑道，去尝一尝它的馅儿呢？

正在这时一架直升飞机——不，细看是一只巨大的蜻蜓飞来在我头顶盘旋，并从它肚子里放下一架绳梯，显然，我继续待在这里是危险的，它一定负有拯救我的使命，我纵身抓住了绳梯末端，然后努力地沿着绳梯爬了上去。

我骑在蜻蜓的背上，大声地问它："你要把我带到哪儿去？"

"去会会已经被你忘记的朋友！"它回答我。

被我忘记的朋友？我的朋友我全记得呀，就连小王——他如今能算我的朋友吗？——我也绝没有而且也绝不会把他忘记。

飞过一些麻袋片似的云朵，蜻蜓把我带到了一个类似体育场的地方，徐徐降落在场地中心，我从它背上一下来，立刻脸上就火辣辣的，心里阵阵发麻。

我看见一个迎接我的队伍。的的确确，我已经忘记他们好久了，而他们在过去确实分别在不同的阶段不同的时候和不同的场合，一度是我形影相随的朋友。

场地周围高高架设的一些聚光灯猛地全打开了，道道雪亮的光束汇聚到我们一群身上。

我那一度的朋友们全都冷酷地瞪着我，我则躲避着他们灼灼的目光。

他们是谁?

当我唾弃那些飘荡在空中的锦缎上所绣出的字样时,我竟不自知——我也有这样一些同类性质的朋友,至多,他们之间也不过是一百步和五十步的差别而已。

场地周围的看台上似乎坐满了人。我隐隐感到坐在前排的全是我的亲友、同事、学生、邻居、旅伴……他们全都露出诧异、惶惑、痛心、遗憾的表情……

我真希望脚下出现一个地缝。我满脸愧汗,一腔羞涩。但聚光灯无情地照着我们,而周围的看台上是一片刺耳的嘘声和啧啧的叹息声。直到我已经流出了滚烫而苦涩的泪水,我脚下才真的咔吧咔吧裂开了一条地缝,我赶忙钻了进去。

在惶急中,我不知不觉地已回到了无尽的长廊里。我是从廊顶上钻进来的吗?永远搞不清,也不必搞清。能够离开那个地方就好!

我站在有弧度的长廊里发誓,从今以后我要做一个地地道道的好人,无论我在生活上处于什么样的位置,我首先要诚实,同时要正直、善良、宽容、明智。

我想无论我再推开哪扇门,遇上哪种情况,我一直都要恪守这个誓愿。

带着这样的心情,我朝前庄重地走了几步,心中毫无挂虑地推开了一扇门。

"吾皇万岁!"

万没想到我走进了堂皇富丽的宫殿里。四壁燃着巨大的蜡烛,一条金灿灿的地毯铺在我的脚下,一群臣子正虔诚地跪在我的面前。难道我是皇帝吗?我低头一看自己,可不,竟然已经黄袍加身,并且头上感到沉甸甸的,想必是已经戴上了王冕。

真是岂有此理!怎么我成了皇帝!我不要当什么皇帝!

"你们是怎么回事?"我发起火来,"谁认你们这样的?这算是搞什么把戏!"

所有跪伏的臣子都发起抖来,整个殿堂里瑟瑟地响起筛糠般的声音,跪在前面的一个白胡子老头抖得至于痉挛,大有晕厥之势。

"皇上息怒,"我身侧的一个人俯身对我说,"皇上龙体要紧。皇上赐他们平身吧！"

我望望这个唯独没有对我下跪，并保持着镇静的人。他的服饰我从京剧舞台上早已熟悉，我判定他是太监首领，是专门服侍我的，想必是最可靠的，因而也是最可信赖的。

我想让那么一群人总趴伏在地上发抖，总不是个事儿，便接受了随侍的建议，挥挥手说："平身吧！平身平身！"

我的臣子们诚惶诚恐地站了起来。他们几乎没有一个人敢于抬眼正视我，而且总有半数以上仿佛脊梁骨发软，拼足精神站立也还是挺不直身子。难道我是一个乖戾的暴君吗？我不明白他们何以这样惧怕我。

"圣上龙体有恙。散朝！倘有紧急奏报，径送办事房。"我的随侍替我轰走了他们，使我松了一口气。

随侍把我扶到一张宝座上，刚落座，我的心态就发生了一个巨大的变化。我头脑中充满了我确已当上皇帝的意识。不过，我清醒地记得我发过的誓愿，因此我决心当一个好皇帝。我一定要贤明、通达、仁慈。

随侍手持尘拂，躬身在我一侧，忠心耿耿地向我进言说："皇上登基不久，想必还没有完全进入当皇帝的特殊境界。现在是皇上您一个人说了算。您让谁死谁就必得去死。您让谁得福谁就必定得福。您要什么就能有什么。总之，当皇帝就得有随心所欲的精神状态。"

我正色对他说："我要当个好皇帝。我首先关切的，是国计民生。"

随侍声音甜美地说："那个自然。不过如今是国泰民安，四海平靖，皇上完全可以安享荣华富贵。"

我说："实际情况究竟如何，不能光听你这么一说。"

随侍连连点头："那个自然。现有凭证如此。"说着他从宽宽的袖管中抽出一张报纸，递给我。我翻看一通，确实都是关于粮油丰收、市场繁荣、安居乐业一类的报喜文章，少数两篇报忧文章的题目是《康健乡苹果过多无处存放》、《鲥鱼贱过豆腐所引起的问题》。

我看了满心欢喜，但到底不够放心。我说："笔杆一摇，什么好话也是容易写出来的。实际情况究竟是不是这样呢？总还是眼见为实。"

随侍频频拊掌："那个自然。皇上圣明。奴才已为皇上准备好了录像，请皇上过目！"说着他用手中尘拂一挥，对面的一个雕龙影壁便变成了一个大型投影屏，于是展现出一幅幅生动的画面，使我知道我的治下确实已是一派繁荣兴旺的喜人景象。

我心中不禁大喜，褒奖他说："爱卿所准备的材料很丰富，很生动，也很有说服力。希望继续这样办！"

他哈腰点头说："遵旨！"

我正在琢磨身为皇帝应当再做点什么事，他恰得其时地建议说："皇上登基不久，光惦着国家和百姓，还来不及为自己做几件该做的事。皇上不说，奴才也知道皇上的心事。大凡登上皇位，淤在心里的私事，总不外两件。一件是报恩。皇上早年微贱之时，总有那格外恩待皇上的好人。皇上必定早思报答。但过去又必定力不从心，甚而因烦忧缠身，环境限制，竟不及考虑。如今皇上凡事可以为所欲为，正可一足宿愿。恩待过皇上的好人自然颇多，那些明摆着的，有的早已得到皇上的赏赐，有的一时顾及不到也毋庸即议。皇上应当想出那本人甚而已经将恩待皇上之事忘怀的人物，偏偏挑出他来予以最戏剧化的隆赏，则不仅该人必将惊喜交加，百姓必将矢口传颂，而且最重要的是皇上您本人能得到任何别人都得不到的最最甜美的人生快乐……"

我听了不由得双掌一拍："正合朕意！"

是呀，别说当了皇帝，就是还全然是个布衣之时，我的思想深处就怀着这样的愿望和幻想，只不过确实只停留在潜意识层之中，浮不到上层，付诸不了实现罢了。

啊哟哟，让我好好地想一想，我该给哪一位恩待过我，而他自己甚至早已不以为意的人物，以合他能欢喜得死过去的戏剧性的隆赏？那可的的确确是人生的一大快事，并且的确只有我当皇帝的才能享受到其快乐的极致，我可以从封他（或她）为王侯，到赐他（或她）玉帛黄金，随大随小，随平淡随奇突，任意选择隆赏的程度和方式，啊哈哈哈哈……

"……报恩是一件。还有第二件……"我亲爱的随侍继续在一旁为我的快乐提供他诚挚的建议，"第二件便是报仇。皇上微贱之时，不消说也有那一起歹人，歧视、鄙薄、欺侮皇上。过去皇上只有隐忍，不跟他们一般见识，因为'小不忍则乱大谋'嘛。如今皇上如不惩戒他们，一来养痈贻患为国为民不利，二来也不能惩一儆百，教化万民，三来纵使皇上仁爱为怀，到底梗在心里总是块病，损了处置国家大事的精、气、神，所以，还是要随心所欲地一报宿怨，方解心头之淤恨。这其实与报恩一样，也是人生一大乐趣，并且也只有皇上一人方能享尽这一乐趣！当然啦，对于那些明摆着的能人，有的皇上早已加以惩治发落，有的一时漏网也自有诸大臣去辑办，都可毋庸先顾，倒是那他本人自以为事属区区、已躲过明察的家伙，倘若早年确曾给予皇上心灵深深的伤害，则皇上一定要以神来之笔，给他一个'种下蒺藜自己收'的戏剧性报复。从砍头、腰斩、枪毙、处绞刑、坐电椅、割耳鼻……到审判、示众后公开加以赦免，甚而反予赏赐，皇上您想怎么着都行……"

我嘴里说："朕一向主张宽容……"但心里却不免咕嘟咕嘟地冒着跃跃欲试的念头。回首往事，确有那么些伤害过我的人物，尤其是刺伤过我自尊心的，即使我没当这皇帝，夜晚躺在床上，也常常胡思乱想过如何对他们加以报复。现在权力在我手中，我叫他们死，他们就不得不死，我让他们先上死刑台再突然宣布对他们的赦免，他们该又是怎样的一种心态？或者我仁慈地把他们召唤进宫，他们先是怕得哆嗦成风中枯叶，及至知道我是当面饶恕他们并赐给他们宫廷糕点，他们便一定会扑到我脚下痛苦忏悔……可这又未免太便宜了他们，倘若他们并不领情，而以为我不过是生性懦弱，到时候并不痛哭流涕呢？我的乐趣岂不就有限了吗？哎呀呀，这报仇之事，倒弄得我心神不定了……

我心里翻腾了一阵，这才作出决定："两件事不宜一次办理。朕先办头一件事吧。"

爱卿立即从靴筒里抽出一个塑料封皮的笔记本和一支圆珠笔，把尘拂搭在臂上，摆好准备记录的姿势。

办头一件人生快事，先沐恩哪位呢？我脑海中闪现、流动过若干个面影，从中选出最应优先的一位竟颇为踌躇，足见要享受皇帝之乐也并非轻松之事。最后我总算发布出了如下圣旨：

"朕在微贱之时，每日在京城红米斜巷巷口之早点摊购买油饼充饥，该摊之摊主余大妈每日总挑炸得最鼓最大最亮晶最黄最香最热之油饼给朕,一日朕因钱包丢失,过摊兴叹,余大妈见之甚为怜惜,竟连续免费供应朕油饼一周,至今思之,朕犹感激不已。鉴于此,特封余大妈为油饼侯,并另赐哥特式花园别墅住房一所,世界最先进电脑控制油饼生产流水线一套,纯金打制模拟油饼七个。钦此。年、月、日。"

这件事办成以后,果然万民称颂,我所得到的快乐也真是无法形容。

有一天我在御花园里兴高采烈地游玩,正走到红香亭边,忽然一个宫女冒死冲到我面前,高声喊冤。

围随在我四近的侍从卫士自然立即将她逮捕,她却真有股子"敢把皇帝拉下马"的劲头,还在那里一边挣扎一边尖叫。

我发愿当个开明、仁慈的皇帝,自然立即喝令将她放开,我坐在红香亭中的宝座上,让她跪在亭边,问她究竟有什么冤情。

她显然早有准备,立即滔滔不绝地哭诉起来。原来她是那余大妈的小女儿。据她说,尽管我的皇恩浩荡,她家却并未得到我赐予的种种好处。首先,因为她母亲十年前已然去世,所以那油饼侯的封赐,只不过体现为换了块堂皇的墓碑。但另有别家,利用这个机会,把油饼侯的实惠悉数占去。至于哥特式花园别墅住房,名义上是发下来了,实际上亦被那家人以低租金强行租去供其儿子和儿媳妇居住。世界最先进的电脑控制油饼生产流水线一套倒是真的发放了下来,但由于她家并无能力购买地皮、建筑厂房加以装配,因而形同废铁。七个模拟油饼按圣旨规定应用纯金打制,结果一化验却基本都是黄铜铸成。她哭诉完立即递上了一纸状子。

我一听气得七窍冒烟。此宫女分明是一刁奴,竟敢跑到我面前来招摇撞骗!我把状子扔到地上,指着她怒斥道:"胆大包天!那余大妈前几天还曾亲自到金銮殿上来跪叩谢恩,怎么会十年前已然死去?仅此一点,就足以证明你全是一派胡言乱语!"

她却哭得更凶,指天发誓说:"奴才要有一句假话,天诛地灭!那上金殿叩谢皇恩的并不是我母亲,而是由人买通的与我母亲面貌相仿的装扮者!搞这个鬼的,也是那家歹人!"

我心中一震,但仍不能相信她所揭露的一切,我气急败坏地说:"休得猖狂!就算那余大妈是个假冒的,难道给寡人放映的录像也是假的吗?那录像包括余大妈一家领受朕赏赐的全部场景,包括迁进侯府,接收别墅,流水线开工,以及将七个金油饼捐献给幼儿园和图书馆的种种镜头……你以为寡人身在宫中,就不知宫外之事吗?"

我简直就要吩咐卫士将她拉出去杀掉了,她却跪着爬上红香亭的台阶,激动得满脸五官几乎飞开,大声地喊叫说:"皇上全然被蒙在了鼓里!那录像也全是假的——搭的布景,找的演员,专录来蒙蔽皇上的!凡给皇上看的录像,几乎全是如此!就连报纸,也是单给你皇上每天编印一张,不信皇上到街上亲自买份报纸,对照对照!"

我气得浑身哆嗦。这次不仅是气她,我万没想到我身边的人竟如此可气,而且我自己也十分可气,我怎么已经昏聩到了这种地步!

"你说说清楚,你要控告的究竟是哪家人?户主是谁?"

她喊出了我的爱卿的名字。爱卿那一天恰恰告了病假,显然,她也是瞅准了这个空子才来冒死控告的。

我想到周围的那么多侍从和卫士,我不能失去为君的尊严,便强压怒气,佯装镇静,吩咐暂且将她以惊驾之罪关押起来,待我将事情调查清楚,再行发落。

中午我没能睡好午觉,正在烦躁之时,爱卿来了,他一脸病容,满眼惶恐,一到我面前便跪伏在地。

我厉声问他:"你知罪吗?"

他仰起脸,泪落连珠子,声音打颤地说:"臣罪该万死!"

我气得一脚把他踢翻在地,暴跳如雷:"你果然是个口蜜腹剑的败类!朕恨自己有眼无珠!"

他趴在地上连连叩头,向我哭诉道:"奴才惹得皇上生这么大的气,实在是罪不容诛!但那宫女所告,实在全是血口喷人!那宫女哪里是什么余大妈之女!宫中哪个宫女不是经奴才之手挑选来的,她若真是余大妈之女,奴才若真的干了那么多欺霸她家的事,奴才岂不早就将她调出宫外,甚而将她偷偷害死以灭其口了?这全是因为皇上对奴才格外宠信,有人妒火中烧,才买通此宫女,对奴才横加诬陷！一切还望皇上明察！"

我听了他的辩白，倒还只是半信半疑，但一望他那副楚楚可怜的模样，便不由得信了他七分。

我还是一横心斥退了他。我下旨将他软禁，听候发落。

可是没有了他，我觉得朝廷的一切事情都脱离了轨道，就连我个人的起居也不如有他在时舒服。

我让办事房把奏折、诉状及每日情报直接送来由我亲自处理。结果我大吃一惊。有好几份奏折对他进行揭发、提出控诉，其措辞之激烈，列举事项之骇人听闻，令我目瞪口呆。但冷静一想，平日这些公卿大臣要么推病不来上朝，要么见到我便筛糠似的魂不附体，他们怎么早不来告晚不来告，偏偏在我已将他软禁后才来落井下石？可见他所说的有人嫉恨他这一点，并非狡辩之词。而下层官吏和士农工商的诉状，一天居然有一箩筐之多，以往都是由他先加精择，再送来我看，条清缕晰，一目了然，如今我试着看了半天，才看了不到一百份，便累得目眩头晕，哪里还有处理的兴致？至于每日情报，他组织的班子编写的质量甚高，如今将他一软禁，换了个班子重新搞起，光文字之啰唆，笔调之枯涩，便令我不忍卒读。

我的日常起居固然仍有无数侍从精心照料，但没有他在身边凑趣，总觉索然。我没过几天竟念起他来。大有"一日不见，如隔三秋"之慨。算起来自我当上皇帝以后，无论是跟皇后、嫔妃、太子、公主及皇亲国戚相处，还是跟公卿贵族、文官武将相见，其全部的时间相加，尚不足我与他相厮磨的时间之百分之一。说实在的，我现在才悟到，历史上那么多的帝王之所以宠信宦官随侍，实在有其感情上之需要，夸张一点说，二者之间很有点同性恋的暧昧关系，所以无论是祖宗成法、政治利益、道德规范、法律约束，往往都左右、控制不了他们之间那种微妙的关系。我目前就是这么个精神状态。想来想去，就算他确有侵吞余大妈利益的行为，究竟也算不了什么大事。没有他的建议，我不是还想不起赏赐那个余大妈吗？即便确是他在弄虚作假，他给我带来的报恩之乐，却是真实的呀！倘若没有那宫女来捣乱，我不是还在快活吗？说到底还是那宫女可恨，扰乱了我那乐融融的心境！

过了几天，我赦他无罪，仍来驾前伺候。对于宫女，我只是将她逐出宫去，也不再深究，余大妈一案，不了了之。

这样倒也过了一阵安生而闲适的日子。

一日，正当春暖花开，我带着爱卿在御花园中游逛，我俩在红香亭中下了一盘围棋，经过一番鏖战，我赢他三个半子，他连连跌足叹道："奴才只不过在最后一着上失误，才功亏一篑，遭此败局。不过奴才还不甘心，恳请皇上带奴才到横云榭钓鱼，再比一回高低，不知皇上开恩否？"

我当然恩准他随驾到横云榭陪我垂钓。

正当我抛下鱼饵，兴致盎然地持竿待鱼时，他忽然将一只手拍到我肩上，我吃了一惊，及至我望见他的表情时，更莫名其妙。

他横眉立目，一脸杀气，简直变了个人。他那拍住我肩头的手竟将我膀子一抓，另一手握住一支手枪对着我心口，厉声说："不许动！"

我吓得把鱼竿丢在了地上，望着他说："爱卿你怎么了？怎么可以跟朕开如此的玩笑！"

我确实以为他是开玩笑。这时候我的"吓一跳"只不过是因为事出突然，好比有个熟朋友从你身后一下子捂住你双眼，那么个感觉。

但我万没想到他竟向树外的卫士一甩头，命令他们说："给我绑起来！"

当两个卫士真的拿出绳索捆绑我时，我那"吓一跳"就是真的慌乱了，我吼道："靠后！你们竟敢犯上作乱！"

我挣扎，但没有用。长期的养尊处优，使我失去了哪怕是进行一点小小的武力反抗的能力。

我气疯了，对着一直被我称为爱卿的人咆哮起来："你要干什么？你怎么回事？你怎么敢这样？你罪不容诛！死有余辜！我要灭你的九族！……"

他狞笑着说："我的皇上，你任凭怎么嚷嚷也没有用了，事情就是这样，你一秒钟之内，已从真龙天子变成阶下之囚了！"

我头脑简直要爆裂。我向他吼叫："你原来一直想弑君篡位！你这个乱臣贼子！"

他倒反而诚恳起来："亲爱的皇上，天地良心，我绝无弑君篡位的想法！倘若我真有这个想法，又何必等到今天？再说皇上您一直待我那么好，我得到的已经很多很多，我又何必恩将仇报？……您别冲我瞪眼珠子，我的皇上，我现在这样做，实实在在是出于不得已，您抬头望望远处，望见了吗？那冲天的火花和烟雾；您再侧耳听听，听见了吗？那怒吼的声音可是越逼越近——咱们国家里爆发革命了！革命党人，转眼间就要冲到咱们跟前了！""咱们国家里爆发革命了？！"我简直一点思想准备也没有，我简直不能接受这个事实，我质问他，"你怎么不早些向我禀告？"

"我自然是一直压着这个消息不让您知道。"他解释说，"一来我不愿意让您受惊，二来我知道就是告诉您您也镇压不下这场革命，三来我怕您知道以后迁怒于我，先把我干掉，所以我像向您封锁其他许多消息一样，也封锁了这方面的消息……您还是别那么瞪眼，我的皇上，您那样会把眼珠子弹出来的——您怕革命，您是革命的最大目标，我可没您那么害怕，因为我可以在关键时刻反戈一击，嗻，现在您不就被我捆起来了吗？在革命党眼中我固然也是个罪大恶极之人，可我把捆得结结实实的一个真皇帝献给他们当见面礼，他们总得对我宽大吧？八成他们还得留用我，我也还有信心一步步地讨他们喜欢，受他们信任……您别把牙咬碎了，我的皇上，您以为我向您下手就那么容易吗？我也是屎不到屁股门不把它拉出来哟！我原想要是革命党能自己闹场内讧烟消云散再好不过，要么只要咱们官兵能把他们挡定在京城以外，咱们也不去管他，乐得在这儿玩一天是一天，就是打到这皇宫外头了，没瞅见火光，没听见厮杀声，我也就还陪您下棋、钓鱼，可如今他们打破宫门，步步逼近，对不起，我的皇上，我可就只好当机立断，委屈您了……"

我气得几乎休克，可还抱有一线微弱的希望，我对站在四近的侍从和卫士们说："我固然是罪有应得，可你们也该凭良心想一想，这个白眼狼该不该杀？我与其让他拿去献给革命党，不如自愿给你们当做向革命党投诚的见面礼！我毕竟是你们的皇上啊，现在我命令你们先把他杀掉！"

可是没有一个侍从和卫士听我的。他呵呵大笑说："我的皇上啊，您怎么死到临头还蒙在鼓中，他们这些人哪个不是我物色来的只忠于我一个人的耳目和爪牙？我让他们侍候你，给你舔脚丫子，他们就能毫不迟疑地给你舔脚丫子，我让他们虐待你，比如说把痰盂扣到你脑袋上，他们也会毫不迟疑地完成我的命令——"说着他真的命令一个侍从说："把痰盂扣他脑袋上！"

那个确实给我舔过脚丫子的侍从毫无表情但动作麻利地立即端起水榭里的痰盂扣到我的头上……

革命党人已经冲进了御花园，我听见那被我一直称作爱卿的人高呼着口号："打倒皇帝！革命万岁！"

羞愤已极的我挣扎着挨到水边，朝水里一跳。

似乎晕死过去好久，我才苏醒过来。

我发现自己躺在无尽的长廊中。

我从地上爬起来。阿弥陀佛，我不再是昏聩的皇帝了，也免去了被革命党人审讯和处决的痛苦。

我久久地站在长廊中发愣。我想，我的这一番经历似乎也并不稀奇。我在以往的历史书中见到过无数这类的事例。问题是为什么当事情临到我头上时，我却并不能逃脱这一规律的惩罚呢？倘若让我再当一日皇帝，我是不是就能够避免这种可耻的下场呢？

不知不觉中，我已站得两腿发麻。还是找个地方坐下来歇歇吧，我随手便去推门，刚推至一半，我忍不住惊叫起来，我感到这似乎就是那扇让我当了皇帝的门，无论是将已发生过的事重复一遍，还是接着后来往下发展，被革命党处决，对我来说都是绝对不可忍受的事。我的理性思维中虽然有"倘若让我再当一回，我必将是另一种当法"的考虑，但真的要我从事这项实验，我情感上的厌恶和恐惧也足能使我立即发疯。因而我拼命地想把已经推开的门再拉回来关上，但那些门是一旦推开绝不可能再退出关上的——我在绝望中哀号着，听凭命运的拨弄……

但我刚被门带进去，便觉得自己是在朝下坠落，啊，原来这不是让我当上了皇帝的那扇门，而是带我在同我的那些不光彩的朋友一齐示众的那扇门，这比当皇帝也好不到哪儿去，命运之神为何对我如此苛酷？

但我很快也就发现，全不是那么回事儿，我处在全新的境域中，是一种什么境域呢？我晕乎了半天终于弄清，我竟变成了一只橘子，我是从树上坠到了一个箩筐中。

不是皇帝，也不用同以往的那些朋友一齐被拉出示众，这让我松了一口气。但冷静下来以后，却又渐渐忧郁起来，怎么我连置身动物界的资格也被取缔了？橘子，这是植物中最不幸的品类之一，我和我同伴们那短促而脆弱的生命，将以被人类吃掉而告终。

我不愿被人吃掉！我要与这供人嚼吮的命运抗争！

自己成了橘子，我才知道橘子也有橘子的语言。橘子不是用嘴说话，事实上我们橘子也没长着嘴，我们是用分泌表面的汁液来就近交流我们的思想。倘若离得远，我们还有一种遥感的能力，但这要消耗我们果肉里的汁液。我们也可以用气味跟除人以外的任何事物进行简单的对话。

我们同在一只箩筐里的橘子，挤得紧紧的。我的同伴们大都是些沉默寡言的家伙，因为他们认定自己的天职就是供人类吃掉，他们不愿意无谓地分泌自己的汁液，以免减少他们对人类的魅力。但我身边也有几个伙伴是喜欢说话的。

一个还没有红透的伙伴紧挨着我，他自言自语地说："我希望我能被摆到最高级的宴会桌上去，给伟大的人物吃掉！"

我立即对他嗤之以鼻："就您这副尊容，是根本不可能被送上台盘的！"

他仍喃喃不休："那也难说。机会总还是有的……"

我耸耸肩臂，把他往一边挤挤，教训他说："你别执迷不悟。告诉你，我是当过皇帝的，在皇家的任何宴会桌上，都不可能出现没红透的生橘子！"

他谦让地往一边躲躲，忧伤地说："我里头可是熟的，真的！不过，我外头的确还有点绿……"

旁边另一只胖橘子劝慰他说："你也许还有机会被放一放，放一放是能放红的……你总比我处境好，你看我，我熟得红成了这副模样，心里发热，外头发软，我真担心我不及被人类吃下去就给扔进垃圾箱！"

我分泌出一大片汁液训斥他说："你居然把让人类吃掉当做幸福！告诉你吧，我宁愿自动跳进垃圾箱，也不愿意被他们吃掉！"

附近一群橘子竟然都摇晃着身子表示吃惊。我听见他们纷纷交流着各自的所谓正常的愿望："我要能让一个妈妈喂给她的儿子吃就好了！""我最乐意让医院里的病人吃掉！""我希望我能让一个过生日的人吃！""我希望我能变成橘子汁让他们喝……"

我鄙弃这些同类。我要维护自己至高无上的独立价值。

我们这一筐橘子，和另外许多筐橘子，被装上了大卡车，大卡车把我们拉到了一处地方，筐子在同我们告别时告诉我们："这里是选拔出口橘子的地方，祝你们幸运！"

许多伙伴怀着激动的心情接受选拔，选拔时要经过一块有着均匀窟窿的木板，不够格的漏下去，刚好漏下一小半的被认为最合要求。合格的橘子于是被包上洁白的薄纸，装进整齐的纸箱，据说他们将坐上飞机旅行到国外。轮到我们那一批经过检验板时，没有红透的那一位一下子就被漏下去了，我听见他发出一声长长的叹息，红得过分的那一位尽管站在了窟窿中，却也被捡出来另外搁到了一只塑料篮里。我自然是合格的，但我才不屑于去让外国人吃掉呢，我趁工人将我往等待包装的案子上搁放时，一个滚打到了地上，一直滚到屋角才停了下来。

夜深了，屋里没了工人，也熄了电灯，一缕月光从窗隙泻入，正照在我的身上。我静静地思考着自我的生存价值。我感到幸福，因为我摆脱了供人吃掉的命运。我毕竟是完全属于我自己了。

没想到从墙洞爬出来一只老鼠，它谨慎地把鼻子向我凑来，我立即拼命增加自己的酸气，向它示意："别来惹我！"

老鼠坐在离我一尺来远的地方，搓着它的前爪，用沙哑的声音问我："你是个什么东西呀？"

我傲慢地回答它："废话！这间屋子里天天进来出去的都是橘子，你不是早就见识过吗？"

老鼠谦虚地说："我是头一回到这儿来哩。这个洞早就空了。我是从远处找到这儿来的。我老了，力气不够了，只能钻别人打好的现成的洞，而且我眼睛也花了，有时候连香肠和蜡烛也分不清……"说着用前爪推推眼镜框，我这才注意到它鼻梁上架着一副老花镜。它还擤擤鼻涕，叹息地说："伤风了，鼻子也不灵了，尽闻错味道……唉，你究竟是什么东西呢？真是橘子吗？我怎么闻着挺像醋瓶子呢？"说着朝我凑拢来。

我使劲向它嚷："你闻清楚了！我可不是什么醋瓶子！醋瓶子连植物都不是，那是根本没价值的无生命的死物！你不要侮辱我的人格——不，橘格！我是地地道道的橘子，你们老鼠哪有吃橘子的？你去找香肠去吧！"

老鼠停步点头说："醋瓶子的确没有价值！我以前打翻过一瓶，我只不过舔了三下，这一嘴的牙差不多就全倒了！弄得我后来三天两头牙周发炎，结果我不得不找牙科大夫拔掉了所有的牙，瞧，我现在是满嘴假牙……"它竟跟我谈起心来，末了说："橘子我倒是还没吃过，不过，我想你总不至于像米醋那么可恶，你总不至于酸溜溜的，你大概主要是甜味吧？甜东西我一贯喜欢……"

原来它是害怕醋瓶子的，我赶忙说："你别过来！我这橘子比醋还酸，能把你酸死！真的！我是醋瓶子的把兄弟！"

那老鼠果然犹豫起来。最后它放弃了我，朝另一个方向而去。过一会儿我听见"啪"的一声，它发出一声惨叫，然后就静极了，怪怕人的。我明白它是让老鼠夹子给一下子夹死了。

第二天天亮以后，工人们又来上班，一个老大嫂发现了我，她把我捡起来，搁进了塑料篮中，我发现那位红得过头的伙伴又在我的身边，他问我："昨晚上你受惊了吧？"我承认："可不。差点让老鼠给啃了。不过它的爪子、鼻子和嘴巴都没挨上我，我可还是干净的，不至于把它身上的病菌带到人嘴里去。"红胖子伙伴说："咦，你怎么又愿意让人类吃掉你了，还挺替他们着想的。"我自己也吃了一惊，不再吱声。

一次遭遇，就能让你在价值观念上产生一定的自我混乱。这大概是条规律吧！

然而时过境迁，我渐渐又恢复了原来的信念，我是不能为人类牺牲的，我一定要保全自我的全部独立价值。人类咏蜜蜂说："采得百花酿蜜后，为谁辛苦为谁忙？"甚至人类中的辛劳者也这样慨叹自己："苦恨年年压金线，为他人作嫁衣裳！"我要咏自己，该怎样说呢？我起码得是这种气派："为己红来为己甜，不作他人营养源！"

我们这一塑料筐橘子被批发给了一位个体户，他把我们拿到自由市场的果摊上摆着出售。我可是气坏了。红胖子伙伴却兴高采烈："看见咱们的标签了吗？

咱们值一元钱一斤哩！比那些送到国营水果店的尊贵多了，而且他们能有咱们这样的一律轻拿轻放，个个用毛巾擦拭的待遇吗？我只盼着能被一个好的买主买去吃掉！"他还撺掇我说："我实在没有多余精力利用传感功能了，你无妨跟原先一个箩筐里的伙伴们联系一下，看他们都是些什么命运！"

我何必把我肉里的汁液留给人类享受？我尽兴地运用我的遥感功能跟过去的伙伴们联络起来。有一些伙伴已经发不回来讯号，说明他们已被人类吃掉了。其余大多数都发来喜悦的讯号，有的说正被送往医院献给病人，有的说已到达外国的圣诞市场，有的说刚被摆到宴会席上，有的说安坐在私人家里的玻璃盏中……那个还没红透的小子也发来讯号，他说他正被搁在一个教室的讲台上，同一个陶罐待在一起，每一个学生都在图画纸上画着他和陶罐的形象，他感到无比光荣，也无比自豪。

红胖子听到绿瘦子的消息后，简直羡慕得不得了，他说："多好呀！我们让人吃掉，什么也留不下来，他呢，他却在图画中得到了永生！"

我心里也着实嫉妒，不过我缩缩肚子说："有什么了不起的，到头来还不是人类的口中餐！"

偏这时候来了个瘦瘦的小姑娘买橘子。看样子她是个小学生。她只买五只橘子。摊主硬把红胖子和我都卖给了她。小姑娘把衣兜里所有的钢镚儿都掏了出来，交给了摊主。然后她小心翼翼地把我们包到了她的一块散发着香皂气味的手帕里。

红胖子在手帕里同我挤得紧紧的，他自满自足地说："她一定会先吃掉我的。说实在的再不吃我我可能就要坏掉了。你看她那么瘦弱，一定很需要我们的帮助。"

我却急得发狂。好家伙，我不但终于还是要被人类吃掉，而且竟是由这样一位在人类中价值最低的小学生来吃！是可忍，孰不可忍？！我趁小姑娘上电车时，耸耸身子蹦出了她的手帕兜。

我骨碌了好长一段路，停在马路边的花圃旁。

我感到身心大畅。

离我最近的一些花儿问我："你不是橘子吗？你怎么跑到这儿来了？"

我反问她们："难道只许你们待在这儿吗？我为什么就不能也待在这儿？"

花儿们说："谁都应该待在他该待的地方。"

　　我把自己的气味全放出来，使劲说："我愿意待的地方就是我应该待的地方！"

　　花儿们说："可是你待在这儿，就完全失去了你应有的价值了呀！"

　　我气冲冲地反驳："你们待在这儿，不也就是那么点替人类美化环境的价值吗？可怜的价值！你们过不了几天就会谢掉，消失的！"

　　花儿们一个接一个地说："我们是会死掉。""连人本身也会一个一个地死掉。""没有绝对不死的东西。有一天连地球也会衰老、死亡哩！""所以要在死掉以前找准自己的位置。""找准了位置生活才有意义。""找准了位置才能获得自己的价值。""你不被人吃掉，你也会死掉的。""你会腐烂，被扔进垃圾箱。""那时候你会后悔的。""比起别的正常地让人类吃掉的橘子，你最没有价值。"我不愿意再理她们。她们那一套道理早该死掉。我只属于我自己。我在自己选定的位置上随自己的意思毁灭，这就是最高的价值。

　　忽然我接收了红胖子发来的讯号。他说那小姑娘把他们带到了一条胡同里，走进一个小杂院，进了一间小屋子。原来她是看望她的同学去了。她的同学病了，一天没去上学。她的同学的父亲不幸在一次车祸里遇难了。那同学的母亲受刺激太深，有一点精神异常。那同学处在最不幸的状态中。可是小姑娘一放学就去看望。还给她带去了橘子。小姑娘一边打开手帕兜一边告诉她，一共买了五只橘子。可打开后发现里面只有四只。小姑娘脸红了，鬓角边泌出了一片汗珠。她觉得自己小小的心受到了一点刺激。她不愿意使人家猜想到是她在路上自己吃了一只，虽然即便是她自己吃掉了一只人家也仍然感激她，可她为路上不小心丢失了一只橘子非常难过。两个小姑娘的手拉到了一起。送橘子的把四只橘子都塞到了病者的手中。病者手里拿不了就把它们全搂在胸前。她的两滴眼泪落到了橘子上。红胖子的报道最后说："她其中一滴眼泪恰好落到了我头上，我正激动得浑身发抖。我比原来所预想的还要幸福，因为我将不是一般地被吃掉，我会永远留在病姑娘的记忆中，伴随她度过她的一生，我将永远在她心灵中象征着人类最伟大的情感之一——友谊。这比被画在图画中更有价值……"

　　红胖子大概是想让我也为之感动，我心里虽然也动了一下，但到头来仍认为我自从树上落下所作的一切努力都全然没有错。我不愿被人吃掉，也不屑象征什么。

万没料到走过来一个男孩，他双手插在裤兜里，一边走一边吹着口哨。他发现了我，也不容我有充足的思想准备，便扬起穿着登山鞋的脚丫子，像足球射门一般，一脚把我踢得飞起老高……

我落回到了无尽的长廊中，我低头细察自己，我不再是橘子，我是人。不过，我身上似乎还有一股橘子皮的味道。

长廊不再弯曲。它恢复了直筒状态。

现在我不怕变成任何事物，包括变成一块石头、一颗图钉。

随便变化我吧！我推开一扇门，无畏地走进去。

我一点也没有变。

我看见一台足有小轿车那么大的电话机，鲜红鲜红的。小王斜倚在电话机上，用跟他身体一般长的电话筒正打着电话。小王现在穿着一件色彩泼辣的北欧风味的毛线衣，外面套着个银灰色的式样极其别致的茄克衫，显得既潇洒又俏皮。

小王见我进去，亲热地给我使个眼色，意思是"对不起，请先坐，我就完"。

一张屁兜椅立即出现在我身后，我坐下了。空中飘过来一只银托盘，里头搁着分别盛有矿泉水、橘子汁、可口可乐及威士忌等几种饮料的玻璃杯。我挑了一杯橘子汁，托盘便又自动飘走了。

小王继续打他的电话。他把姿势调整得更舒适一点，语气更轻松活泼也更怡然自得。

我听出来他是在与"老头子"通话。我洞悉了他们之间关系的突变。他终于与"老头子"闹翻。如今他羽翼已成，"老头子"无奈他何。他现在已经成为了"老头子"顶头上司的机要秘书。他们闹翻以后一度几乎完全断绝了交往，甚而在同一个会议上互相不对视、不打招呼。但今天他却故意主动给"老头子"挂了电话。电话的核心内容是告诉"老头子"，他最近与那位更高级的首长闲聊时，如何讨论了一番对"老头子"的评价。他在电话中所说的"他"，便都是指那位年龄比"老头子"略小但地位却更高的首长："……是呀，我们俩随便聊，不算工作谈话，绝对意义上的闲聊……自然把你们这一层的几位都聊到了……我说你比BCD稳当，他点头……对，点头，点头就够了嘛！我说BCD的好处是有魄力，敢拿主意，可就是在青年人面前讲话时容易出圈儿……他说那还不是有哗众取宠之意，而无实事求是之心！我们党风当中的一个老问题啰！……后来他又提到了你，说你这个人'文革'当中是个硬骨头，不容易……可新形势下光靠硬骨头是打不开局面的……光有硬件不成，还得有软件，电子计算机才成其为先进工具嘛……什么？前头几句是他说的，后头几句是我说的，闲扯嘛，你一句我一句的……就是这么些情况，姑妄听之，参考参考嘛……"

搁下电话，小王站起来伸个懒腰，问我："你这一向都干什么来着？好久没见着你，还真有点想你哩！"

我说："当了一阵皇帝，又当了几天橘子，都没当好……"

正说着电话铃突然响了起来，小王对我抱歉地笑笑，便又倚到电话机前接电话。

我一听就知道那边是谁。

小王讲话的语气极为俏皮："当然听出来啦，百灵鸟嘛！……什么？谣言？什么谣言？……啊，亲爱的百灵鸟，我告诉你，你可别飞走，你听我说，我本是想赶在所谓谣言出来之前主动打电话通知你的，一忙二乱地就没顾得上，百灵鸟，你早该主动来电话问哪！……什么？辟谣？啊亲爱的百灵鸟，问题是那并非谣言，对对对……我的百灵鸟，你别激动嘛……你唱过那么多的歌儿，歌里头不净是这号事嘛……啊百灵鸟，我的百灵鸟，我并没有开玩笑啊，那的确是真的，我是要跟她结婚了，她确实是那么个身份，一点不错！我的百灵鸟，你的情报还真准确！……为什么？哎呀呀，这还用得着问吗？自然是为了爱情啰！……我不爱你？乖乖，你让我怎么说呢，凡是男人就不可能不爱你！连女的也有爱你的哩！可我越这么爱你，就越觉悟出我不能独占你……我对你的爱是永远不改变的啊！……百灵鸟，小乖乖，你怎么哭鼻子啦？百灵鸟应该永远欢乐歌唱嘛，一哭鼻子可就不像百灵鸟啰……别胡说！别任性！我们还要下帖子请你来参加婚礼哩！不让你唱，百灵鸟，到那天绝不让你唱，就让你来玩，一块热闹热闹……你这是怎么啦？这可就完全不像百灵鸟啦……啊哟哟更不像话！这不变成乌鸦了吗？……亲爱的百灵鸟，你听我细说嘛，我是这么考虑的，好比湖里的小鱼儿，它们游来——"打到这儿小王突然用手将话筒叉往下一按，然后挂上电话，对我眨眨眼，笑着说："这样她就以为是电话局线路上的问题，我告诉你，以后你接电话的时候也可以采用这种方法，巧妙地中断你不喜欢的谈话。"

我觉得挺不是滋味。

我问他："你要跟谁结婚啦？"

他伸腕看看手表说："啊哟不得了，我该到医院去了——实跟你说吧，我们已经登过记了，只不过婚礼得等那件大事过去之后才好举行。"

说完他道了声"再见！"便像驾驶小轿车般地坐到那电话机上，将它开走了。

我坐在那里琢磨。"得等那件大事过去之后才好举行。"哪件大事？

忽然在原来停放电话机的地方，出现了一台也有那么老大的电视机。电视机自动打开，映出了一组新闻镜头：某一位大首长逝世，向遗体告别的仪式。镜头摇到慰问者同死者家属一一握手致慰的场面，在那一排人里面，我发现了小王，他穿一身蓝色中山服，袖管上套着好大一个黑箍，表情极为哀戚。显然，他已成为这个家族中的一个成员，他身旁那位年轻的妇女，想必就是他的妻子。极富戏剧性的是那位"老头子"也排在向遗体告别的队伍中，告别后循例也来同死者家属一一握手，显然他消息很不灵通，事先并不知道小王俨然已是该家族中的一个成员，所以当他握至小王那里时，不禁为之一震，尴尬万分，而小王却似乎浑然不觉，只是以悲哀的眼神鸣谢。

在画面消逝之前，小王从电视机屏幕上走了下来，他一下来电视机就仿佛冷藏车似的开走了。小王走到我面前时，满面秋色已然变作了满面春风。

"你怎么倒好像挺高兴似的……"我责备他。

"白喜事嘛！"他若无其事地说，"旧的不去，新的不来。"

"你娶他女儿，不就为了找他当靠山吗？"我决心刺一刺他，"可你刚当上乘龙快婿，靠山就倒了，岂不白费心机？"

他一点也不生气，坐到我对面刚从地上冒出来的一把转椅上，蛮快活地转了一个圈儿，这才推心置腹地对我说："你这个人，真是一腔冬烘气。你看看官场上的风云变幻嘛。你以为他老活着，就对我有利吗？他这辈子的官运是到此为止了，再不会有所发展，所以他活着倒于我不利。因为政治上的风云突变，很有可能把他牵连进去，弄得一个筋斗翻到底，那我不得跟着吃'挂涝'？他这样及时地寿终正寝，正是我求之不得之事！我媳妇和我的靠山，反倒更稳固了——人们永远得以尊敬的口气说，这就是什么什么大人物的闺女，这就是什么什么大人物的女婿……而'这什么什么大人物'的概念，将不再因官场上的风雨雷电而再有所变化，你替我想想看，这要不算地地道道的白喜事，算什么？"

我望着他，心中生出一个想法：难道这真是当年那个小王吗？莫不是别人假扮的？

我问他："当年你给那'老头子'端馒头皮去，也是出于如此这般地精心算计？"

他眼神变得柔和起来，若有所思地说："……那个时候，真是'不知有汉，无论魏晋'，实属桃花源中的无邪之辈，我的一切所作所为，概出于毫无算计的淳朴感情……是呀，回想起来，我也禁不住百感交集……可那毕竟只是一种浑浑噩噩的自为状态，无论是人，还是社会，都不能总是停留在那样一种状态啊……"说着说着他的眼里又闪着青铜般的冷硬之光，他以教诲的口气对我说："我认为我这毕竟是一种进步。我开始进入自由状态了。我要更畅快地在社会中游泳！"

正说着，我们所在的地方已经变作一个火车站的月台，前面停着一列火车，正对着我们的恰是软席车厢。

一个亭亭玉立的姑娘提着一只箱子，走过来招呼他说："王局长，快开车了，咱们上去吧！"

他站起来，把那姑娘介绍给我说："小聂，我的秘书。"又解释说："我横向调了个单位，被任命担任了这个局长。这样我就跟'老头子'完全没有工作上的关系了。眼下我出差去趟南方。你南方有什么要办的事吗？"

我站起来给他送行，告诉他我在南方没什么事要办。

他握住我的手，极诚恳地说："我们也算贫贱之交了。今后你有什么为难的事，不必客气，给我打电话就是。我都给你解决。"他让秘书给了我一张他的名片，让我打电话时就照上头的号码打，他又凑拢我嘱托说："'老头子'眼下一定更加嫉恨我。仔细想起来，我们之间政治上从来都是一致的，目前的矛盾纯粹是一种心理冲突，无是也无非。你有机会，见到他时帮他排解排解心理障碍吧。另外，我从他家搬出来的时候，有一样东西忙乱之中落在他家了，你如能替我取出来，暂存你那里最好，那是碎布头缝的变形虎小枕头，是我妈妈留给我的唯一的纪念……"

他最后的这个嘱托让我心里一暖。我答应一定给他办到。

他便同那秘书小聂登上了火车。而火车也便开走了。

我转身走出车站，自然也就回到了无尽的长廊中。

我烦躁地推开了前面的一扇门。

面前是无垠的沙漠。

一个人牵着一匹骆驼站在那儿。

那人长着一大把络腮胡子，戴顶奇特的帽子，穿身古怪的袍子。他见到我竟然问："你是上帝吗？"

我生气地说："你晒晕了还是怎么的？我是个普通的人呀！"

他上下打量着我，沉吟地说："你的这副长相，这身打扮，的确是个十足的凡人。可我怎么觉着你是从天上掉下来的呢？"

我说："你看错了。我是打无尽的长廊里来的。"

他耸耸肩膀说："那是个什么地方，没听说过。"

我问他："你这是要到哪儿去呀？"

他说："我要到天堂去。"

我以为他开玩笑，他却认真地拍拍那匹骆驼的嘴巴说："我要让它穿过针眼去。《圣经》上不是说了吗？富人要想进天堂，比骆驼穿过针眼还难。可我这个富翁能让骆驼穿过针眼去。我能做成这件事，我不也就能顺顺当当地进天堂了吗？你说是不是这么个理儿？"

我以为他是个精神病患者。

我要离他而去，他把我叫住了："你到哪儿去？你连一匹骆驼都没有，这么大的沙漠你怎么走得出去？你跟着我吧，我把你带出沙漠去。"

我想了想，可也是。只好暂且跟着他。

原来他不止有一匹骆驼，他有整整一队骆驼队。转过一个沙丘，他指给我看，原来那整队的骆驼都在那儿休息，还有他雇用的工人。那些骆驼背上全驮着装满货物的口袋。

他也很难说是个精神病患者。除了某些疯言疯语，他似乎还算正常。他给我水喝，还给我干粮吃，甚至还让我跟他一起骑上那匹他最喜欢的骆驼。尽管他叨唠得很难听："你看我这人心眼多善，你没钱给我，我也把你带着。人不能见死不救，是不是？"一路上他毕竟把我照顾得挺好。我告诉他："走出沙漠，我就揽活儿，挣钱还给你。你说个数儿吧！"他倒也算大方，说："到时候随你给吧。"他也的确大方得起。一路上他腰上拴着个黑羊皮口袋，休息的时候他就解下来清点一番，里头装的全是亮闪闪的金币，因为装得太满了，系在腰上行走时并不叮当乱响。

也不知走了多久，我们终于走出了沙漠，来到了一片绿洲。那里有个热闹的小镇。我向他道了谢，便找活儿去了。我给一户人家打家具，这活儿我过去常干。我想一得到工钱，便立即给他送去，省得成了他心里一块心病。

干了十来天，家具眼看打完。小镇里忽然闹哄哄的。我问从外头回来的雇主发生了什么事，他说："不得了！骆驼就要穿过针眼了！"他是来唤家里人，一起去参观的。我就说我也要去。他同意了。于是他用一把方锁锁住门，我们一起去了。

镇外一个小土坡周围，里三层外三层挤满了好奇的人。我挤不到前面去，便爬上一棵树，骑到一个大树杈上，伸长脖颈朝前望。

只见一根足有三丈高的铁针，被固定在土坡下面。那铁针严格来说不大像针，因为不是滚圆的身子，显得有点扁，椭圆形的针鼻子也显得过大，横径大约三尺，竖径总有六尺，看上去古里古怪。不过大体上还称得起是一根针，为了显示它确实是一根针，针鼻里还真的穿过了一条绳子，拖到老远的地方，末端打了个结儿，代表着线。

那骆驼队的主人，满脸放光地站在大针一旁。他向周围的人们鞠了一躬，手掌按在心窝上，哇哩哇啦地说了一通什么话，因为人声嘈杂，我都没有听见。然后只见他一挥手，他雇来的工人们便走进场地，行动起来。他们先用木板从土坡顶上到针鼻子架了块踏板，几个人还走上去试了试稳定性，然后又在针鼻子另一面搭了一块与踏板衔接的滑板。一切都准备就绪以后，那骆驼队主人便亲自牵着骆驼走上土坡，又牵着骆驼小心翼翼地走上踏板，在两侧工人的卫护和帮助下，他自己先穿过那针眼滑了下来，然后，由上面的工人前塞后推，他那匹骆驼也穿过了针眼，滑落到了地下。这一切都完成以后，只见主人搂住骆驼不住地亲嘴儿。人群大哗，也不知道是在赞美，还是在嘲笑。

看完热闹，回到雇主家里不久，就传来了消息，说那匹骆驼摔断了前腿。第二天小镇的集市上，便有人卖新鲜骆驼肉，据说正是那匹骆驼的肉。骆驼队呢，已经不知踪影，想是那主人又在这里办妥了货，走回程了。我得知消息以后，忙去向雇主讨工钱，家具已经打好，本来我还答应给上油漆，我向雇主道歉说，因为要去追赶骆驼队，上油漆的事另请高明吧，工钱可以少拿三分之一。雇主给了我原先讲好的全部工钱，还给了我一瓶水和三张大饼，我便立即跑去追赶骆驼队了。

跑出绿洲，前面呈现出沙漠景象。奇怪的是头上的阳光并不灼热，脚下也并不感到火烫。一定神儿，才发现原是在一个大厅里，我所面对的沙漠，是占据一整面墙的大型壁画。仔细看那壁画，在一个巨大的沙丘下，画着一队白骨。除了骆驼的白骨，还有人的白骨。那头一个人的骨架边，有一只瘪的黑皮钱袋。

我吃了一惊。

转过身来，我才估量出这是一间展览厅。大厅那边，有一个巨大的玻璃橱，我走过去一看，里面横着那根巨大的铁针，连同系在上头的那根"线"。

我又发现大厅另一面墙上画着那个小镇已然破败的景象。我找到了我打家具那一家的位置，那里只画着一个空的屋架和堆积得很厚的黄沙。

我心里不免难过。

我朝大厅深处走去。其余的展品没有说明，我只是吃惊，却不知陈列它们的意义：

一把两丈高的沙发靠背椅。

一盏华丽的台灯，灯罩上有两个圆鼓鼓的马蜂窝，一些又黄又大的马蜂正在出出进进。

一个巨大的鱼缸，里面没有水，却有许多死去的金鱼。

一只长颈鹿标本，脖子上挂着辆自行车。

……

我不想再参观下去了，我拉开门走了出去。我又回到无尽的长廊。

我感到困倦，不，不仅是困倦，而且厌倦。

我不想再推门。我就那么沿着长廊朝前走去。走了好远好远。

忽然，我发现长廊终于又有了新的变化。

这变化比弯曲更加新奇。

长廊在前方终于有了一个分岔。

我走到了长廊的三岔口上。

困倦全无。厌倦全消。

据说古人阮籍是遇到歧路便恸哭而返的。我可没有他那样的感情。歧路增加了我们进行抉择的机会。我甚至为眼前出现了歧路而高兴。

我该往哪边走呢？左边，还是右边？

尽管我们放任自己去尽情享受预测和抉择的快乐，无形中还是有一种潜在的惯力便我不由得偏向了左边。

在左边的长廊中前行了一段，渐渐也就不觉得是在一条岔道中。我想还是快点推开一扇门的好，免得新鲜感随着往前走消失殆尽。

我推开了左边的一扇门。

是一间大会议室。坐满了人，正在开会。

我有点扫兴。

各种各样的会我可开得太多了。这又是一个什么样的例会？

有位坐在门边的女士在招呼我。她那挥动的手掌缺少了一根无名指。啊，是她。可见我们这个世界真够小的，走来走去，总能遇上熟人。

我坐到她身边的一把空椅子上。

我小声问她："开什么会呢？"

她望着我："咦，你是从天上掉下来的吗？你这一向病了还是怎么的？你一直没参加这次运动？"

我一听搞运动，心里就老大地不痛快，我问："怎么又搞运动？搞的什么运动？"

她摇着头责备我："你呀你呀，态度也未免过于消极！你难道真的不知道，正在开展一次反'左'运动吗？"

我吓了一跳："反左？这不是右派翻天了吗？"

她说："写出来的时候，'左'字要带引号。读的时候，为了避免错误，也可以读成'反极左运动'。"

我万分疑惑。我问："极左固然不好，但只能是坚持理论上的批判，逐步肃清流毒，怎么能搞运动呢？这不会影响生产和生活的正常进展吗？"

她耐心地小声对我解释："看来你真是打天上掉下来的。这回的运动，绝不同于以往的运动。不搞大轰大嗡，不给'左'派贴大字报，更不批斗他们。而且像这样的会，也只是最必要的时候才开。总之几句话一时也说不清。咱们别说话了，你看周围的人都在责备地看着咱们呢。你注意听会议主席的总结吧！"

我便暂且闭口。我环顾会场，感到似乎缺少一点什么。究竟缺少什么呢？啊，缺少标语口号。会场上既没挂出"把反'左'运动进行到底！"一类的横幅，也没有诸如"'左'派不投降，就叫他灭亡！"或"把'左'派打翻在地，再踏上一万只脚！"之类的红绿标语。会场里摆着鲜花，墙上悬挂着大幅的山水国画。与会者的情绪只能说是严肃认真，而绝非狂然亢奋。

正在发言的会议主席是个年轻的姑娘。看上去顶多二十岁出头。她的发型很适合她脸庞，穿着显得既随便又雅致。她正在微笑着结束她的讲话，那语调既平和又悦耳，全然不是我想象的那么一种声色俱厉乃至唾沫星子乱溅的做派。我听见她说："……经过大家投票，过三分之二的多数都确认了我们这一次划定'左'派的基本政策，那就是——坦白从严，抗拒从宽……"

我真怀疑我的耳朵。

我给弄懵了。

我仍呆坐着，而会议已经结束。

那位热心的女士问我："你怎么来的？"

我说："走着来的。"

她说："我开车来的。我送你回去吧。"

我便随她乘电梯下楼，楼外是个停车场，停满了小轿车，她带我走到一辆奶黄色"长江牌"国产小轿车旁，打开门请我坐进去。

她坐到驾驶室里以后问我："你回哪儿？回家吗？"

　　我望望车窗外的景物，夜色茫茫中亮着无数窗户的高楼望不见顶，一个大喷水池喷出串串珍珠链般的水柱，附近街道上闪烁着无数的霓虹灯和灯箱广告，阵阵白兰花的气息飘入车内。这一切对我来说都是陌生的，我便对她说："我家恐怕不在这个城市。我还没找到地方住呢！"

　　"那我送你去宾馆吧。就是我们头一回见面的那座宾馆。我这回来开联席会议，也暂时住在那里。"说着她开动了汽车，边开边对我说："你看变化大吗？那宾馆也变了。主要是观念上的变化。现在从他们经理到每一个服务员，都不会对恭桶泄水不畅或窗帘挂钩脱落一类事情等闲视之。宾馆所提供的服务也更全面而周到。你去了就会知道。"

　　我们到达了宾馆。我向这位热心的女士道了谢。我定了个房间，在餐厅吃过了晚饭。一切的确如那位女士所预告的那样。我对宾馆的设施和服务简直挑不出什么毛病。但我有点纳闷。不是在搞运动吗？宾馆想必也不能例外。但怎么一点运动的迹象也没有？相反地，风味小吃厅、咖啡厅、音乐茶座、迪斯科舞场、游乐室、书报阅览室、电影厅、健身房、保龄球室和台球室等附属场所全在正常开放，我所遇到的每一个人也都要么高高兴兴，要么平平静静。

　　我便走过去问一位前厅的侍应生："你知道正在搞反'左'运动吗？"

　　他有点吃惊，眯着眼打量我，但很有礼貌地回答我说："您是从国外刚回来吗？我当然知道正在搞反'左'运动。我们宾馆有专门播放运动进展情况的大屏幕电视厅。您从房间里的电视机的第十频路也能收到有关节目。"

　　我立即按他所指去找那大屏幕电视厅。

　　在电视厅里我又遇到了那位女士。她伸出手来同我握手，我发现她那缺少的手指似乎已经补上。

　　见我朝她手上望，她解释说："我装了一个假指。不过这假指在设计上、工艺上都已过时，戴久了不大舒服，所以有时候我不得不把它摘下来。我在按新设计新工艺生产假指的计划很快便会付诸实行，那时候您再看见就会感到是天衣无缝了！"

　　我们一齐坐了下来。电视厅里有大约一百来个舒服的座位，但只坐了三十来个人。她又对我解释说："这场运动除了极少数进行投票表决的活动，要求每一个公民都参加以外，像这样的一些活动，参加不参加，参加多少，全凭自觉自愿。不过，总的来说，百分之八十的公民都是积极参加这场运动的，因为这终究决定着能不能从他们走向幸福的路上撤去最主要的障碍。今天电视转播的内容是继续由被公民投票指认的'左'派先生们亮相。这种亮相也全凭他们自愿，并非强迫性的。他们也可不采取这种公开亮相，也可以不亮相。这种活动已经进行了一周了，所以今天来这里看电视的不多。再说人们一般也只选择自己最关心的节目来看。我今天晚上来看除了一般意义上的关注以外，也还有我自己独特的动机……"

虽然她解释，我也还是莫名其妙。

电视转播开始了。广播员微笑着宣布了今晚报名亮相的"左"派名单。然后便请他们自己出场。

第一个在屏幕上亮相的是个中年男子。他穿着一身适体的浅褐色西服，系着一条黑底带白斜道儿的领带，头发光可鉴人。他安坐在一张沙发里，背后是一个摆满各种玩器的多宝格柜橱。镜头渐渐推至他的近景，他直视着屏幕外的观众，用极其诚恳的语气开始了他的发言：

"我先明确我的态度。我是希望能抗拒从宽的。

"大家把我推选为'左'派，要我到'左'派村去生活。我承认大家所依据的理由是可以成立的。我也完全理解大家何以对我会有这样的评价和情绪。但是，我要在这里为我自己辩护。我并不是'左'派，真的！

"现在我同意大多数公民的这种见解，'左'派的主张如果付诸实现，将使公众永远不可能获得合理而幸福的生活，并将使公众沦落到物质和精神的双重匮乏中去。即使'左'派的主张由于众人的反对不得全面实现或不能实现，那也构成一种对公众创建美好生活的阻力，或者毫不夸张地说只要'左'派活跃一天，人们创建美好生活的进程便延缓一天，而那极左言论在人们心灵中投下的阴影，更等于随时随地在往人们的创造性劳动中和美好的生活中撒胡椒面——啊，对不起。（这时他身侧的一个立柱上亮了红灯，后来我弄明白，当有一百个以上的电视观众认为他的讲话空泛离题时，那红灯便会闪亮——我们的座椅上也都有按键，可根据每个人自己的判断按键。）我马上说到我自己。

我的意思是，大家认为'左'派所宣扬和主张付诸实行的是一种大家所不能接受的生活方式，这一点其实恰恰也是我心里头的想法。我现在立即向大家说明——我是不该被划为'左'派的。我那些'左'派言论，以及表面的行动，其实都是彻头彻尾的虚伪。

"比如说，我曾写了封自以为可以得计的告状信，也就是打了个大家称之为'小报告'的东西，我在那里面列举了一大堆材料，说明对外开放带来了多么可怕的恶劣后果，如何导致了腐败和堕落，以及如何导致了青年人中不爱国的反动情绪的高涨，等等。现在我不在这里一一向大家说明，我堆砌的材料里哪些是确有根据的个别事例，哪些是加以渲染和夸大的，哪些完全是捕风捉影、无中生有。我只想在这里向大家公开我的实际情况：我家里所使用的家用电器，百分之百都是地地道道的洋货。其实经过国产化的努力，我们自己所生产的家用电器，质量越来越优秀，也越来越稳定。可是当我知道我夫人竟订购了一台国产的电冰箱以后，我在家里大发雷霆，我在争吵中甚至于摔碎了一只花瓶，幸运的是我还能找到几块花瓶的碎片，以证明确有此事（荧光屏上映出花瓶碎片，我们观众不禁发出了笑声）。后来我的朋友给我弄来了一台日本电冰箱，运到家里以后，我夫人已经开始使用，但当我听说这电冰箱并不是日本原装货，仅仅是日本原件国内组装的产品，我便执意把它退了回去。后来我终于弄到了一台原装货，这才罢休。（红灯又亮了。）对不起。我知道对于一般人来说这确实算不了什么问题。但是我一方面宣称用洋货会导致腐化堕落，另一方面背地里又是这么一副嘴脸，可见我并不是什么身体力行的极左派。

"这个例子当然还不足以说明全部问题。大家记得我那'小报告'里有这么一条：认为应当禁止生产和使用录音机和录像机，国内已有的私人录音机和录像机应一律加以没收，当然还有录音带和录像带。其实我自己不仅拥有国外最高档的组合音响和录像机，并且，我天天自己关起门来所听所看的，甚至于都耻于在这里向大家公开。倘若说我这人确有问题，那么我也是迷恋国外的暴力和色情文化、趣味庸俗低级这样的问题，而绝非极左，绝非自己带头并强迫大家都去过苦行僧生活那样的问题。

"说到爱国不爱国这一点，我承认自己就更是一个伪君子。我千方百计把我女儿送到了国外，并千方百计找路子使她能在国外定居，甚而我还有这样的想法，一旦她站住了脚以后，将来我也要去她那里，舒舒服服地当一个寓公。这尽管还算不上卖国思想和卖国行为，可由我这么样一个人跳出来大呼对外开放造成了年轻人的不爱国的反动情绪高涨，岂不是滑稽可笑吗？（红灯又亮了。）对不起，我知道大家要知道的是我这么做的原始动机，我马上就说。

"我这么做首先是为了沽名钓誉。因为我积过去几十年的经验，认为无论以极左的面目搞什么小动作，最坏的结果也不过是无人答理，绝不会使自己吃亏；而使自己得到好处，乃至名声大噪的可能性，却相当地高。其次，我嫉恨我所指控的那些人，我希望通过我的小报告能把他们搞倒，特别是我多次提到的那一位，我之所以对他控告最多，是因为我想取而代之，获得他至今仍占据着的那个职位。

"我所干的当然不止这一件事。我知道我们所造成后果是严重的。有 3 个大部门，89 个具体单位，1467 个干部，不得不因我的控告开会讨论、作检讨、改变他们原有的工作计划；有 36168 个普通公民，因我的'小报告'而受到了直接的冲击；至于对更多人心理上的压迫、情绪上的窒息，那就无法作定量分析了。

"我在这里向所有受害的单位和个人致歉，并特别向一度被我蒙蔽的领导认错。但我恳求大家取消我的'左'派资格。因为我是虚伪的，卑鄙的，庸俗的。我抗拒将我迁往'左'派村的决定。我愿意留在同大家一样的生活方式中接受大家监督，改正我的错误，弥补我的过失。今天我特意请电视台的人到我家里现场直播，正是为了使大家相信，我的的确确并不是想过那种极左生活方式的人。我的话完了。"

我大体上听懂了他的发言。不过，什么是"左"派村呢？他为什么特别害怕被迁到"左"派村去呢？

正疑惑着，第二个亮相者已经出现在了屏幕上。那是一个 50 多岁的老太太。她很胖，下巴至少有三个。她是在电视台播音室里讲话。看来她文化水平实在不高，说话语无伦次。不过她讲话的过程中倒没怎么给她亮红灯。她讲话中核心的一段是：

"……我是想不通。不是真乐意就那么过。我觉得这阶级斗争不讲了，地主全摘帽了,那地主婆全会跟我平起平坐了,叫嘛世道?……我舍不得以往那开大会斗争地主婆的日子。其实我不是一概地不喜欢眼眉前的日子。就是老不能批斗别人,咱'红五类'闷得慌……让我迁'左'派村去,实话说,那个苦我受不了!我三番五次控告咱们市长,为的是啥?不是没有'左'的地方。有点。我对不绷紧阶级斗争这根弦,有气。市长是个地主出身,重用的是嘛人?我就反映他那修厕所的问题。我说他拿着劳动人民的钱,把城里的公共厕所修得那么漂亮,安的是什么心?上厕所还兴收钱,搞的是什么主义?这是不是有点阶级报复的意思?还有那计划生育委员会主任,我也告她,她在那个什么计划生育中心里,尽放些个什么录像给人看?连娃娃从哪里出来的镜头都有,还有什么结扎输精管,纯粹是流氓教唆!请我去看那天,我忙,没顾上去,把票给我上小学的孙子了,他回来那么一学舌,我肺都要气炸……所以我写信上告,提出来'救救孩子'!……我还反对搞什么假肢工厂,如今年轻姑娘涂脂抹粉,戴耳环、项链、戒指,就够荒唐的了,可还要再搞什么假胳膊假腿假手指头,破了相就破了相嘛,有个革命的红心就行了嘛,一美能遮百丑么!我看见那报上登的什么读者来信,说戴的假手指头还不够好,还要求学习什么国外的新设计新工艺,给她换更好的,也把肺给气炸了……"

这时我看见身旁的那位女士目不转睛地盯住屏幕,双眼闪着气愤和蔑视的光芒。我想这一定是说到跟她有关的地方了。

那老太婆继续说:"……我就又告了那个写信的,还有报纸的总编辑,让查一查,是些什么人,走的什么路,搞的什么名堂……听说后来让他们检讨,他们不干,还差点给了处分……现在我也挺过意不去的……其实说到底我是个认识问题,没觉悟,没文化,没水平,我倒真不是'左'派分子,所以,我也抗拒对我的安排,我不去那'左'派村,我还留在这儿……就让我留这儿吧……"

她讲完以后,我问那女士:"你同意她留下吗?"

她说:"这次运动要严格按政策办事。凡愿留下的都可以留下。不强迫任何人。勉强留下,不适应,以后要走的,还可以送走。到了'左'派村,不适应,要求回来的,不能马上回来,但住够了三年,则可自由迁回。"

我问:"究竟什么是'左'派村呢?"

她说:"你会明白的。先看下一个吧!"

屏幕上的下一个票选"左"派分子是个 60 多岁的瘦老头,他长得挺威武,穿着一件对襟褂子,也是在电视台的播音室里讲话。他绷着个脸,声音洪亮地说:"我感谢大家划定我为'左'派分子。我感到无比光荣。我今天特意到这里来,进一步申诉我的思想观点。我认为当前你们多数人所选择的生活方式,完完全全是一种彻头彻尾的堕落……"

底下他滔滔不绝地在那里一、二、三、四、甲、乙、丙、丁……地高谈阔论,可是收看者有的已经"抽签"走掉,有的不禁打起了呵欠,那位女士也站起来打算离去,她对我说:"你再看看吧,多了解些情况。"我却也不忍再听,于是同她一起出了那间电视厅,我们互道晚安以后,她去咖啡厅喝咖啡,我因为实在太累,便回到了自己房间。

洗了个热水澡,我打开电视,选择了第十频路,里头正转播第一批"左"派分子被欢送到"左"派村去的场面。我立即坐到沙发上,如饥似渴地观看起来。

镜头先展现车站月台全景,然后摇拍了一组中景,我看见欢送的人群个个面带笑容,甚而至于兴高采烈,一点也没有以往搞运动必有的那种肃杀气氛,不禁愕然。欢送队伍的男女老少打着横幅标语:"热烈欢送'左'派分子去'左'派村过自己喜欢的生活!""'左'派分子们,愿你们一去不返!""祝'左'派分子们一路顺风!"

"左"派分子们走过来了,响起了鞭炮声和锣鼓声。

"左"派分子们或面色阴沉,或坦然自若,或无动于衷,或颇为豪迈,提着简单的行李鱼贯地登上了硬席车厢。镜头跟进了车厢。这是那种最陈旧的硬席车厢,坐位都是木条钉成的。我看见"左"派分子们有秩序地坐到了各自的座位上。

电视广播员在现场介绍情况说:"根据'左'派分子们自己的意愿,这列火车没有挂上卧铺车厢和餐车。他们在一天的旅途中将喝到开水和领到馒头与咸菜。"

列车徐徐开动,欢送的人群载歌载舞,仿佛在欢度一个喜庆的节日。

可惜实况转播很快就结束了。下面只有播音员在那里干讲:"关于'左'派村的情况,我们向观众朋友们作一简单的介绍。'左'派村设立在一个自然条件较差的地方。这是'左'派分子们自己选定的。他们在那里要每日工作十个小时，以种植粮食蔬菜、织布打铁，维持一种大体上自给自足的村社生活。那里将没有货币和商店，只有简单的以物易物的物资交流。没有节假日，但每星期放映一次电影。他们有一个打麦场，可兼作露天电影院。他们拥有八部电影拷贝，将反复轮流放映。不禁止吸叶子烟和土制酒，但禁止其他一切奢侈品和享受。他们的住房一般都是地窝子，并且严格保持同一样式。他们每天收工以后将再坚持两小时的斗争活动。主要是批判我们大家现在所选择的道路和生活方式；同时，也要不断揭发他们当中的动摇倾向和肃清我们对他们的残留影响。最后还将开展他们之间的互相揭发以及在揭发中形成批判重点和进行重点批判。到那时他们将每天十小时搞批判两小时搞生产……亲爱的观众朋友，我们曾提出随他们前往'左'派村进行实地拍摄，好向大家提供直观的信息，但遭到了他们的拒绝。这也是可以理解的。他们一贯认为电视机及一切家用电器都是万恶之源，自然会采取这种令人遗憾的态度。不过，亲爱的观众朋友，通过这次反'左'运动，我们可以更加顺畅地建设和发展我们的物质文明和精神文明，完全和完善我们大家自愿选择的生活方式，而'左'派先生们也能不受我们牵制地过他们自愿去过的生活，成绩的确是很大的……"

我觉得自己终于明白了一切。困意全消。我又重新穿戴起来，我要到仍在开放的娱乐场所中高高兴兴地玩上一玩。

回想起来真后悔不迭！我一拉开屋门，便随地回到了无尽的长廊上！我要是不急着出屋去玩，哪怕再看看反"左"运动的电视节目也是好的啊！

一边朝前走，我一边叹息着。但我渐渐又疑惑起来：这种反"左"运动，真的存在吗？真能奏效吗？一切都像是梦。这无尽的长廊是不是也是一个梦呢？

长廊中回响着我的脚步声。长廊是实实在在的，并且确实是无尽的。

我还得坚韧地走下去。

头一回在长廊中听到一种隐隐传来的音乐声。

像钢琴，又像古筝。乐声单纯，明净，温馨。

我心中产生一种大期待。

我觉得那乐声是从前面一扇门中传出的。

我踮着脚尖走过去,轻轻、轻轻地推开了那扇门。我怕惊动了那清丽的乐音。我面前似乎空空如也。

但我却能在只有光亮的无限空间中行走。

袅袅乐音,不知从何处传来。

从前,我曾幻想过在云海上漫步。理智上知道云海是托不住身躯的,感觉上却以为那一望无际的云朵毕竟是个依托。

现在我却在连云朵也没有的绝对晶莹透亮的空间中漫步。简直不可思议。

渐渐地我面前出现了一起人和事,不像电影和电视,也不像全息摄影,或者与其说是一些具体的影像,不如说是一些省略了某些细部和枝蔓然而又鲜活栩实的感觉组合,真是很难形容! 恰如我在四周绝无依托的亮光中行走一样,那些人和事也在四周并不与其他事物相连接的亮光中独立出现。

乐声继续着,与所出现的一切相协调。

……我看见我正在窗前写作。一只肥皂泡飘飘悠悠地从窗外飞进,落到我的稿纸上,爆裂了,把已写出的文字弄湿而致使模糊,我生气地站了起来,想向窗外发作。然而窗外是邻居家那五岁男孩天真烂漫的笑脸,一双明亮无邪的眼睛。我跳出窗外,男孩捧住他的肥皂水杯,惊惧地望着我,我摩挲着他的头发,取过他的水杯,拿出吹管,吹着,吹着,一串串美丽的肥皂泡从吹管里欢快地迸出来,飘荡在我们四周,孩子拍着手笑了……我们两个一起轮流地吹着、吹着,吹出一个最大的,足有篮球那么大,泡膜上闪烁变幻着彩虹般的色泽,看去真像有仙山琼阁,我们两个头并头凝望着,仿佛就要一起跳进那美妙的境界中去……

啊,琐碎的往事。我早把你忘记,没想到你却安存在这莹澈的空间中……

……我看见一架木梯,架在瓦房的屋檐上。啊,那是20多年前,我所在的那个工作单位,那时候我们一群大学生都刚刚参加工作,一位从江西来的大学生,同我一起在单位里值夜班——那正是国庆之夜,天安门开始放焰火,我们单位离天安门相当远,却也能听见那哔哔剥剥的烟火爆裂声。我扶住那木梯,激动地招呼着他:"你快爬上去、爬上去看啊! 好看极了! 美极了! "我是从北京毕业的,我见过,而对他来说那却是一次全新的体验,当他往木梯上爬的时候,震动的木梯使我的双手也不禁震动，啊，那震动的感觉，又鲜活地复现于我的心间，并且我在那一瞬间的情绪，也再次强烈地飞扬涌动：让他看看吧！让他看看多好啊！

更加琐屑的往事。我也早已忘记。我记得的恰恰是另外的一些场景。他后来对我很不好。他认为我思想落后，他歧视我，"文革"中他甚至整我。那大量的往事怎么这里一个也没有？尽管我也并不乐于重温……啊，在那个国庆之夜，为了他早一分钟看上美丽的焰火，我给他搬来了木梯，我紧紧、紧紧地扶住木梯，我渴望他立即看见，并且惊喜……我错了吗？啊不，我感谢这小小场景的完整再现，我愿意别人得到美，得到快乐，这种淳朴的心境，如今我还有吗？还剩多少？是的，他一定也早就忘记，忘记了这架木梯，以及我扶住木梯的表情，甚至于他现在仍然认为我的血统和意识都不如他纯正，仍对我歧视，但我不后悔，不后悔那小小的一幕……

……现在是武汉长江大桥，我和一位中学时代的同学一起在桥上漫步。那已是"文化大革命"的前夕，而我们对所蕴育着的一切全然无知。我们从桥南走到桥北，又从桥北走到桥南。桥上那高耸在夜空中的路灯，它们始终默默无语。可是我们却说了许多，许多的知心话。他当时正研究鲁迅的杂文，他恳挚地对我说："我爱读，又怕读，因为许多篇什竟然就像为眼前的事而写的那么新鲜……""文革"爆发后，我又路过武汉，我给他所在单位打电话，说我要找他，电话里是一个恶狠狠的声音："他？他是强奸犯，现行反革命，他给抓到监狱里去了！你是什么人？！"我跑到长江大桥上去，望着依旧默默流淌的江水，我的心在对自己说："我相信他，我相信他，我相信他……"后来我想方设法打听他的消息，据说他的反革命帽子可以摘掉，但他的的确确犯了强奸罪……他后来死在了监狱里。我第三次来到长江大桥，对着路灯，望着江水，我问自己："你还珍视你同他的友情吗？"我捶击着桥栏，说出了声来："我对他的情感，一点也没有变，没有变，没有变……"

……这一切我尽管没有忘记，但封存许久，在记忆库中早变得模糊了，眼下那主要的可见可闻的要素却都逼真地浮现出来，我感谢，我领受，我喃喃地说："没有变，不能变，也不可变……"

树 与 林 同 在

……我眼前是一个长途汽车站，一个表情凄楚的女子在向我乞讨，她讲述着她的悲惨遭遇，那是必得经历过的人才讲述得出的，充满了那么多悲凉的细节……我先给了她五毛钱，走出几步以后，立即惭愧了，我又走回去，往她手心里搁了两块钱。她眼中淌出大颗的泪珠。……几天以后我因事返回，在那长途汽车站附近的饭馆中，我偶然发现她正在一隅同几个男人进餐，她风骚地笑着，炫耀地把手中的一叠钞票数给他们看，我的心仿佛被一只硬拳重重地一击，我没有吃饭便退出了饭馆……我又去长途汽车站搭车，她依旧在那个位置，以同样的表情，同样的声调，泣诉着她的不幸遭遇，只是遭遇的内容有了改动，听来更惨不可闻；我鄙弃地从她眼前走过，进入了候车室；但我终于又从候车室里出来，往她手心里搁了五毛钱，我望着她那挂在腮边的泪水，突然产生了一种大悲悯：能够下如此大的决心，在人世的舞台上反复扮演如此的角色，该是多么凄惨的一件事！这件事本身的惨痛超过了她所编造的一切叙述……我就又往她手心里搁了两块钱……

……我也几乎早把这件事情忘记，但那一瞬间的大悲悯又充塞于我的灵魂。我这变得粗糙的灵魂啊，你可还能再容下这般的悲悯与宽容？……

在一片光亮中行走，没有上下左右，不知东南西北，无须祥云托举，也毋庸彩虹卫护。我想寻觅那些我一直引以自豪的重大德行的出现，却并无所获。我所见到的，全是琐屑轻微的往事片段，全是我已经忘记和已然模糊的……

……我手中提着姑母给我的门钥匙，打开了姑母那个单元的门。姑母特意给了我这把钥匙，她说我随时可以去她那里，当她不在家的时候，我就可以用这把钥匙自己开门。我轻轻地把门打开了，我看见……小保姆正在偷米。我肯定没有看错。我知道我作出这个判断是绝对无误的。我……我迅速地闪出了门去，我把门又掩闭，并轻轻锁上。我站在单元门外，心里怦怦跳得好凶，倒仿佛是我偷了人家东西一样。我知道姑母对她一向满意。我知道她那在遥远农村的家是个缺粮户。我凭直觉知道她除了大米以外绝没有偷过别的东西。我慢慢地走下楼去。当我再在姑妈家时我什么也没有说。而姑母告诉我小保姆要走了。她家里来了信，让她一定回去。姑母说她毕竟还是个小姑娘，怕她捆不好行李，让我去帮她捆。小保姆惶急得不行。为怕姑母感到异常，我去了，去帮她捆行李。

她床下有半口袋大米。当她看见我发现了那半口袋米时,她把拳头塞到了嘴里。我默默地把那半口袋米塞进了她的柳条箱中,默默地把她那柳条箱捆得紧紧的。我什么也没有说,她什么也没有说。我帮她把那柳条箱扛到了楼下……姑母始终什么也不知道。她的米是永远吃不完,永远不计数的。

……这算不了什么。我全忘了。但在这空间里,一切都丝毫无遗地再现了出来。我才知道我自己这类偶然的表现原来如此值得珍视……

……我走进宴会厅,我寻找着自己的座位,我感到奇怪,我手里提着亮闪闪、挺刮刮的大请柬,可是我在宴会桌上却找不到自己的座位签。我走了一巡,就是没有。我不生气。我惶恐。我不好意思。我悄悄走出了宴会厅。许多赴宴的人正往里面走。我躲避他们的目光。我终于走到了大街上。我松了一口气。我没有一点埋怨情绪,我只感到自己刚才近乎冒犯,我为自己摆脱了精神负担而庆幸——我总算没有在我并不该去的地方坐下。可是第二天我接到了电话。向我深深地致歉。他们说确确实实是工作上的疏忽。听那语气,他们判定我一定是在怨火冲天中拂袖而去的。后来他们也一直认为那是我傲慢自大的表现。少一个席位签有什么关系?请柬不是拿在手中吗?问一声不就行了吗?干吗那么大的气性?我无法向他们解释。我也不解释。尽管这件事我也淡忘很久了,但再现出来时我一点也没改变初衷,我珍惜我当时的那么一种心情……

……我到医院去拔牙,在候诊室里听到人们议论着儿科那边出现的一件事。我去儿科那边验证。果然,走廊的长椅上有一个弃婴。他大概才四五个月。他脑袋上长了一个拳头那么大的瘤子。据说医生几天前已经宣布了他的死刑。但不是立即死,而是慢慢地死。他的父母在绝望中弃他而去。我本能地冲进诊疗室,问大夫。大夫说毫无办法。我要他们给那弃婴输液。他们说已经输过三天,但毫无效益。我又冲到挂号处去查阅他父母的姓名和住址,但查阅不到,那里的人说只知道他父母是从乡下来的。我又冲到公用电话亭去打电话。我打到妇联,她们说这件事应当找一个委员会,我打到那个委员会,他们说他们对这桩具体的事无力过问,我打到市政府,市政府的值班人员表示他可以记录下来向有关机构反映,我又急如星火地打到民政局,接电话的那位同志出乎意料地耐心,他甚至在电话里同我聊起了天来,他说这类事仅一年内他们记录在案的就有二十几桩，他劝慰我说，也许那对父母一两天还会回到医院的……我又急冲冲地跑上楼，跑到那张长椅边，望着那个垂死的婴儿，我听见过来过去的人都在叹息。我忽然产生出一个冲动，我要把他抱回家中！我要尽我所能照顾他！他要死也不应当死在这样的一张长椅上，他应当死在一个干净、温暖的襁褓中！……

我终于并没有那样做。当我拔完牙，再去看时，那孩子已经没有了。有人说已经送进了医院的太平间，他即使不是已经死去，也已经只有几个小时的气息了。我心里酸痛，我噙着泪珠走出了医院……

我也忘记这件事很久了。我很惊异我怎么一连串打了那么多个电话。每次都是先问询问台，问出了号码后再拨，每回都不是马上接通。我前后总打了一个小时……我久久地望着在这无所依托的亮光中所出现的那个我，那个我正俯视着那垂危的小小生命，产生着将他抱回家中的冲动，我从未见我自己的面容这般美丽过……

我发现闪现在我面前的种种场景并不依据时间序列，也并不排列成行，犹如空中的星辰，它们分散在各个部位，有时密集，有时疏松，有时从远到近，有时从近到远，但总是伴随着那近乎宁静的淡淡的乐音。

……在街口我遇见了杂志的主编。那时他已被打倒。他刚被批斗过，难得地允许他回家取换洗的衣物。他知道我不可能没见过批判他的文章，他可能主要是怕牵连到我这个最普通的投稿者，他低下眼皮要从我身边走开，我却唤住了他，我没有表示对他的同情，没有说宽慰他的话语，据他后来形容，我是自自然然地站在他的对面，向他说起我哥哥的癌症，说起我的忧愁，就仿佛我不知道他当时的身份和境况似的……对，一定就是我现在看到的那样，我可是已经忘记了，虽经他事后提及，当时我一笑，过后还是忘了，这算得了什么呢？这甚至远远比不上小王所捧上的那一碗馒头皮，但难怪他记得，他念念不忘，我明白了，一般的同情、劝慰乃至于激励，都还并不包括我当时的那种毫不经心的信赖与尊重，我是把他当做一个理所当然的长辈，一个生活中可以对之诉诉纯属个人忧愁的熟人，而这对处于当时他那种境状的"走资派"来说，甚而是更可望而不可即的一种待遇……

原来这短暂的一次街头邂逅，也能构成一朵星光！

……我在看贴出的法院判决告示，我看到了我们那个居在区里一小伙子的名字，以及他的罪行和给予他的严厉惩罚，我心里竟涌动着阵阵的酸楚。我看完脚步沉重地走回家去。我同他毫无关系，也毫无来往。只是有一天我偶然地在汽车站那里遇上了他。我不小心将手里的一卷东西掉在了地上，那是亲戚托我购买的一卷教学挂图。其中有一张心脏挂图完全展开在地面上，并且被地面的污水所玷污。我听见他同他的伙伴在幸灾乐祸地怪笑。他把头伸过来，好奇地望着图上的那个心脏，怪声地叫着："哟！什么玩意儿呀？是他妈的一只烂桃儿？"他不是幽默，不是调侃，甚而不是嘲弄，他真认为那上头画的是一只红得烂透的桃子。他顶着中学毕业的名儿，但他却不知道他胸膛里的那个跳动着的东西画在纸上也是这个模样……他是因打架斗殴使对方致死而被判决的，可以想见，他在殴斗中因为连丝毫的人体解剖学知识也没有，所以格外容易糊里糊涂地置人于死地……我不该痛恨他、唾弃他吗？我为什么一刹间竟至于为愚昧的灵魂而痛心？这种怜悯心难道不是有害的吗？……

眼前再现出了那一组有关的场面，我不为自己心灵中闪现出的对这罪犯的怜悯而惭愧，我当时还曾冒出这样的想法：我真该去过问和干预一下中学里的人体解剖课的教授……我为什么竟并没有采取那样的行动呢？应当惭愧的倒是这个……

……我的一位朋友，他在科学技术上有了重大的发明，可是长期不能解决住房困难，几乎所有的人都为他感到不平，我也是其中一个。我甚至于为他去找我的一个远房亲戚，那亲戚在房屋分配上有着相当不小的权力。我与那远房亲戚很少来往，我这人又极为缺乏社交能力，可我还是硬着头皮去了，结结巴巴地提出了我的请求……我的努力毫无成效。后来，有一天，正如现在我所看到的一样，我去找那已经变得非常非常出名的朋友，我一如既往地为他的住房狭窄而愤愤不平，我说我还要想尽办法为他奔走呼号，他竟忽然笑了起来，他说他可以想象出我结结巴巴地求人的可怜神态，他还当着我模仿起来，就仿佛我为他乞求时他在场一样；他很忙，我不便多打搅，便告辞出来，他也不多送，我们分手了……而第二天他便迁入了相当不错的新居，他头天见到我时已经领到了新居的钥匙……当然他所得到的都是他早应得到的，但后来我一直迷惑不解，他何以会那样对待我的一片赤诚？我不再同他来往，因为他越来越高不可攀，我甚而渐渐忘记了我们曾有过贫贱之交，但当我与他那最后一次晤面的场景回闪在我面前时，我意识到我当时的那种心情和处境都是完全不应当自悔与自愧的……我深深地为他祝福，我的灵魂为一种高尚的宽宥与谅解而琴弦般地震动……

我这才知道那乐音原来就出自我的心中。

我泪眼模糊。当我把眼睛重新拭亮时，我又回到了无尽的长廊中。

从此我知道我应时时开启心中的一扇原来并不懂得珍视的门扉。

我又推开一扇门。

是一条湿漉漉的街道。从路灯照亮的区域里可以看出，正下着小雪。

我手中不知怎的有了把雨伞，我举着那伞，好奇地朝前方走去。

有个用彩色灯泡装饰的书报亭，我在那里停下来购买了一本我所熟悉的杂志。

前面是个咖啡厅。我走进去，找了个座位，搓着手，向服务员要了一客热咖啡。

我翻开那本杂志，发现刊登在显赫地位的那篇作品署着我所熟悉的名字。我读了起来。

读完了，我愣愣地坐着。

一个人凑到了我身边，轻声地提醒我："嘿！咖啡都凉了！"

我盯着咖啡。果然已经不冒热气。

那人把一只手搭到我肩膀上，嘴唇贴到我耳边说："嘿！发什么愣！你是妒嫉了吧？"

我生气地把他推开，拿眼瞪他。

他只对我冷笑。

我细一看，吓了一跳，那不是别人，正是我自己。只是似乎穿着不同的衣服。

"你别胡说！"我对他嚷，"有人写得比他还好哩，我妒嫉过吗？"

他摆摆手说："别装模作样了。一般来说，原来就比你高的人是不在你的妒嫉圈内的。确定妒嫉圈一般有三个参数：年龄上属于同辈，学历上属于同科，事业上属于同行并同时起步。他还不仅具有上述三个因素。你跟他是在一条街上长大的。你们怎么撅着屁股拉屎相互都是一清二楚的……"

我生气地驱赶他说:"去去去!别在这里瞎扯!他已经写了那么多,而且早已名利双收,我要妒嫉他早就妒嫉了,何必等到今天?"

他竟又凑到我的身边,拍着我的肩膀说:"那是因为他以往的作品,你觉得就算最叫得响的几篇也并没有超过你的,而这一篇……"

我望着那另一个我,瞪着他。他倒暂且退回去,沉默不语了。

我说了声:"你乖乖地在这儿喝咖啡吧!"便提起雨伞,快步走了出去。

冲出好一大段路,我扭头朝身后望,还好,他没有跟来。

一辆小面包车停在我身边。下来几位,都是熟人。

"快上车吧!"他们跟我握手,请我往前排坐。

"我……"我迟疑着。

"就差来接你了!座谈会上你一定要头一个发言!"我身不由己地上了车,近乎哀求地说:"我可发不了言,我是一点发言权也没有啊!"

"哪里哪里,你们从小一起长大,你最了解他!"

"他的作品你全看过,你可以从宏观的角度,发展的角度,敞开地谈。"

果然是开他那篇新作的讨论会。反应真够快的……有人从后面座位上拍着我的肩膀,我扭头一看,又是一个我!这回的我不修边幅,好像几天没睡觉,黑着两个眼圈。他趴在我耳边,愤愤地说:"你不也有新作发表吗?他们怎么没有这么热情?"

我耸耸肩膀,让他退回去。让人家看见多不好!

接我的人在问我:"你看了这篇,觉得怎么样啊?"

我刚要开口,却听见另一个我在那里代我以一种油滑的腔调回答:"还用得着我给定调子呀?"

到了会场。

我走到跟我从小一起长大的同行面前,握住他的手,对他说:"祝贺你又放了一颗卫星!"诚恳的语调使我自己也很感动。"谢谢你谢谢你……"他发自内心地高兴,眼里闪着感激的光。我在会场上找了个不引人注意的位置坐下。

立刻有另外一个我贴近我身边，指指坐在主要位置的那位同行，埋怨说："他怎么光是'谢谢谢谢'，连句谦虚的话也没有！"

我说："他自己内心里也认为这回是个完全的成功。这种心态他不向我掩饰，恰恰说明他对我完全信任……"

另一个我撇撇嘴说："什么信任！完全是狂妄！"

讨论开始了。

人们热情地称赞着。

另一个我几乎要缠绕到我的身上，软溜溜的活像一条蛇。他不住地在我耳边说："听见吗听见吗？他们从不曾这么高度地评价过你……他配吗？他这篇玩意儿真那么好吗？……"

他缠得我出汗。我使劲瞪了他一眼："别妨碍我听发言！"

他委屈地暂且退缩到了一边。

有一位发言者持基本否定的意见。那是位脸颊上有颗大痣的女士。她明显带有强烈的个人偏见，导致立论的逻辑也比较混乱。

我正听着，并颇不以为然，另一个我又在用手指头敲我的后背。我扭过头去一看，他竟然是一副伦敦街头"朋克"的打扮，头发竖起来，染成草绿色，脸上用各色颜料画着些"？"和"！"。什么样子！

可是那一个我却凑拢我后脑勺，梦呓般地说："她多美啊，多聪敏啊，多了不起啊……你瞧哇你瞧哇！那位作者低着头装出认真记录的样子，可他的方寸已乱！你看桌子底下，瞧哇！他的两只腿在神经质地抖动哩！哈哈！他肯定是想一脚把她踢到窗外……"

什么话！我抖抖肩膀，让背后那个"朋克"我放老实些。这时那位女士发言已毕，主持者点名要我发言。

我真的惶恐。我连连推辞。声明我是来学习的，对这个作品我很佩服，但我实在讲不出什么新鲜而有价值的意见……

主持者却坚持要我发言，那位同行也诚恳地请我发言。

我清了清嗓子。从何说起呢？

另一个我——现在他推了个平头，穿着一身标准的中山服，表情严肃，煞有介事——凑拢我身边，紧紧地挤着我，使我慌乱中开口而不能发声，结果他倒替我说起话来。显然无论哪一个另外的我，别人都不能看见，因此他们只觉得是原来的我在那里讲话。

那发言的头一段，从文学长河的源头讲起，连我听了都不禁吃惊，何来那么大的口气？

……渐渐地转化为比较文学的角度。我斜眼瞥了瞥那另一个我，此刻他头上戴着瓜皮帽，身上却穿着蝙蝠衫，难怪他那语调越来越有点阴阳怪气，他盛赞同行的那篇作品，甚至认为刚才所有赞扬者所站的角度，都还不够高不够广，他极而言之地说："仅仅把它看成是一个好作品，那是远远不够的，在我国这实实在在构成了一种崭新的文学现象……"但他跟着话锋一转，便说到国外早有这样的文学现象，并立即举出了一整串作品，接着，他便仿佛是不经意地挑出了一部外国作家的作品，来同眼前的这部作品进行学术性的对照解剖……我看见满会议室的人都瞪圆了眼睛望着我坐的地方，一个个如聆佛音，不禁有点担心，这种华而不实的发言能自圆其说么？我又斜视了一下旁边的那个我，他竟突然冲着我用一对食指扯开嘴角、一对拇指掰斜双眼，吐出舌头来做了一个大大的鬼脸……

我忙低头喝茶，仿佛是在润润嗓子。

那另一个我洋洋洒洒地继续讲下去。啊，原来那并不是一篇光有花架子的空洞发言……他所作的"中外作品平行比较"，实实在在地包含着一种暗示：那位同行的这篇新作，很可能便是对国外那篇作品的模仿！

散会了，我打着伞，冒着纷纷扬扬的鹅毛大雪向旅馆走去。地面上积了好厚一层雪。踩在上头嘎吱嘎吱的。我很后悔会上的那个发言。那毕竟得算我的发言。我想，尽管这纷扬的雪花每一片都轻柔得不占什么分量，可它们持续地堆积起来却可以掩盖住一切真实的东西，甚至可能酿成灾害……我心里很不是滋味。

夜里，我在旅馆的床上辗转反侧。

有人轻轻走到我的床边，坐下，用手轻轻摸着我的额头，关切地问我："你怎么了？不舒服吗？"

我抬眼一看，又是我。不过这回的我有着一双清亮的眼睛。

"心里不好受,"我对他说,"很懊悔……"

"没有什么,"他倒了杯水递给我,鼓励地说,"一切都还来得及,你现在就给他打个电话。如果你不好意思承认自己妒火中烧,那么你至少可以对你那不恰当的发言作一些真诚的弥补。打完电话以后你会轻松下来。你可以一切重头开始——冷静、客观地对待他的成就,并且重新发现你自己——你也有着同样的潜力和同样的机会……"

"真是这样的吗?"我握住他的手,贴到脸颊上,喃喃地说,"真该打电话吗?"

我伸出手去摸床头柜上的电话耳机,但又有一只手按住了我的手。

我一看,是另外一个我。他和刚才劝慰我的那个我同时出现在我的眼前。

这个乙我按住我摸电话机的手,眼里透出冷光,用一种牙缝里挤出来的声音说:"你要拍卖你的自尊心吗?"

那个甲我挺身同他争论:"自尊心的核心是自我尊重。而真诚是自我尊重的内核。一颗虚伪的心是永远谈不到自尊,也是得不到别人尊重的!"

我坐在床边,咬着嘴唇,痛苦地思索着。

甲我和乙我还在那里争吵,甚而至于还推搡、扭打起来。我使劲地跺了一下脚,他们才暂且退到了暗处,安静下来。我心里忽然响起一种乐音,单纯而明澈,于是我隐隐记起我曾进入一扇门里,我在一片光亮中看到了那么多美好的东西,我又恍惚记起我曾在一个古怪的剧场里看过一出戏,那出戏里有着那么多的痛苦挣扎,但终究发出着一种不可抗拒的召唤……

"你打电话吧,打吧……"一个声音在我耳边轻轻地说,我抬眼看去,是甲我?不,仿佛又是一个我,他身上闪动着我在那光亮处所看到的虹彩……我眼角的余光仿佛还看到另外几个我躲在屋子里的各个角落,窥测着我,有的伸出手指头对我刮脸皮,有的冲我吐舌头,有的摊开着双手,也有的双手十指交叉、紧握在一起靠在胸前,还有一个冷静地眍着双眼……

我抓起了电话筒,拨了号码,电话机里"嘟嘟"地叫着,我就要搁下电话了,忽然听到了同行那熟悉的声音:"哪一位?"

我报出了名字。

对方很惊讶："你还没睡吗？什么事？"

我感到有另外的我在抢电话筒，但我紧紧攥住电话筒不放，我诚心诚意地对他说："今天我在会上的发言，你不介意吗？"

对方立即回答："介意？为什么？你的发言很好嘛！"

一个我把嘴唇贴到我耳朵上，气愤地说："撒谎！伪君子！"

可我用肩膀把他推开。我更加开诚布公地说："我现在感到我的发言不够得体。我想向你承认，你这篇写得确实好，我甚至于……甚至于妒嫉你了！"

对方的声调听来只能确定为高兴："真的吗？你看你……你的发言没有什么不得体的，真的！对我很有启发……你干吗要这么说，我这篇不算什么，真的，刚发表出来的时候我是挺得意的，可现在每过一天我就至少发现一个毛病……"

另一个我把嘴唇贴到我另一只耳朵上，赌气地说："算了吧算了吧，你不要自讨没趣！"

可我还是拼足勇气对那边说："祝贺你！这回是排除了妒嫉心的祝贺。我真希望你继续写出这样的和更好的作品！我们的民族和时代都需要大师，我祝愿你攀上高峰！"

他的声调突然变了，他一定大受震动，我听见他说："谢谢你！谢谢你的这个电话！你给了我信心！我感受到了真正的友谊的力量！同行的友谊真是太宝贵了！……"

我也很感动，我接上去说："还有同辈人的友谊……一条街上长大的友谊……"

我们互道了"再见"，挂上了电话。

一时间屋子里很静很静。那些不同的我都藏到哪儿去了？

隔了好久，我们在辗转反侧，一个最美丽最明智的我坐到了床沿，他俯身望着我的双眼，深沉地说："这一切并不是坏事。完全不懂得妒嫉的人未必是健全的人。好比完全没有毒蛇的世界未必是健全的世界一样。关键是如何制伏妒嫉，就如同被制伏的毒蛇能够成为美味佳肴和良药补品一样……"

我终于睡着了。

早晨，我怀着全新的感情起床，我走到窗前，朝外面望去。我有了一种全新的体验。那纷纷扬扬的雪花尽管轻柔渺小，却可以堆塑出一个洁白动人的世界。

我回想起我仿佛到过一处地方，那里正在搞反"左"运动，那也许是一桩好事情。但是，难道仅仅反"左"，我们这个世界，我们自己，就一定能变得美好了吗？要使世界和人类进入更加理想的境界，还需要做出多方面的、巨大的、孜孜不倦的努力啊……

我带着新的启示走出了屋门，于是我又回到无尽的长廊。

长廊啊长廊，你究竟有没有尽头？

如果你有尽头，那尽头在何处？

如果你没有尽头，这又该如何理解？

你给了我欢乐，也给了我痛苦。你呈现给我的有时失之于浅显，有时又过于神秘。你既单调又丰富，既可厌又可爱。你充满了危险，也充满了机会。

我知道，只要我一息尚存，我便要沿着你那漫漫的伸延，不懈地朝前走去。

我走。我推门。我既被动也主动，即主动也被动。

我推开的又一扇门里仿佛是混沌未开的世界。

我静静地伫立在那里。

忽然，从上方泻下一片朦胧的绿光。

一个 UFO 在我头顶上出现。

它的外形像两个巨大的对扣在一起的银盘，但看不到任何铆钉或焊缝。它有一圈亮着莹绿光芒的圆形舷窗。它毫无声响地降落在我面前，落定后我估量它的直径大概在 30 米左右。它是用从底部伸出的三根有外倾度的银色立柱啄住地面的。从那底部开启的一个圆洞中，降下了一个银色的舷梯，我看见有绿色的人形生物从里面走了下来。

我站在那里一动不动。我被几个绿色的人形生物所包围。他们的身材比我略矮，肩膀窄、腰身细、上下身相比较下身显得过长，他们脸上长着三只眼睛，两只的位置同我们相仿，但要大得多，另一只长在额头上，略小些，在我看来是竖长着。绝对没有眉毛。也没有隆起的鼻子。但相当于鼻子的地方有三个小圆孔，从里面喷出着淡淡的白气，我想那一定就是他们的呼吸器官。嘴巴是一条直线，没有嘴唇，因此我断定他们在恋爱中不会有接吻的动作。看不到耳朵。他们也没有头发。不过在他们光秃秃的头顶上伸出着一根我们称为天线的东西。他们全身都是一种难以形容的绿颜色，乍看上去很怕人，不能令人联想起森林或草坪，相反地却可能立刻联想到魔鬼。看不出他们穿没穿衣服。他们或许生来就是那么一种绿皮肤，或者他们是裹上了一层绿色的保护膜。他们的双脚是两个圆形的吸盘，自然也是绿色的。

我同他们默默地对峙了一会儿。他们用三只眼睛打量着我，他们互相之间还用那竖向的眼睛互递眼神，仿佛在商量应当按哪种事先拟定好的方案对付我。

他们当中正对着我的一个终于开口说："你好！我们不打扰你吗？"

他能说我们人类的这种语言，而且发音纯正。只是说话时他那一条线的嘴巴张开为宽度不等的长方形，看上去十分古怪。

"你们好！"我对他们说，"你们当然打扰了我。"

"对不起！"那绿色人形生物又问，"我们吓着你了吗？你害怕了吗？"

"我并不怎么害怕，"我告诉他，"我们人类早有关于你们这类东西的预测和研究。我们拍摄过不少关于你们这一类东西的科学幻想电影，你们竟同我在那些影片中看到的外星人形象非常地接近。说实话，你们要让我感到恐怖，至少要变得让我感到根本不可思议才行。"

"我们的确来自你们所称的外星，"那绿色外星人告诉我，"不过，在我们共享的这个宇宙中，实在也不可能有什么不可思议的东西。一切都是可思可议的。"

我想他们一定来自极其遥远的星系。我隐隐约约回忆起有一次我闯到沙漠上，一位富有的商人问我是不是上帝。我微笑了。于是我半正经半开玩笑地问他："你们是从上帝那里来的吗？"

他却严肃地回答我说："如果你想知道这一点，我们可以详谈。"他把双手伸到我的面前，我这才看出他们的手掌也是两个圆形的吸盘。他那三只眼睛都牢牢地盯住我，我听见他说："你能接受我们的邀请吗——到我们的飞行器上去，作一次特别的旅行。我们可以在那里面交换我们的看法。如果你同意，就请你用你的双手握住我的双手。"

　　我把自己的一双手伸了过去，我的手立即被他吸住了，接着我全身就有一种形容不出的感觉，我也不知道我是变轻了还是变重了，总之我已不是原来的状态。

　　不知不觉地已经随他们进入了那飞行器中。

　　飞行器内部可能分割成了若干相隔的部分，就仿佛莲蓬那样。我同那位吸住我的外星人独处在一个舱房里。同我所想象的相反，那里面看不见什么仪表和屏幕，除了两把靠近舷窗的转椅外，竟是空空洞洞的样子。舱内四壁和转椅都是发亮的深黄色。

　　那位外星人请我坐到转椅上。他自己坐上另一张转椅。他对我说："这里面只有我一个能运用你们的语言。破译和掌握你们的语言，在我们来说是最高深的学问之一。"

　　我问他："我们什么时候起航？"

　　他说："我们早已起航，并已远离刚才那个地方。"

　　我朝舷窗外望去。我很吃惊。从以往的科学幻想影响里，从宇宙飞行器的舷窗朝外望，总是一派散布着星辰的无边无际的空间，但我现在所望见的，却仿佛是在一个红色的通道中飞行，这圆筒形的红色通道类似地球上的地下隧道，只不过那构成隧道的材料望去非常特别——既陌生又似乎熟悉，那是一种什么东西呢？

　　隧道渐渐变粗，终于粗大得不见四壁，只感觉是一派红光，但仍能意识到是在一个巨大的通道中飞行。

　　我猛地意识到，我们就仿佛在人体内的血管中飞行。

　　我把这个想法向那外星人说了。

　　绿色外星人于是对我娓娓而谈："你这个感觉很对。你不是提出来上帝的问题吗？有没有上帝？他在哪里？他同我们是怎样的一种关系？这不仅是你们地球人日夜思索的问题，也是我们大家——所有宇宙人共同孜孜以求的问题。

　　"宇宙是无限的。这个观念我们都具有了。宇宙的无限包含着无限个层次，这个观念你们有吗？而在每一个层次中，宇宙又是绝对地多之。我们正是这样看的。

　　"你们人类对自己身体的研究，起码已经有几千年的历史。到了近三百年来，你们对这方面的研究有了飞跃的发展。现在请你充分地想象一下，一个人的躯体内部，在未被打开的情况下，是怎样的一种状况？你们地球上的人，绝大多数一生一世是未能打开过躯体的。打开过躯体的人，无非是以下几种情况：因疾病而动外科手术，因意外伤害而遭致躯体破裂，因死去而被解剖。至于一般的表皮受伤，极浅度的肌肉破裂及骨骼折断，都还称不上是躯体破裂，我们这里暂不讨论。

"那么，你可以意识到，一个未被打开的躯体，绝对是一个基本封闭的自我圆满的独立体系。这实际上就构成了宇宙的一个层次。对于流动在那躯体血管中的血液、淋巴管内的淋巴液，以及内分泌系统的各种分泌液来说，那躯体便是他们所生存的宇宙，并且也就是他们的上帝。你们地球人有一种论调，说上帝既造就了人，人也造就了上帝。这个论点是正确的。对于流动在人体血管中的一个小小红血球来说，人本身是他的上帝，但这个上帝本身，又是由无数的器官、无数的细胞、无数微小到难以形容的东西聚合而形成的。

"就是人体内部，也又有若干可能永不会被打开的封闭体系。人的身躯中的胸腔与腹腔之间有横膈膜，心、肺和胃、肠，它们统一在一个上帝之中，但它们之间却有可能永远不能看到对方的面目……

"你应当顺着我的启发往下深想。你肯定能悟出一些以往未曾意识到的道理。倘若我们现在确实好比是在人体的血管中飞行，从毛细血管飞入动脉，又飞入主动脉，飞过心脏，从一个心房到另一个心房，再进入静脉……那么，第一，我们应当承认血液循环系统便是我们的宇宙；第二，这个宇宙是有上帝的。上帝如果死了，我们一定会面临突变；第三，上帝也赖我们而健康，而存在，我们反过来又是上帝的主人；第四，宇宙的无限不仅在于血液循环系统本身的丰富和复杂，以及相对于我们来说的无比宏伟和奠测，还在于在血液循环系统以外，尚有无数其他的系统和器官，因而宇宙绝对是多层次的；第五，宇宙的各个层次之间绝不是均等地渐变，比如人的躯体突然破裂，一直隐藏在连人自己也看不见的转闭腔内的器官流泄了出来，血管大破裂，血液喷溅出来，那么对于构成那器官的细胞和血管中的红血球、白血球、血小板及其他成分来说，便是一种宇宙毁灭般的灾变；第六，人类目前在地球上所搞的军备竞赛，等于自己从内部促进上述那样的灾变，用不着外来的打击，人类自己的厮杀，就足以使构成人类所依附的宇宙体系的自我溃烂与破裂；第七，还可以有另外一种思考的角度，人类在大地上生存，因为自身的渺小，仰望着日月星辰，俯看着深谷大川，便觉得所生存的世界无比宏大，现在你向舷窗外望，只剩下一派不见边际的红光，不也容易产生同样的感觉吗？其实人类周围的世界，也不过是另一种形态的更巨大更复杂更莫测的巨人的某一部分器官的内部封闭体系罢了，而那巨人，也便可以称为人类的上帝，而对于这个上帝来说，他又不过是更宏伟的一个层次中的一个平凡而渺小的生命罢了……你明白我的意思了吗？"

我听得入神。我明白他的意思，而我自己在内心里又联想到许多，发展了许多。

"有没有灵魂这个问题，你们地球人讨论得也很多吧？"我的外星伙伴兴致甚浓，他又侃侃而谈起来，"那种认为没有灵魂的说法，当然是站不住脚的。你们，一个活着的人，不光有他的躯体，还有他的思想、感情、欲望、冲动、潜意识、下意识……那就是最一般意义上的灵魂。当然，如果这个最一般意义上的灵魂不能凝聚出转化的东西，那么，随着躯体的湮灭，它也便湮灭了。然而绝大多数人的灵魂，都能转化为应当称作文明的东西。一种是群体转化，如你们建造起的城市、农田、园林，以及你们所创造出的一切地球中原所未有过的东西……那难道不是灵魂吗？你们可以分别把它们称之为国魂、民族魂、人类的灵魂……另一种是个体外化，如你们贝多芬所谱写的音乐，你们李白所创作的诗篇，你们爱因斯坦所创建的相对论理论……，你们的书店、图书馆、博物院等等，便是一座座的灵魂库嘛！当然，个体外化中最崇高的灵魂，也许便是深邃优美的音乐和变化无穷的高等数学，对这个论断也许你还不能接受，我们以后还可以慢慢讨论……不过，面对着整个人类的文明所凝聚成的一个人类魂，却在那里否定灵魂的存在，在我们看来，真是个不可思议的悲剧！当然，人类的邪恶，也凝聚成了另一种灵魂，这种灵魂首先体现为军备竞赛，体现为制造越来越多的足以毁掉人类摇篮——地球——的核武器，究竟是人类那善良而美丽的灵魂——它的核心是良知——战胜这邪恶的灵魂，还是邪恶的灵魂终于酿成一场毁灭地球的灾变，我们正密切地注视着。你不要以为我们是离你们

非常遥远的一种存在，相对而言，我们还是在一个层次之中，我们共有着一个
上帝。"

我感到思路顿开。我向舷窗外望去。外面的红光渐渐变为了空漾的紫光，
并开始闪烁着无数迎面而来又相继远去的亮点，我体会到一种最全面、最丰富、
最深刻意义上的无限。

"欢迎你去我们星球做客，"我身边的外星伙伴召唤我说，"我们马上就要
到达。"

"这么快？"我吃了一惊，"我们不是刚上来没多久吗？"

他说了一个巨大得不可思议的数字，单位是光年，他说我们已经飞历了那
么长的一段距离。

正说着，我看见舷窗外出现了一个星球，开头只有乒乓球那么大，呈暗红色，
很快地它便由西瓜般大变为车轮般大，然后便一直逼近到眼前。我原以为我会
看到那上面密布着山川河流，城市乡村，就像我在地球上看电影和电视，那空
中鸟瞰镜头所展示的那样，但我在这个星球表面所看到的却是一片片死寂的褐
色沙漠，越来越近以后，我更发现那沙漠甚至连地球沙漠都不如，绝无一星绿洲，
并且构成沙漠的也不是细细的沙子，而是些丑陋不堪的岩砾。

正吃惊着，我们的飞行器已突然穿过星球的外壳，进入了它的内部，舷窗
外经过短时间的灰暗后，突然大放光明，原来我们的飞行器已经停靠在他们的
航天港中。

外星伙伴将我携出飞行器。我对眼前的一切所产生的反应，已经超出了惊
奇，而达于叹佩的地步。

尽管我不能完全懂得眼前的各种事物究竟各具什么功能，但我深深地意识
到，它们组合成一种远远超出我们地球的高级文明。

懂得地球语言的外星伙伴请我进入一种在他们世界中运行的交通工具——
不同于地球上的小轿车，那外观倒有点像地球上那种手按自动泄水的热水瓶，
当然，按体积来说那是扩大了无数倍——进去后我俩各斜倚在一张软垫上，他
驾驶时也不是使用地球上的那种方向盘，而是将他的吸盘手吸附在内壁上的一
个特别标出的部位上。

从这交通工具的大玻璃窗望出去，一条条的地下街道修筑得十分宽敞、十分美丽，并且极为洁净，交通秩序也极好；街道之间都有带喷泉的广场；街上步行的人们，都采取一种让我感到好笑的步伐——当他们行走时，他们双脚的吸盘便离开地面，像滑动似的朝前运动，吸盘离地面越远，则滑动速度越快，我看见有几个小孩竟爽性离地有两丈高，在街上立着飞了起来；当他们要停住时，他们双脚的吸盘便立即吸住地面。我们所乘坐的那种交通工具，底下也并没有轱辘，似乎是人造的大吸盘，当然，它的运行速度是步行人无法可比的。也有让我乍看上去很不习惯的事物，这就是那些树木，它们的叶子都是黑色的，当然，不是一种黑色，有油黑、漆黑、浓黑、淡黑、蓝黑、红黑……以及各种程度的灰黑色，不过看久了，发现它们是饱含水分的、有生命力的、形态各异的，并且与周围景观的明黄色、浅褐色、玫瑰色、正赤色、乳白色、藕荷色……以及金色和银色配合起来，倒也协调。满街的人都是绿皮肤，绿得各有不同，因此一切人和物的色彩综合起来，这个世界倒也还是丰富悦目的。街上的人穿着各式各样的服装，最流行的是一种柠檬黄的套衫，因此我断定身边这位通体浓绿是因为穿上了一种膜状的宇航服。

我这人真没有出息，说出来真是给地球人丢脸！我竟突然感觉到腹急。憋了半天，终于憋不住，只好向外星伙伴提出来，我希望能方便一下。外星伙伴倒并不介意，他刹住了"车"，指指一个处所说："你自己去吧，一切同你们地球上的都很相似。"我走近一栋八面球形状的小房子，我发现它是用地地道道的白银做成的，我打开门走了进去，发现里面有一只金子铸的马桶，当我坐到马桶上方便时，我发现洗脸池是羊脂玉雕的，上方的镜面周围镶嵌着豌豆大的珍珠，而水龙头则是碧玉和玛瑙制作的……

我走出来时对外星伙伴说："衡量一个地方文明程度的最准确最灵敏最可靠的标准，便是看它的公共厕所的状态，这话真是一点不错！不过，你们公共厕所设施的完备、通体的清洁、气息的芬芳固然很好，只是为什么要搞得那么奢侈？"

"奢侈？"外星伙伴那横着的两只眼睛眨个不停，"你为什么会觉得奢侈？"

"你们用的材料是多么惊人：黄金白银、珍珠玛瑙……"

他那抿成直线的嘴裂成了一个大大的长方形："啊呀，这些材料在我们这里恰恰是最没有价值的，我们认为是在废物利用呢！"

我猛地想起，地球上的一个伟人讲过，等我们地球上实现了共产主义，我们也要用黄金修造厕所……

当我们又坐进那交通工具时，我便问他："你们这里是不是已经实现了共产主义？"

外星伙伴说："真对不起，你们地球上的一些高深的学问我还没有弄懂。关于共产主义，我现在还一无所知。不过我可以告诉你，我们这里现在没有一个一个不同的国家，自然也没有战争、没有暴力……可我们从历史课上学到，几万年以前，这个星球表面也生活着高智能的生物，他们也创造出了灿烂的文明，可是他们终于将国家间的矛盾酿成了大规模的战争，最后竟动用了核武器，于是整个星球表面的文明归于毁灭……我们的祖先是从另外更遥远的星球上移民来这里的，本想在这星球表面定居，后来发现那核战争所造成的后果竟使得起码几万年间再难在它表面上创造文明，于是才不得不转入开发地壳之下……你以为我们在这地下世界中生活得完全无忧无虑吗？不，我们这里的人全都不能平卧着睡觉，谁一平卧，那当年球面上爆发核战争的惨景便会在噩梦中出现，有的人竟在平卧的噩梦中暴死！好，前面到宾馆了，我现在就得嘱咐你，你的房间里也没有地球上的那种床，只有像你我现在这样斜倚的软垫，你也不要试着把它平放在地上睡觉，因为我很难估计你会不会也要做同样的噩梦……"

在宾馆的房间里，果然有一张放在同地面呈七十度角的架子上的软垫，我很难想象自己能倚在它上面睡觉。

外星伙伴对我说："这个房间里许多的设备要么跟地球上的类似，要么你能够猜出它们的用途，只有几样东西我要特别给你指点一下……"

他指着一个望去活像我们地球上南瓜的那么一个东西对我说："你手上没有吸盘，可是你可以用你的手掌顶住这里使用它。这是通话机。当我走了以后，你可以用它同我通话。你只要心里想着我，我自然就来同你通话，用不着像你们地球上打电话那样地拨号或用手指按键。"

他又指着写字台上的一个活像我们地球上荷叶的那么一个东西说："你感到烦闷的时候可以用它自娱……"

"这是一个电唱机么？"我问。

"不，这是一个高等数学自娱机，我们这里几乎家家都有，有的人外出时也带着袖珍的。我们都认为这是一切艺术中最高的艺术……听音乐的设备则在那边……"

我想我大概不会用它。我对高等数学一窍不通，可在地球上我还算得是一个懂艺术的人哩！

他把我带到屋子一隅，指着一个看去活像我们地球上落地方花瓶的东西说："这是心灵回忆机。你只要用脚踏一下它前面的这块地板，你心里想到什么往事，它便可以立即在你眼前再现出来……它能使你重温美好的时光，慰藉你的心灵，也能让你从旁看到你的丑行，催你反省……"

我惊叹说："我们地球人可还没能发明出这种东西来啊！"

我转转身子，用眼睛搜寻了一番，问他："电视机呢？电视机在哪儿？"

他笑了："我们这里没有电视台，也没有电视机。"

我问："那么，你们怎么交换信息呢？"

他说："你们电视的价值，主要在于传播新闻信息。而我们额头上的第三只眼睛，本身便具有随心所欲地获取一天中的新闻的功能。而你们电视中的广告及娱乐性、教育性节目，我们都有别的东西替代，所以我们没有电视。"

说完他同我暂且告别，让我好好休息并说他将还来接我出去进行广泛的参观访问。

我真累坏了，我倚到那床垫上休息，开始还觉得舒服，过了一会儿便一个劲地想躺下，但又不敢躺下，于是我便坐到了沙发上去，但他们的沙发跟我们地球上的有根本的不同，一坐上去便总在微微地前后左右晃荡，弄得我又只好起来，在屋子中踱来踱去。我去打开那音响设备，奇怪的是那音乐不仅旋律古怪，而且时断时续，我只好又关掉它。我走到那"荷叶"面前，只能是望"叶"兴叹，这高等数学可怎么个玩法呢？于是我踱到那心灵回忆机前。我踩了一下它前面的那块颜色特别的地板，我想我首先要回忆一下地球上的那绿色的山野，乃至于回忆一下我在那绿色山野中遇见过的那个狂热地要成为知名女作家的姑娘，连她，此刻我也有一种亲人般的感觉，也不知她现在怎么样了。也许她已经改变了她的偏执，真的获得了成功吧？……但我只看见从那瓶子口里冒出来一些干冰似的白雾，既没有呈现出那令我怀想的绿色交响乐，也没有出现那位姑娘，我想他们这里的东西质量也真不可靠……我想起了那一直陪着我的外星伙伴，而那外星伙伴同我坐在飞行器舱房中的情景立时便呈现在了我的面前，不像电影，也不像全息摄影，而确确实实是一种身临其境的感觉，我高兴得不禁拍起了巴掌，但这情景其实刚经历过不久，并不值得特别回忆，我还是回忆别的吧！我突然想到了小王，那我对之已经很有看法的小王，但在这非常可怕的一个数字的光年之外，连想起他来心里也是亲切的，甚至于我觉得也许有他的一部分道理……然而我所想到的一点也没有呈现出来！

我走到那"南瓜"面前，把手掌按到了指定的地方，"南瓜"立刻裂开了，里面竟伸出了外星伙伴的头，我要用手去摸他，他对我说："你不要摸，你一摸这工具就不灵了，这当然只是我的一个投影。我在家里哩。你有什么事吗？"

我便告诉他那音响设备肯定有毛病。

他想了想说："我明白了。你是用你的耳朵听音乐，所以有些你们人类称之为超高频或超低频的信号你是接收不到的。而我们是用头顶上的天然天线收听，我们能够听全所有的信号。"

我又告诉他那台心灵回忆机根本不灵。

他恍然大悟地说："啊呀，我想肯定是这么个道理——关于你们地球的种种信息，我们的心灵回忆机是没有能力再现的，真对不起，让你扫兴了？这样吧，你抓紧时间休息，过一会儿我去接你，带你参观访问。"

"南瓜"合拢了。他也消失了。

我突然感到深深、深深地寂寞。

我再靠到那斜立的垫子上去休息，越靠却越感到疲劳。

我想既然这里的许多东西并不适用于我，我平卧着休息又怎会遇到他们那样的命运呢？

我大胆地把软垫从椅子上取下，平放在地上，并立刻卧了上去。

真舒服！

不一会儿我睡熟了。

我被一种突如其来的巨响所惊醒。刚一睁眼，我就立即明白：是核战争！先是一道白到淹灭其他一切的白光，随之，便是一股灼热的气流猛扑而来，瞬间使房屋如同纸片似的倒塌。我想我双眼一定已经失明，我浑身像被烙铁烫过，我耳边是一片凄惨的呻吟……最要命的是我感到我的身体被无数尖锐的东西穿过，我活像是一个被抛到硫酸池中的筛子！……我挣扎着，朝前爬，我居然还看得见，我看见了什么？就像电影中的慢镜头一样，美丽的城市和田园，在我眼前一点一点地倒塌，燃烧，被黑雾笼罩，从一片灰色中呈现出它们破烂的废墟，而许许多多的生命，在其中蜷曲、翻滚、扭动、僵挺……我居然还在朝前爬、爬、爬，没有遭到损害的地方在哪里呢？胜利者在哪里呢？我只看见火光、黑雨、灰烬、尖埃……原来双方甚至于是同时按下电钮的，都是胜利者，也都遭到了毁灭……我眼前的大地渐渐凝缩为一个丑陋、荒凉、冷寂、如同用癞蛤蟆皮所包裹的发散着刺鼻浊气的球体，而我也便仿佛就要断掉游丝般的最后一口气……

我猛地从垫子上跳了起来，一身淋漓的冷汗，心头突突突地跳着，我看见外星伙伴站在我面前，焦急地问我："你怎么样？你没事吧？你怎么非要平卧着呢？"我总算平静了下来。"让我们去参观美好的事物吧！把你那噩梦忘得干干净净！"他热情地邀请我说。

"不，"我坚定地对他说，"把我送回地球。我要回去。我一定要回去。立刻回去。"

他的三只眼都望着我。他看出来我的想法是不可更移的。

"那好吧。送你回去。"

他又用那交通工具把我送到了航天港。

我以为他要让我乘坐那种地球人称之为 UFO 的飞行器，没想到他却把我带到了一个类似地球上的体重计那样的物件旁。

"站上去，"他嘱咐我说，"闭上双眼，这样你就可以极快地回到地球。"

我在站上去之前对他说："谢谢你们，特别是要谢谢你。回去以后，我一定把我的经历一五一十地讲给地球上的同胞们听。"

"你会忘记掉一切的，"他安详地告诉我，"祝你一路平安！"

我踏上那个东西，闭上我的双眼。

仿佛只有一瞬，我便感到自己已经降落。

我睁开眼。我已在无尽的长廊里。

我从哪扇门里出来的？刚才我进到了一扇什么门里去？我遇上了些什么？

我仿佛害过一场大病。怎么我的记忆力衰弱到了这种地步？

我仔细回想，用心回想。啊，想起来了，我刚从一个大雪的地方回来。我在那里见到过另外一些个我，并且得到过一些有益的教益……当然啦，我应当记住这些教益。

现在我觉得长廊的无尽是正常的。倘若长廊竟突然在前面终止，我将会怎样呢？我肯定不甘心就那么走出去，我会扭转身，再朝长廊的另一头走。我祝福这长廊的无尽，祝福这无尽的长廊。我还有那么多的门没有来得及去推开哩！

我决定从这一扇门开始，往下两边的每一扇门我都要一一推开。我从衣兜里掏出笔来，在那门上作了一个记号。

推开门一看，又是个旅馆的房间。这是我去过两回的那个宾馆吗？有点像。我不禁高兴起来。这个地方的反"左"运动进行得怎么样了？我该立刻打开电视机看看！

但那电视机上并没有第十频道。我打开了第一频道，正在播出新闻。啊，原来我来到了一个欧洲国家。我怎么又跑到欧洲来？我想起了蒙娜·丽莎，她近来身体可好？在没在王子饭店开新的酒会？

我坐在沙发上看新闻。

忽然，播音员以异乎寻常的表情和声调宣布："现在公布一条刚收到的消息，长生不老药已由 HD 研究所研制成功！服用第一批实验性药丸的豚鼠、狗和猴子，经人为性暴力袭击和人为性病毒侵袭后，依然健康如初……"

我吃了一惊。竟会有这样的事情！

电视屏幕上映出了实验的情况：先让一些豚鼠、狗和猴子分别服用一种白色的药丸，然后，再分别将它们用木棍、手枪打得鲜血淋漓、倒躺在地，甚至故意用汽车去撞、轧它们，看去真是惨不忍睹，但几分钟以后，它们竟纷纷站立起来，伤口、枪眼和残破肢体竟完好如初！正当我目瞪口呆之时，又映出有意用病菌和病毒去使它们患病的场景，据说所使用的病菌和病毒都是当今世界上最难制伏、一旦感染上有关疾病死亡率最高的，但那些豚鼠、狗和猴子在遭致这些病菌、病毒袭击后，只不过各自打了一连串喷嚏而已，竟没有一个发病者委靡……

接下去电视播音员告诉大家："目前已试制出第一批供人类服用的药丸1000粒。据悉制作此种药丸的特殊原料目前已告罄。鉴于此种药丸的特殊性质，无法在人的身上先作试验以证明其效力，但据发明者说，可保证服用者和上述豚鼠、狗与猴子一样，获得长生不老的生命！……"

我忽然想到：今天莫不是西方的狂欢节或愚人节？显然电视台穿插这样的节目是为了博得观众一笑！

我很疲倦，哪有心思陪他们瞎起哄！

于是我关了电视机，上床歇息了。

我在睡梦中忽然被人弄醒。睁眼一看，几个蒙面人围住我，其中一个人一手揪住我睡衣领口，一手拿手枪对准我的胸口，恶狠狠地问我："你把长生不老药藏到哪儿去了？！"

我惊诧莫名。我对他们说："我是外国游客，我不参与你们的狂欢节胡闹，你们不要拿我开心！"

"你不要装糊涂！"那拿枪对着我心口的蒙面汉依旧恶狠狠地说，"现在全世界所有的人都知道HD研究所的主持者是个华裔人，并且已带着装有一千粒药丸的箱子躲藏起来，我们查出来那就是你！你不要耍赖，你把那药箱子交出来！

他这么跟我说话的时候，另外几名蒙面人已经开始满屋子搜查起来。

我心里这才紧张起来。看来他们真是强盗，并非开玩笑的家伙。

我挣脱了那人的揪拽，厉声对他说："你别吓唬我！你们这样半夜闯入我包租的房间，对我进行污辱、恐吓和搜查，完全是侵犯人权的行为，我抗议！而且我根本不是你们要找的那个人！我跟什么长生不老药毫无关系！我也根本不相信世界上有什么长生不老药！请你们赶快出去！"

"你敢反抗？你不交出药箱？我枪毙了你！"他狂怒地向我扑来。

我把他狠狠推向一边。其他几个歹徒立即过来帮助他，把我团团围住，看样子要一齐朝我动手。

我镇静下来，打出个禁止他们的手势，沉稳地说："你们真好笑！倘若我是那个发明家，你们向我开枪有什么意义呢？如果我服用了那长生不老丸，你们就打不死我。如果我自己并没有服用，打死我你们更永远找不到那个药箱。所以我劝你们不要胡来。你们还是先退出这间房子去吧！"

我这是个"缓兵之计"。我想只要他们一出屋，我便立即打电话报警，或者干脆从窗口跳下去，大声呼救——我住的是二楼，只要掌握好姿势和重心，大约摔不死的。

他们才不上当呢。为首的那人一摆手，他手下的人立即扔出一块黑布，把我罩了起来，然后他们便把我扛走了。我在黑布包裹中窒息过去。等我醒过来时，我已经被关在一间形同监狱的小屋子里。

一个歹徒来给我送水和面包。我问他："你们为什么要这样对待我？！"

他说："告诉我们你把那药箱藏在哪儿了？我们找到了药箱，就放掉你。"

我说："我确实根本不是你们要找的那个人。你们弄错了！"

他说："老实告诉你，我们研究过了，你既然是药丸的发明者，那么你一定已经吞服过药丸，所以我们杀你是没有意义的。但我们要让你不得好活。如果你不把秘密告诉我们，交出药箱，我们就永远把你关下去！你想想吧，这种长生不老不是比死还可怕吗？"

我问他："你们是些什么人？"

他傲慢地说："这你用不着知道！"

我便对他说："倘若我真是那个发明家，我是绝不能让你们得到药丸的！怎么能让你们这些人在世界上长生不老？"

他恶狠狠地把拿来的面包和水壶一下子全扔到窗外，指着我鼻子说："你反正是不死的，那你就永远渴着饿着活受罪吧！"

他走了，把门锁得牢牢的。我气坏了，但又无可奈何。我知道我一定是落到黑社会手中了。

忽然听见一排枪声,紧跟着是直升飞机来临的声音。又有人们激昂的呼叫声和对射声。最后我从铁栅栏窗看见直升飞机降落在院心里,几名穿制服的警察从直升飞机里出来,立即奔向关我的小屋。

我被警察们救了出来。

我感谢他们,我告诉他们我要回国,请他们直接送我到飞机场。他们只是彬彬有礼地微笑着请我登上直升飞机。

直升飞机却把我送到了一座豪华的郊外别墅中。

他们先请我洗澡、更衣,再请我进餐。进餐时,我对陪我进餐的一位显然是警察长的先生说:"请快些送我回国。"

他只是劝我尽量多吃一些,并且说:"您先需要好好地休息一下,并且,您被劫持以后,世界上又有许多的变化,您也应当了解一下,请您先睡一觉,起来看看电视,然后自然会有人来同您商定一切。"我想那样也好。在一间相当奢华的卧室中睡过一觉,我被别墅中的仆人请到客厅,他把我安排到舒适的沙发上,在我面前的茶几上摆上咖啡和威士忌,然后又给我打开了正前方的电视机,便退出了屋子去。

电视里正报道新闻。居然全是关于长生不老药的。

播音员宣布:"鉴于长生不老药的发明者携带装有1000粒长生不老药丸的药箱神秘的失踪,世界局势更趋于动荡……"

屏幕上显示出许多地方的航空港戒备森严的镜头。播音员在画外解释说:"……许多国家和地区的政府怀着极其复杂的心情检查着每一位入境和出境的旅客,他们既欢迎那种神秘的药箱来到他们那里,又担心随着药箱的到来可能出现无法控制的混乱……"

屏幕上显示出一个国境线上的高速公路关卡,一群人乱作一团,仿佛在进行集体斗殴,然后换成医院里的镜头,一些病人正躺在病床上打点滴。解说是:"……前天在该两国边境所发生的这场悲剧,起因就是因为边境检查站的人员误以为他们截获了那个药箱,当他们想到无论自己如何违反纪律、丢丑乃至于流血,终归是可以长生不老时,他们便不顾一切地带头砸破那药箱,抢里面的药丸吃,结果却造成了踩死30人,踩伤挤伤16人,以及因误吞药丸而暴发急病 41 人的惨剧……"

屏幕上又显示出一些各色各样的会议场景，解说是："……世界上许多有影响的组织纷纷召开紧急会议，讨论有关长生不老药丸的问题，其最中心的议题是：在找到了那 1000 粒药丸以后，如何分配这些药丸？有的认为应优先提供给那些优秀的政治家，本族的伟大领袖以及那些能对保障世界永久和平起关键作用的人物……一个自称是'维护诺贝尔奖金委员会'的组织则认为，应将药丸率先发给所有仍在世的诺贝尔奖金获得者，并应提供一部分药丸作为评奖委员会的正当储藏，以备下几届获奖者服用……一些国际金融和企业界人士则认为，药丸应在世界上公开拍卖，谁出钱最多，就卖给谁，但在究竟是一粒一粒地卖还是分成几批卖这一细节问题上，他们之间还有尖锐分歧……梵蒂冈红衣大主教发表声明，认为只有最虔诚的天主教徒方可享用此药……万国文学艺术家协会则认为，他们有理由分享 1000 粒药丸中的三分之一，因为他们是人类文明的核心……世界爱犬协会则提出，应从 1000 粒药丸中拨出 300 粒，使目前世界上最可爱的 300 只狗永葆青春……"

紧接着却是些街头示威镜头，以及一些抗议集会的镜头，解说是："……关于长生不老药的发明也引起了广泛的抗议活动……西方一些大城市的医生和护士举行了大规模的游行，他们举出的横幅上写着：'大骗局！''只有科学治疗，没有长生不老！'但有人认为他们主要是担心长生不老药的大量制造会导致他们全部失业……一群年轻的无神论者集会，他们认为有关长生不老药的宣传是有害的，这必将导致人性的堕落，因为既然无所事事乃至胡作非为都能因吞服一粒药丸而长生不老，谁还愿诚实地劳动、友爱地与他人相处呢？……"

再下面是一些各种各样的呆照和地区报纸的文章标题特写。播音员以忧心忡忡的语调说："……许多地方的黑社会也纷纷活动，搜索那装有 1000 粒药丸的药箱，这导致了犯罪率的普遍提高……有的地区更出现了诈骗者，他们佯称自己已吞服了一丸长生不老药，并掌握着那另外的九百九十九丸，他们向有关部门索要高达数亿美元的转让费……"

再接下去竟是一些我很熟悉的场景，播音员提高声调宣传："最新消息！本地警察局的特别行动队已于今日中午在某地从黑手党手中救出长生不老药的发明者，预计那神秘药箱的出现指日可待……"

我看得晕头转向，看到最后我真有点以为我自己是那长生不老药的发明者了。但我哪儿有那装有 1000 粒药丸的神秘药箱！见鬼！

晚餐后来了一个由 11 个人组成的什么特别委员会，他们郑重其事地坐在我对面，说是要跟我会谈。

我对他们说的头一句话便是："我不是那个发明家，我也根本不相信有什么长生不老药。"

他们却不慌不忙。为首的是一位满头银发的女士，她年龄已经不轻，但面容修饰得十分细心，看去倒还顺眼。她微笑着说："这个问题我们不想浪费时间讨论。因为黑手党对劫持对象的身份确认，一向是比刑警队、检查官和律师们更少失误的。我们现在想同您讨论的问题是：您打算让我们付出什么样的代价，才乐于说出那一箱药丸的隐藏地点？"

我还是坚持对他们说："我确实跟长生不老药毫无关系。你们为什么不把 HD 研究所的人找来呢？我保证他们没有一个人认识我。"

那女士依旧保持着动人的微笑："HD 研究所是您主持的私人研究所，您在出走之前并没有告诉您所雇用的助手们您究竟在研制什么东西，您那最后阶段的动物试验是由您自己一个人完成的，他们也是直到从电视上看见试验结果时才恍然大悟。而且我们都知道您总是通过声音指挥您的助手们，他们几乎就从来没见过您本人。谁又能保证您那声音不是用物理方法改变过的呢？因此他们自然都无法来确认您。现在希望您能告诉我们，您为什么要把有关实验成功的录像带和消息通过邮局提供给电视台？您又为什么在此之后带着药箱出走？"

我赌气地说："因为我是个骗子！我想行骗！或者我是个爱开玩笑的人，我在同全世界开玩笑！"

他们 11 个人几乎同时对着我说："那么您现在结束这个玩笑吧，把您那只箱子交出来吧！"

我叫了起来："我根本就没有什么药箱！"

他们互相望了望，最后还是那位女士对我说："看来您的情绪不好。我们可以明天再谈。不过希望您今天晚上再仔细考虑一下，看您究竟打算要我们付出怎样的代价……"

我站起来说："明天再谈？我现在就不跟你们谈了，我要回家去！"

他们也站了起来，那女士真是好脾气，她仍旧满脸微笑，劝慰我说："您别生气，您已经被保护起来了，您出了这个别墅便有生命危险……"

原来我已然被他们软禁！

晚上我又看电视，电视中特辟了题为"要？不要？"的专栏节目。里面陆续出现着若干电视台记者在街头、咖啡馆、家庭、办公室、工厂、商店、旅馆、飞机场及其他场所进行临时采访的镜头，据称是由世界的许多不同国家不同地区所提供，由本地电视台综合编制的。

……在一个街头喷水池旁，一个小学生告诉记者："我不要吃。不想现在就吃。因为我想长大。"

……咖啡馆里的一个舞女却说："我恨不得现在就要一丸吃。我要永远这么年轻漂亮，该多好啊！"旁边一个客人拍拍她屁股说："不过你一样会发胖的。"周围的人当即发出一片哄笑。

……一个白胡须的东方老人坐在家中的藤椅说："我把以往的岁月献给了使祖国强大、繁荣的壮丽事业，我认为在这事业中我已经获得了永恒的价值，所以我不要什么长生不老药丸——再说我也不相信有那种东西……老年人应该高高兴兴地自然谢世，把这个世界留给富有创造力的青年人……"

……一个经理在办公室里说："我是想要那药丸的，并且不仅想要一丸，倒不一定我自己来吃，我是想让那最有独创性的工程师和最出色的工人吃……"

……一个工人却在车间里说："我对长生不老不感兴趣。我的兴趣是：诚实地劳动，幸福的家庭，有出息的子女，人生途程的没有悔恨的结束……"

……一个商店里的年轻姑娘甩甩头发说："我也不知道是要好，还是不要好，因为我还没有问过杰尼……"记者问她："杰尼是谁？"姑娘的眼睛亮了："还用说吗？我一切都听他的，因为我是那么样地爱他！"

……一个旅馆里的老太太转过身子，又扭回头来说："我不是疯子，所以我拒绝回答这个问题！"

……一个飞机场候机室里的男子说："应该给所有的飞机各服一丸！"

……一个警察在警车边说:"我只希望不要让黑手党分子吃上!"

……一个学龄前儿童抱着绒布熊说:"药是苦的,我不吃!"

我被这个镜头逗笑了。同时我为世界上大多数普通人的明智和善良所感动。

正在这时门外忽然发出一阵骚动声。有许多人在嚷:"为什么不让我们进去!""我们要见他!"

我以为黑手党又来了,不禁十分紧张。

门被"砰"地撞开了,原来是一群新闻记者。几个阻拦他们的便衣被推到了一边,他们冲进门以后便抢着给我拍照,有跪着的,有跳到椅子上去的,有互相推搡的,有边照边嚷的,闪光灯此灭彼亮,我一时给弄蒙了,直用手掌挡那强光,等到我想逃回卧室时,已经逃不掉,他们把我围个水泄不通,一大堆的收音筒挤到了我的嘴边,各种问题搅成一片:

"说说您发明长生不老药的动机?"

"您为什么要把药丸隐藏起来?"

"您对由您引起的世界动荡作何感想?"

"您打算在什么前提下交出药箱?"

"您是想发财,还是想惩罚人类?"

"您自己服用过长生不老丸子吗?"

"您究竟是不是个江湖骗子?"

"对于认为根本不可能长生不老的论点,您打算怎样驳斥?"

"药丸的成分能否公开?"

"药丸今后能否大规模生产?"

"如果吞吃了药丸后又想死,该怎么办?"

"给死人吞服药丸,能否让他活过来?"

"一只溶解了药丸的玻璃杯是否永远打不碎?"

"一支吞服了药丸的侵略军是否会称霸全球?"

"您现在是感到充实还是感到空虚?"

"您认为自己是人类的救星还是人类的罪人?"

"请您披露您的家庭情况……"

"您早餐爱喝哪一种果汁?"

"您穿的鞋是多大的尺码?"

"您中学时代最崇拜的电影明星是谁?"

"您的肚脐眼是朝外鼓还是朝里凹?"

我拼足力气冲出重围,逃进卧室,紧闭屋门,并用身子抵住那似乎就要被冲撞开的门扉。我估计他们是冲不进来了,这才站定喘气。原来我已回到无尽的长廊中。

我朝那门上望,门上并无我做下的记号。

我两边寻找着,全不见有我做过记号的门扇。

做记号原来没有用。

看来,我是不可能每扇门里都去的。因为我永远无从判断哪扇门是我进去过的,哪扇门是我没进去过的。

我一边回味着关于长生不老药的咄咄怪事,一边朝前走。我庆幸自己活到头后依然能够死去。


无尽的长廊。

你这无尽的长廊啊!

我忽然发觉,它实在很像我写作时用的那种稿纸上的行距,而一扇扇的门,恰似一个又一个的格子……

天与地,人与兽,是与非,美与丑,平与奇,实与虚,深与浅,曲与直,悲与喜,动与静,恒与变,道与理……在这无尽的长廊里,我永不停息地前行,永不厌烦地推门进入新的境域……


正当人生的中途。

1985 年 11 月

## 附录一 刘心武文学活动大事记

### 1942 年

6 月 4 日生于四川省成都市育婴堂街。

后在重庆度过童年。

父母兄姊均热爱文学艺术，深受家庭熏陶。

### 1950 年

随父母迁居北京，从此定居北京。

在隆福寺小学上小学，在北京 21 中上初中。

### 1958 年

在北京 65 中上高中。

给若干报刊投稿，屡被退稿。

8 月，在《读书》杂志发表《谈〈第四十一〉》一文，是投稿第一次成功。

### 1959 年

在《北京晚报》"五色土"副刊陆续发表一些儿童诗、小小说。

为中央人民广播电台少儿部《小喇叭》(对学龄前儿童广播)编写若干节目；
其中快板剧《咕咚》经编辑加工、录制后大受欢迎；"文革"中录音带被销毁；
1991 年重新录制播出。

### 1961 年

毕业于北京师范专科学校，分配到北京 13 中任教。

至"文革"前，在《北京晚报》《中国青年报》《人民日报》《光明日报》《大公报》《北京日报》《体育报》《儿童时代》《大众电影》等报刊上发表了约 70 篇小小说、散文、杂文、评论等文章。

### 1966—1976 年

"文革"中，因 1964 年曾发表过一篇关于京剧的文章，以"反江青"罪名被冲击。

1974 年后再试写作，曾写一关于"教育革命"的长篇小说，由出版社联系获准脱产修改，但终未达到当时出版要求。

### 1976 年

写出一个大院里孩子们同坏蛋斗争的中篇小说《睁大你的眼睛》并得以出版（北京人民出版社）。

又按照当时政治要求写出一些短篇小说、散文，有的到次年才收入多人合集中出版。

调到北京人民出版社（后恢复"文革"前社名：北京出版社）文艺编辑室当编辑。

### 1977 年

11 月，在《人民文学》杂志发表短篇小说《班主任》，产生重大影响——被认为是"伤痕文学"的开山作，也是"新时期文学"的发端；从此成名。

从《班主任》后，写作冲破懵懂，沿着认定的方向跋涉，穿越风云，锲而不舍。

### 1978 年

参加《十月》杂志（开始以丛书名义出版）创刊工作，在创刊号上发表短篇小说《爱情的位置》，经转载和广播，影响巨大。

在《中国青年》杂志上发表短篇小说《醒来吧，弟弟》，反应亦极强烈。

《班主任》《爱情的位置》《醒来吧，弟弟》均被改编为广播剧，由中央人民广播电台多次广播,《醒来吧,弟弟》被搬上话剧舞台;此年发表的短篇小说《穿米黄色大衣的青年》亦由电台播出。

### 1979 年

在首届全国优秀短篇小说评奖中《班主任》获第一名。颁奖会上,从茅盾先生手中接过奖状。

参加中国作家协会第三次全国代表大会,被选为中国作家协会理事。

成为中华全国青年联合会常务委员,至 1993 年卸任。

9 月,参加中国作家代表团访问罗马尼亚,此系"文革"后第一个作家出访团。

在《人民文学》杂志发表短篇小说《我爱每一片绿叶》,写作技巧有长足进步。

### 1980 年

调至北京市文联当专业作家。

《我爱每一片绿叶》获 1979 年全国优秀短篇小说奖。

《看不见的朋友》获 1954—1979 年第二届全国少年儿童文学创作奖。

在《十月》杂志发表中篇小说《如意》,其弘扬人道主义的追求引起争议。

出版《刘心武短篇小说选》(北京出版社)。

### 1981 年

在《十月》杂志发表中篇小说《立体交叉桥》,引出更大争议,一些评论家认为"调子低沉"是步入了写作上的歧途,另有评论家则认为此作标志着刘心武的小说创作在反映现实、探索人性及艺术工力上均达到了新的水平。

5 月,应日本文艺春秋社邀请访问日本。

### 1982 年

应导演黄健中之请,改编《如意》;北京电影制片厂拍成彩色艺术片《如意》。

### 1983 年

11 月,参加中国电影代表团赴法国,在南特"三大洲电影节"上,《如意》在开幕式上放映,获好评;后陆续在法国、西德电视台播出。

**1984 年**

冬，应邀访问西德，参加"中德大学生会见活动"，并在波恩大学、波鸿大学与威尔兹堡大学介绍中国当代文学。

年底，参加中国作家协会第四次全国代表大会，再次当选为理事。

在《当代》文学双月刊第5、6期连载长篇小说《钟鼓楼》。

**1985 年**

出版长篇小说《钟鼓楼》(人民文学出版社)，并获第二届茅盾文学奖。

因《钟鼓楼》获北京市政府嘉奖。

7月，在《人民文学》杂志发表纪实小说《5·19长镜头》，反响强烈。

11月，又在《人民文学》杂志发表纪实小说《公共汽车咏叹调》，引起轰动。

**1986 年**

年初，应当代文艺出版社邀请访问香港。

6月，调中国作家协会人民文学杂志社，任常务副主编。

在《收获》杂志设《私人照相簿》专栏，进行图文交融的文本尝试。

散文集《垂柳集》出版，冰心为之作序。

**1987 年**

1月，被任命为《人民文学》杂志主编。

2月，《人民文学》杂志1、2期合刊发表马建写的小说《亮出你的舌苔或空空荡荡》违反民族政策，承担责任，停职检查。

9月，复职。

冬，应邀赴美国访问。参观美洲华侨日报；在哥伦比亚大学、三一学院、哈佛大学、麻省理工学院、康奈尔大学、芝加哥大学、旧金山大学、斯坦福大学、伯克利加州大学、洛杉矶加州大学、圣迭戈加州大学等处演讲，介绍中国当代文学，并参观耶鲁大学；参加爱荷华大学"作家写作中心"的纪念活动；游览华盛顿等地。

树 与 林 同 在

### 1988 年

3月，应香港《大公报》邀请，赴香港参加五十周年报庆活动；在《大公报》安排的大型报告会上作关于改革开放与文学创作的报告。

5月，应法国文化部邀请，参加中国作家代表团访问法国，除在巴黎活动外，还访问了西部港口城市圣·拉扎尔。

《私人照相簿》在香港出版（南粤出版社）。

《我可不怕十三岁》获 1980—1985 年全国优秀儿童文学奖。

以上数年中，若干小说、散文还分别获得过《当代》《十月》《小说月报》《小说选刊》《中篇小说选刊》《儿童文学》《北方文学》等杂志，《人民日报》《文汇报》等报纸副刊的奖；拍成电视剧播出的有《没工夫叹息》《熄灭》(电视剧名《火苗》)《今夏流行明黄色》《到远处去发信》《非重点》《公共汽车咏叹调》和八集连续剧《钟鼓楼》；若干作品被英国、美国、西德、苏联、日本、瑞士、瑞典、法国、意大利等国翻译为英、德、俄、日、法、意、瑞典等文字出版；自1987年起被世界上有威望的英国欧罗巴出版社《世界名人录》收入词条。

### 1989 年

春，应香港中文大学翻译中心邀请，与妻子吕晓歌赴香港访问。

### 1990 年

3月，以任届期满，免去《人民文学》杂志主编职务。

香港中文大学翻译中心编译的英文小说集《黑墙与其他故事》出版。

秋，以"鱼山"笔名在《钟山》杂志发表中篇小说《曹叔》。

### 1991 年

出版小说集《一窗灯火》。

除小说外，开始发表大量散文、随笔。

### 1992 年

长篇小说《风过耳》在内地（中国青年出版社）、香港（勤＋缘出版社）分别出版，反响颇为强烈。

长篇小说《四牌楼》完稿,交上海文艺出版社出版。

《献给命运的紫罗兰——刘心武谈生存智慧》由上海人民出版社出版,受到读者欢迎。

在《收获》杂志发表中篇小说《小墩子》,后由中国电视剧制作中心改编拍摄为电视连续剧。

至该年,在海内外出版的个人专著按不同版本计已达43种。

在《红楼梦学刊》1992年第二辑上发表论文《秦可卿出身未必寒微》,在"红学"界和读者中均引起注意;另有若干《红楼梦》人物论和《红楼边角》专栏文章发表。

冬,应瑞典学院邀请(斯堪的纳维亚航空公司赞助)赴北欧访问;在挪威奥斯陆大学、瑞典斯德哥尔摩大学和隆德大学、丹麦哥本哈根大学和奥胡斯大学的东亚系汉学专业以《九十年代初的中国小说》为题作学术报告;12月7日,参加诺贝尔文学奖有关活动,听1992年得主德里克·沃尔科特发表受奖演说。

**1993 年**

华艺出版社出版《刘心武文集》(1—8卷)。

出版长篇小说《四牌楼》。

**1994 年**

1月,应台湾《中国时报》邀请赴台参加"两岸三地文学研讨会"。

《四牌楼》获上海优秀长篇小说大奖,到沪领奖。

**1995 年**

出版随笔集《人生非梦总难醒》(上海人民出版社)。

出版小说集《仙人承露盘》(华艺出版社)。

**1996 年**

出版长篇小说《栖凤楼》(人民文学出版社)。至此,由《钟鼓楼》《四牌楼》《栖凤楼》构成的"三楼"长篇小说系列竣工。

应《南洋商报》邀请赴马来西亚访问并顺访新加坡。

**1997 年**

应日本文化交流基金会邀请，与妻子吕晓歌访问日本。其长篇小说《钟鼓楼》、儿童文学作品《我是你的朋友》、短篇小说《王府井万花筒》等此前已相继译为日文在日本出版。

**1998 年**

建筑评论集《我眼中的建筑与环境》由中国建筑工业出版社出版，在建筑界产生影响。

应美国科罗拉多大学邀请，赴美参加金庸作品国际研讨会，在会上提交关于《鹿鼎记》的论文《失父：一种生存困境》。

**1999 年**

出版纪实性长篇小说《树与林同在》(山东画报出版社)。

出版《红楼三钗之谜》(华艺出版社)。

赴新加坡出席国际环境文学研讨会。

**2000 年**

应邀访问法国，并应英中协会和伦敦大学邀请，从巴黎赴伦敦讲《红楼梦》。

至此年底在海内外出版的个人专著(不含文集)按不同版本计达 101 种。

**2001 年**

出版包含建筑评论的随笔集《在忧郁中升华》(文汇出版社)。

在北京电视台录制播出《刘心武谈建筑》系列节目。

**2002 年**

出版小说集《京漂女》(中国文联出版社)，自绘插图。

应澳大利亚雪梨华文写作协会邀请赴澳大利亚访问。

**2003 年**

以马来西亚《星洲日报》世界华人文学"花踪奖"评委身份赴吉隆坡参加相关活动。

台湾联经出版社出版小说集《人面鱼》。此前台湾已出版过刘心武多种作品，如皇冠出版社出版了《钟鼓楼》，幼狮文化事业公司出版了《四牌楼》《为他人默默许愿》(散文集)。

### 2004 年

赴法参加巴黎书展活动。书展上展出了译为法文的著作有小说《树与林同在》《护城河边的灰姑娘》《尘与汗》《人面鱼》《如意》与歌剧剧本《老舍之死》。

建筑评论集《材质之美》由中国建材工业出版社出版。

小说集《站冰》出版(人民文学出版社)，自绘封面插图。

### 2005 年

出版集历年研红成果的《红楼望月》(书海出版社)。

应 CCTV-10(中央电视台科学教育频道)《百家讲坛》邀请，录制播出《刘心武揭秘〈红楼梦〉》系列节目 23 集，反响强烈，引出争议。

《刘心武揭秘〈红楼梦〉》第一、二部相继出版(东方出版社)，畅销。

### 2006 年

应美国华美协会邀请，赴纽约在哥伦比亚大学讲《红楼梦》。

应邀参加香港书展。

出版《刘心武揭秘古本〈红楼梦〉》(人民出版社)。

### 2007 年

继续应邀到 CCTV-10《百家讲坛》录制节目，并出版《刘心武揭秘〈红楼梦〉》第三部、第四部(东方出版社)。

访问俄罗斯。

### 2008 年

出版随笔集《健康携梦人》(中国海关出版社)。

自 1986 年出版《垂柳集》，至此所出版的散文随笔集已逾 30 种。

### 2009 年

在《上海文学》杂志开《十二幅画》专栏，每期发表一篇写人物命运的大散文，并配发自己的画作。

4月，妻子吕晓歌病逝，著长文《那边多美呀！》悼念。

## 2010 年

再应 CCTV-10《百家讲坛》邀请，录制播出《〈红楼梦〉的真故事》系列节目。至此在《百家讲坛》录制播出关于《红楼梦》的个人系列讲座累计达 61 集。

出版《〈红楼梦〉的真故事》( 凤凰联动·江苏人民出版社 )，在争议声中畅销。

4月，应台湾新地文学社邀请赴台参加 "21 世纪世界华文文学高峰会议"。

出版《命中相遇——刘心武话里有画》( 上海文艺出版社 )。

加快《刘心武续〈红楼梦〉》的写作，次年完成推出。

至本年底，在海内外出版的个人专著，文集不算在内，重印亦不算，按不同版本计达 182 种 ( 按不同书名计则为 141 种 )。

年底，筹备编辑《刘心武文存》。

刘心武著作书目

只包括在中国大陆、台湾、香港和海外出版的书（同一著作每种版本单列）；不包括散发于报刊尚未出书的篇目，亦不包括多人合集中的篇目。第一个数字表示不同版本的排序；[ ]中的数字表示剔除同一书名的版本后的排序；注意：文集8卷不参加排序。

### 1976 年

1.[1]《睁大你的眼睛》[儿童文学·中篇小说]

北京人民出版社 1976 年 1 月第一版

### 1978 年

2.[2]《母校留念》[儿童文学·小说集]

中国少年儿童出版社 1978 年 7 月第一版

### 1979 年

3.[3]《小猴吃瓜果》[低幼读物·画册]

少年儿童出版社 1979 年 4 月第一版

1980 年 6 月第二次印刷

4.[4]《班主任》[短篇小说集]

中国青年出版社 1979 年 6 月第一版

### 1980 年

5.[5]《我是你的朋友》[儿童文学·中篇小说]

北京出版社 1980 年 7 月第一版

6.[6]《绿叶与黄金》[ 中短篇小说集 ]

> 广东人民出版社 1980 年 8 月第一版

7.[7]《刘心武短篇小说集》

> 北京出版社 1980 年 9 月第一版

**1981 年**

8.《这里有黄金》[ 中短篇小说集 ]

> 广东人民出版社 1981 年 4 月第二次印刷
>
> 有平装、软精装两种

9.[8]《大眼猫》[ 中短篇小说集 ]

> 浙江人民出版社 1981 年 8 月第一版

**1982 年**

10.[9]《如意》[ 中篇小说集 ]

> 北京出版社 1982 年 5 月第一版

**1983 年**

11.[10]《中国现代作家选（Ⅲ）刘心武〈我爱每一片绿叶〉〈深谷小溪默默流〉》

> [ 日本 ] 东方书店 1983 年第一版

12.[11]《同文学青年对话》

> 文化艺术出版社 1983 年 10 月第一版

**1984 年**

13.[12]《到远处去发信》[ 中短篇小说集 ]

> 四川人民出版社 1984 年 4 月第一版
>
> 有平装、软精装两种

14.[13]《如意》[ 电影文学剧本 ]（与戴宗安联合署名 ）

> 中国电影出版社 1984 年 6 月第一版

**1985 年**

15.[14]《嘉陵江流进血管》[ 中篇小说集 ]

陕西人民出版社 1985 年 2 月第一版

16.[15]《日程紧迫》[ 中短篇小说集 ]

群众出版社 1985 年 5 月第一版

17.[16]《我可不怕十三岁》[ 儿童文学集 ]

新世纪出版社 1985 年 8 月第一版

18.[17]《钟鼓楼》[ 长篇小说 ]

人民文学出版社 1985 年 11 月第一版

有平装、软精装两种

1986 年 5 月第二次印刷

**1986 年**

19.[18]《公共汽车咏叹调》[ 纪实小说 ]

湖南文艺出版社 1986 年 1 月第一版

20.[19]《都会咏叹调》[ 小说集 ]

作家出版社 1986 年 3 月第一版

21.[20]《垂柳集》[ 散文集 ]

陕西人民出版社 1986 年 4 月第一版

22.[21]《立体交叉桥》[ 中短篇小说集 ]

人民文学出版社 1986 年 6 月第一版

有平装、软精装两种

23.[22]《巴黎郁金香》[ 访法散文集 ]

群众出版社 1986 年 11 月第一版

24.[23]《木变石戒指》[ 中短篇小说集 ]

青海人民出版社 1986 年 12 月第一版

**1987 年**

25. *Little Monkey Triesto Eat Fruit* [ 科学童话·英文 ]

海豚出版社 1987 年第一版

有平装、精装两种

26.[24]《斜坡文谈》[ 文学理论 ]

上海文艺出版社 1987 年 4 月第一版

27.[25]《王府井万花筒》[ 中篇小说集 ]

湖南文艺出版社 1987 年 9 月第一版

有平装、精装两种

28.[26]《5·19 长镜头》[ 小说自选集 ]

四川文艺出版社 1987 年 11 月第一版

29. げくけきの友たちだ [《我是你的朋友》日译本 ]

[ 日本 ] 福武书店 1987 年 12 月第一版

1989 年 3 月第二版

1991 年 2 月第三版

**1988 年**

30.[27]《她有一头披肩发》[ 中短篇小说集 ]

台湾林白出版社 1988 年 4 月第一版

31.《钟鼓楼》[ 长篇小说 ]

香港天地图书有限公司 1988 年第一版

1993 年第二版

32.[28]《私人照相簿》[ 纪实文学 ]

香港南粤出版社 1988 年 11 月第一版

33.[29]《刘心武代表作》

黄河文艺出版社 1988 年 12 月第一版

**1989 年**

34.《小猴吃瓜果》[ 科学童话 ]

开明出版社、海豚出版社 1989 年 3 月第一版

35.《钟鼓楼》[ 长篇小说 ]

台湾皇冠出版社 1989 年 4 月第一版

36.[30]《一片绿叶对你说》[ 文艺随笔集 ]

河北教育出版社 1989 年 12 月第一版

**1990 年**

37.[31]*BLACK WALLS AND OTHER STORIES* [ 小说集・英译本 ]

香港中文大学翻译中心出版社 1990 年第一版

38.[32]《王府井万花镜》[ 小说集・日译本 ]

[ 日本 ] 德间书店 1990 年 9 月第一版

**1991 年**

39.《母校留念》[ 小说 ]

[ 日本 ] 骏河台出版社 1991 年 4 月第一版

40.[33]《一窗灯火》[ 中短篇小说集 ]

华艺出版社 1991 年 10 月第一版

1993 年第二次印刷

**1992 年**

41.[34]《列奥纳多・达・芬奇》[ 传记 ]

江苏教育出版社 1992 年 5 月第一版

42.[35]《有家可归》[ 散文随笔集 ]

广东旅游出版社 1992 年 5 月第一版

43.[36]《风过耳》[ 长篇小说 ]

中国青年出版社 1992 年 6 月第一版

1992 年 12 月第二次印刷

1993 年 3 月第三次印刷

1995 年 8 月第五次印刷

1996 年 3 月第六次印刷

44.《风过耳》[长篇小说]

香港勤＋缘出版社 1992 年 6 月第一版

45.[37]《献给命运的紫罗兰——刘心武谈生存智慧》

上海人民出版社 1992 年 6 月第一版

1992 年 11 月第二次印刷

1995 年第三次印刷

1996 年 12 月第五次印刷

46.《刘心武代表作》

河南人民出版社 1992 年 6 月第二次印刷·精装本

47.[38]《蓝夜叉》[中篇小说集]

香港勤＋缘出版社 1992 年 9 月第一版

**1993 年**

48.《北京下町物语》[长篇小说·《钟鼓楼》日译本]

[日本]东京恒文社 1993 年 2 月第一版

1994 年第二版

49.[39]《为你自己高兴》[随笔集]

内蒙古人民出版社 1993 年 3 月第一版

50.[40]《杀星》[小说集]

香港勤＋缘出版社 1993 年 6 月第一版

51.《我是你的朋友》[儿童文学·中篇小说·增订本]

希望出版社 1993 年 6 月第一版

52.[41]《四牌楼》[长篇小说]

上海文艺出版社 1993 年 6 月第一版

1994 年 4 月第二次印刷

1996 年 11 月第三次印刷

53.[42]《我是怎样的一个瓶子》[随笔集]

成都出版社 1993 年 9 月第一版

54.[43]《沉默交流》[随笔集]

中国华侨出版社 1993 年 11 月第一版

55.[44]《富心有术》[随笔集]

群众出版社 1993 年 12 月第一版

1995 年第二次印刷

56.[45]《中国当代名人随笔·刘心武卷》

陕西人民出版社 1993 年 12 月第一版

☆《刘心武文集》[1—8 卷]

华艺出版社 1993 年 12 月第一版

☆《刘心武文集·〈钟鼓楼〉〈风过耳〉》(简装本)

☆《刘心武文集·〈四牌楼〉〈无尽的长廊〉》(简装本)

华艺出版社 1997 年 5 月第一版

**1994 年**

57.[46]《仰望苍天》[随笔集]

知识出版社 1994 年 1 月第一版

1995 年第二次印刷

东方出版中心 1996 年 7 月第三次印刷

58.[47]《男扮女妆与女扮男妆》[随笔集]

中原农民出版社 1994 年 2 月第一版

59.[48]《相对一笑》[小小说集]

中共中央党校出版社 1994 年 2 月第一版

60.[49]《秦可卿之死》[专著]

华艺出版社 1994 年 5 月第一版

61.《四牌楼》[长篇小说]

台湾幼狮文化事业公司 1994 年 8 月第一版

62.[50]《为他人默默许愿》[散文集]

台湾幼狮文化事业公司 1994 年 10 月第一版

63.[51]《中国小说名家新作丛书·刘心武卷》

海峡文艺出版社 1994 年 11 月第一版

64.[52]《红楼梦（缩写本）》

接力出版社 1994 年 12 月第一版

1995 年第二次印刷

1997 年 9 月第三次印刷

**1995 年**

65.[53]《人生非梦总难醒》[ 名人日记·随笔集 ]

上海人民出版社 1995 年 1 月第一版

1995 年 3 月第二次印刷

66.[54]《仙人承露盘》[ 中短篇小说集 ]

华艺出版社 1995 年 3 月第一版

67.[55]《女性与城市》[ 杂文集 ]

中国城市出版社 1995 年 6 月第一版

68.《我是你的朋友》[ 增订版·"小学生成才书架" 系列之一 ]

希望出版社 1995 年 10 月第一版

69.《在胡同里转悠》[ 随笔集 ]

陕西人民出版社 1995 年 11 月第二次印刷

70.[56]《刘心武海外游记》

华文出版社 1995 年 12 月第一版

**1996 年**

71.[57]《刘心武小说精选》

太白文艺出版社 1996 年 2 月第一版

72.[58]《开发心大陆》[ 随笔集 ]

吉林人民出版社 1996 年 3 月第一版

1997 年 3 月第二次印刷

73.[59]《你哼的什么歌》[ 散文集 ]

> 湖南文艺出版社 1996 年 6 月第一版

74.[60]《刘心武张颐武对话录——"后世纪"的文化了望》

> 漓江出版社 1996 年 7 月第一版

75.[61]《边缘有光》[ 随笔集 ]

> 汉语大辞典出版社 1996 年 8 月第一版

76.[62]《刘心武怪诞小说自选集》

> 漓江出版社 1996 年 8 月第一版
> 有平装、精装两种

77.[63]《我是刘心武》

> 团结出版社 1996 年 9 月第一版

78.[64]《刘心武》[ 中国当代作家选集丛书 ]

> 人民文学出版社 1996 年 10 月第一版

79.[65]《刘心武杂文自选集》

> 百花文艺出版社 1996 年 11 月第一版

80.《秦可卿之死》[ 修订本 ]

> 华艺出版社 1996 年 11 月第二版

81.[66]《栖凤楼》[ 长篇小说 ]

> 人民文学出版社 1996 年 12 月第一版
> 1998 年 3 月第二次印刷

**1997 年**

82.[67]《封神演义（缩写本）》

> 接力出版社 1997 年 1 月第一版
> 1997 年 9 月第二次印刷

83.[68]《胡同串子》[ 中短篇小说集 ]

> 北京燕山出版社 1997 年 8 月第一版

84.《私人照相簿》

上海远东出版社 1997 年 9 月第一版

1998 年 2 月第二次印刷

2000 年换封面版权页称 2000 年 6 月第二次印刷

85.[69]《中国儿童文学名家作品精选丛书·刘心武作品精选》

河北少年儿童出版社 1997 年 8 月第一版

86.[70]《把嘴张圆》[随笔集]

上海远东出版社 1997 年 12 月第一版

## 1998 年

87.[71]《我眼中的建筑与环境》[建筑评论随笔集]

中国建筑工业出版 1998 年 5 月第一版

1999 年 5 月第二次印刷

2000 年 6 月第三次印刷

2001 年 6 月第四次印刷

88.《钟鼓楼》[茅盾文学奖获奖书系]

人民文学出版社 1998 年 3 月第一次印刷

1998 年 7 月第二次印刷

1998 年 8 月第三次印刷

1999 年 3 月第四次印刷

2000 年 1 月第五次印刷

2001 年 1 月第六次印刷

2001 年 8 月第七次印刷

2002 年 8 月第八次印刷

2003 年 1 月第九次印刷

## 1999 年

89.[72]《树与林同在》[非虚构长篇小说]

山东画报出版社 1999 年 3 月第一版

2006 年 7 月第二次印刷

90.[73]《八十六颗星星》(*The Eighty-Six Stars*)[儿童文学小说·汉英对照]

希望出版社 1999 年 6 月第一版

91.[74]《红楼三钗之谜》[刘心武红学探佚精品]

华艺出版社 1999 年 9 月第一版

92.[75]《蓝玫瑰》[中短篇小说集]

中国华侨出版社 1999 年 10 月第一版

93.[76]《过隧道的心情》[随笔集]

华东师范大学出版社 1999 年 12 月第一版

**2000 年**

94.[77]《一切都还来得及》[随笔集]

中国青年出版社 2000 年 1 月第一版

95.[78]《善的教育》[儿童文学]

辽宁少年儿童出版社 2000 年 2 月第一版

96.[79] Le Talisman（version bilingue)[《如意》中、法文对照版]

Librarie You Feng 2000 年 4 月第一版

97.[80]《作家刘心武〈班主任〉手迹》

线装书局 2000 年 5 月第一版

98.[81]《楼前白玉兰》[小小说集]

中国广播电视出版社 2000 年 7 月第一版

99.[82]《刘心武侃北京》

上海文艺出版社 2000 年 10 月第一版

100.[83]《我爱吃苦瓜》[茅盾文学奖获奖作家散文精品]

广州出版社 2000 年 10 月第一版

2002 年 10 月第二次印刷

101.[84]《了解高行健》

香港开益出版社 2000 年 12 月第一版

**2001 年**

102.[85]《亲近苍莽》

中国旅游出版社 2001 年 1 月第一版

103.[86]《在忧郁中升华》

文汇出版社 2001 年 2 月第一版

《刘心武谈建筑——在忧郁中升华》2007 年 8 月第二次印刷

104.[87]《人在风中》

作家出版社 2001 年 8 月第一版

105.《风过耳》

时代文艺出版社 2001 年 10 月第一版

有平装、精装两种

**2002 年**

106.[88]《京漂女》(自绘插图)

中国文联出版社 2002 年 1 月第一版

107.[89]《深夜月当花》

中国工人出版社 2002 年 1 月第一版

108.[90]《春梦随云散》

人民文学出版社 2002 年 4 月第一版

109.[91]《藤萝花饼》

台湾二鱼文化事业有限公司 2002 年 4 月第一版

110.[92]《刘心武自述》

大象出版社 2002 年 10 月第一版

**2003 年**

111.[93] L'arbre et la forêt [《树与林同在》法译本 ]

Bleu de Chine 2003 年 1 月第一版

112.[94]《人面鱼》

台湾联经出版事业股份有限公司 2003 年 2 月初版

113.[94] La Cendrillon Du Canal [《护城河边的灰姑娘》法译本]

Bleu de Chine 2003 年 4 月第一版

114.[95]《画梁春尽落香尘》["红学"专著]

中国广播电视出版社 2003 年 6 月第一版

2003 年 9 月第二次印刷

2004 年 1 月第三次印刷

2005 年 6 月第四次印刷

115.[96]《眼角眉梢》

新华出版社 2003 年 8 月第一版

116.[97]《钟鼓楼》[初中生语文新课标必读]

人民日报出版社 2003 年 9 月第一版

117.[98]《天梯之声》

中国青年出版社 2003 年 10 月第一版

## 2004 年

118.[99] Poussière et sueur [《尘与汗》法译本]

Bleu de Chine 2004 年 1 月第一版

119.[100] La mort de Lao SHe [《老舍之死》歌剧剧本法译本]

Bleu de Chine 2004 年 3 月第一版

120.[101] Poisson à face humaine [《人面鱼》法译本]

Bleu de Chine 2004 年 3 月第一版

121.《如意》[电影伴读中国文学文库·附电影光盘]

中国青年出版社 2004 年 1 月第一版

122.[102]《泼妇鸡丁》

台湾二鱼文化事业有限公司 2004 年 4 月第一版

123.[103]《在柳树臂弯里——刘心武随笔》

光明日报出版社 2004 年 5 月第一版

124.[104]《材质之美——刘心武城市文化酷评》

中国建材工业出版社 2004 年 5 月第一版

125.[105]《站冰——刘心武小说新作集》(自绘插图)

人民文学出版社2004年6月第一版

126.《四牌楼》

上海文艺出版社2004年8月第二版

127.[106]《大家文丛：刘心武》

古吴轩出版社2004年8月第一版

**2005 年**

128.《钟鼓楼》(中国文库·文学类)

人民文学出版社2005年1月第一版第一次印刷(平装)

2005年1月第一版第一次印刷(精装)

129.《钟鼓楼》(茅盾文学奖获奖作品全集之一)

人民文学出版社1985年11月第一版、2005年1月第一次印刷

2005年5月第二次印刷

2005年7月第三次印刷

2006年3月第四次印刷

2008年4月第七次印刷

2009年8月第八次印刷

2010年1月第九次印刷

2011年7月第15次印刷

2011年9月第16次印刷

2011年11月第17次印刷

130.[107]《心灵体操》

时代文艺出版社2005年1月第一版

131.[108]《刘心武作文示范》

少年儿童出版社2005年1月第一版

132.[109] La Démone bleue (《蓝夜叉》法译本)

Bleu de Chine 2005 年第一版

133.[110]《红楼望月》

> 书海出版社 2005 年 4 月第一版
>
> 2005 年 6 月第二次印刷
>
> 2005 年 7 月第三次印刷
>
> 2005 年 8 月第四次印刷
>
> 2005 年 9 月第五次印刷
>
> 2005 年 9 月第六次印刷

134.[111]《刘心武揭秘〈红楼梦〉》

> 东方出版社 2005 年 8 月第一版
>
> 至 2005 年 19 月共十三次印刷
>
> 2005 年 11 月第二版
>
> 至 2005 年 12 月已第十八次印刷
>
> 至 2007 年 7 月已第二十八次印刷
>
> 2007 年 12 月第三十次印刷
>
> 2008 年 4 月第三十二次印刷

135.《红楼解梦——画梁春尽落香尘》

> 中国广播电视出版社 2005 年 9 月第二版第五次印刷

136.《楼前白玉兰——刘心武最新小小说集》

> 中国广播电视出版社 2005 年 9 月第二版第二次印刷

137.[112]《刘心武揭秘〈红楼梦〉》[ 第二部 ]

> 东方出版社 2005 年 12 月第一版
>
> 至 2007 年 7 月已第十五次印刷
>
> 2007 年 12 月第十七次印刷
>
> 2008 年 4 月第十九次印刷

138.[113]《刘心武解读人世情》

> 时代文艺出版社 2005 年 12 月第一版

139.[114]《刘心武感悟平常心》

> 时代文艺出版社 2005 年 12 月第一版

**2006 年**

140.[115]《刘心武自选集》

云南人民出版社 2006 年 1 月第一版

141.[116]《刘心武点评〈红楼梦〉》

团结出版社 2006 年 1 月第一版

142.《刘心武精品集·第一卷·钟鼓楼》

东方出版社 2006 年 1 月第一版

143.《刘心武精品集·第二卷·四牌楼》

东方出版社 2006 年 1 月第一版

144.《刘心武精品集·第三卷·栖凤楼》

东方出版社 2006 年 1 月第一版

145.《刘心武精品集·第四卷·献给命运的紫罗兰》

东方出版社 2006 年 1 月第一版

146.[117]《戴敦邦绘刘心武评〈金瓶梅〉人物谱》

作家出版社 2006 年 4 月第一版

147.[118]《红楼拾珠》

云南人民出版社 2006 年 5 月第一版

148.[119]《藤萝花饼》

云南人民出版社 2006 年 5 月第一版

149.《刘心武揭秘〈红楼梦〉》[第一部]

台湾好读出版有限公司 2006 年 6 月初版

150.《刘心武揭秘〈红楼梦〉》[第二部]

台湾好读出版有限公司 2006 年 6 月初版

151.《我是刘心武》

天津人民出版社 2006 年 8 月第一版

152.[120]《刘心武揭秘古本〈红楼梦〉》

人民出版社 2006 年 12 月第一版

同月第二次印刷

**2007 年**

153.[121]《四棵树》

> 二十一世纪出版社 2007 年第一版

154.[122]《用心去游》

> 上海三联书店 2006 年 12 月第一版
>
> 2007 年 1 月第一次印刷

155.[123] Dés de poulet façon mégère [《泼妇鸡丁》法译本 ]

> Bleu de Chine 2007 年 4 月第一版

156.《一切都还来得及》

> 中国青年出版社 2005 年 5 月第一版

157.[124]《刘心武揭秘〈红楼梦〉》[ 第三部·黛玉之谜及古本之秘 ]

> 东方出版社 2007 年 7 月第一版
>
> 至 2007 年 8 月已第四次印刷
>
> 2007 年 12 月第六次印刷
>
> 2008 年 3 月第七次印刷

158.[125]《刘心武说世道人心》

> 中国青年出版社 2007 年 7 月第一版

159.[126]《刘心武说寻美感悟》

> 中国青年出版社 2007 年 7 月第一版

160.[127]《刘心武说草根情怀》

> 中国青年出版社 2007 年 7 月第一版

161.[128]《长吻蜂》

> 上海人民出版社 2007 年 8 月第一版

162.《私人照相簿》

> 华龄出版社 2007 年 10 月第一版

163.《善的教育》

> 华龄出版社 2007 年 10 月第一版

164.[129]《刘心武揭秘〈红楼梦〉》[ 第四部·宝钗湘云之谜暨红楼心语 ]

东方出版社 2007 年 11 月第一版

2008 年 3 月第三次印刷

**2008 年**

165.[130]《健康携梦人》

中国海关出版社 2008 年 4 月第一版

166.[131]《刘心武小说》

吉林文史出版社 2008 年 5 月第一版

167.[132]《刘心武散文》

吉林文史出版社 2008 年 5 月第一版

**2009 年**

168.《钟鼓楼》(共和国作家文库)

作家出版社 2009 年 4 月第一版

169.《四牌楼》(共和国作家文库)

作家出版社 2009 年 4 月第一版

170.[133]《人在胡同第几槐》

中国文联出版社 2009 年 6 月第一版

171.《钟鼓楼》(新中国 60 年长篇小说典藏)

人民文学出版社 2009 年 7 月第一版

172.[134]《刘心武短篇小说》

现代教育出版社 2009 年 8 月第一版

173.[135]《刘心武中篇小说》

现代教育出版社 2009 年 8 月第一版

174.[136]《刘心武散文随笔》

现代教育出版社 2009 年 8 月第一版

175.《刘心武揭秘〈红楼梦〉》上卷(共和国作家文库)

作家出版社 2009 年 8 月第一版

176.《刘心武揭秘〈红楼梦〉》下卷（共和国作家文库）

作家出版社 2009 年 8 月第一版

**2010 年**

177.[137]《人情似纸》

江苏文艺出版社 2010 年 1 月第一版

178.[138]《红楼梦八十回后真故事》

江苏人民出版社 2010 年 3 月第一版

179.[139]《刘心武小说精选集》

[台湾] 新地文化艺术有限公司 2010 年 4 月第一版

180.《红楼望月》

江苏人民出版社 2010 年 6 月第一版

2010 年 9 月第二次印刷

181.[140]《命中相遇——刘心武话里有画》

上海文艺出版社 2010 年 7 月第一版

182.[141]《红楼眼神》

重庆出版社 2010 年 9 月第一版

**2011 年**

183.[142]《刘心武续红楼梦》

江苏人民出版社 2011 年 3 月第一版

江苏人民出版社 2011 年 4 月第 4 次印刷

184.[143]《红楼梦》（曹雪芹著刘心武续）

江苏人民出版社 2011 年 3 月第一版

185.《刘心武续红楼梦》[ 繁体字竖排本 ]

香港明报出版社有限公司 2011 年 3 月初版

186.《刘心武揭秘〈红楼梦〉》精华本（一）

江苏人民出版社 2011 年 4 月第一版

187.《刘心武揭秘〈红楼梦〉》精华本（二）

江苏人民出版社 2011 年 4 月第一版

188.《刘心武揭秘〈红楼梦〉》精华本（三）

江苏人民出版社 2011 年 4 月第一版

189.《刘心武揭秘〈红楼梦〉》精华本（四）

江苏人民出版社 2011 年 4 月第一版

190.《刘心武续红楼梦》[ 繁体字竖排本 ]

台湾城邦文化事业股份有限公司商周出版 2011 年 4 月第一版

191.《〈红楼梦〉的真故事》

台湾人类智库数位科技股份有限公司 2011 年 6 月第一版

192.[144]《听刘心武说房子的事儿》

中国商业出版社 2011 年 8 月第一版

193.[145]《刘心武心灵随感》

时代文艺出版社 2011 年 11 月第一版

## 2012 年

194.[146]《刘心武种四棵树》

漓江出版社 2012 年 1 月第一版

195.[147]《风雪夜归正逢时——我是刘心武》

漓江出版社 2012 年 1 月第一版

196.《献给命运的紫罗兰》

漓江出版社 2012 年 1 月第一版

197.[148]《人生有信》

江苏人民出版社 2012 年 3 月第一版

198.Poussiêre et sueur [《尘与汗》法译本 folio 袖珍版 ]

Gallimard 2012 年 8 月出版

199.La Cendrillon du canal [《护城河边的灰姑娘》法译本 folio 袖珍版 ]

Gallimard 2012 年 8 月出版